谨以此书

献给所有关注国家命运的人

国民心态访谈

主编／张薇　罗依

中国物资出版社

国民心态访谈

张薇　罗依/主编

中国物资出版社

图书在版编目（CIP）数据

国民心态访谈/张薇，罗依主编．—北京：中国物资出版社，1998.10

ISBN 7－5047－1264－7

Ⅰ．国… Ⅱ．①张… ②罗… Ⅲ．社会问题－中国 Ⅳ．D669

中国版本图书馆 CIP 数据核字（98）第 29810 号

国民心态访谈

张薇　罗依/主编

*

中国物资出版社出版发行

（社址：北京市西城区月坛北街 25 号　邮编：100834）

全国新华书店经销

北京奥隆印刷厂印刷

*

850×1168 毫米　大 32 开　14.5 印张　328 千字

1998 年 10 月第 1 版　1998 年 10 月第 1 次印刷

ISBN7－5047－1264－7/Z・0072

印数：3000 册

定价：22.80 元

前言

中国的传统文化，决定了中国的老百姓比较关注国家大事。正所谓“国家兴亡，匹夫有责”。中央电视台的《新闻联播》以及《焦点访谈》，收视率始终远远高于其它栏目，就是这种文化的体现。这在国外是不多见的。

如此多的人关心国事，究竟是好现象还是不好的现象，它反映了什么又说明了什么，这些暂且不论，但这就是国情。是国情我们就应该承认、正视，而且还必须尊重。

关注的人多，意见、想法、分歧、建议必然也就多。这就产生了另一个问题，对谁说？如何才能有效地将心声传导给社会及政府有关职能部门，也就是沟通渠道的问题。

遗憾的是目前这方面的机构尚不是太健全，渠道也不是特别畅通。加上社会存在的问题太多，政府想管也一下管不过来，心有余而力不足。这就难免造成舆论积压，老百姓想说的话难以表达甚至无法表达。这是一个社会问题，也是一种客观现实。彻底解决那是不可能的，什么时代、什么政府都做不到。

于是，另一种情景便出现了：谈论。邻里街坊之间谈论，亲戚朋友之间谈论，大街小巷之间谈论，茶余饭后谈论……这很正常，心里有话，又长了一张嘴，不说行吗？

是的，中国的老百姓爱谈论国事，这也是国情。

作为一个国家，不存在社会问题，那仅是一种理想境界，人类无论怎样发展，也到不了那一步。因此，我们一方面要有勇气承认自己的短处，一方面更要积极解决一些必须解决的社会问题。社会问题虽然不可避免，但问题太多就不好了。太多就容易激化社会矛盾，时间一长，国家就容易出问题。

解决问题的首先一点，就是要倾听，倾听各方面的意见，倾听老百姓的心声，尤其是那些老百姓最关心的问题，一定要予以重视。搞清有哪些问题，有多严重，民众是怎么看的，他们的要求以及目标是什么，在这基础之上，才能拿出切实有效的解决问题的方案和措施。

《国民心态访谈》，就是出于上述两方面的考虑而完成的一项工作。我们将老百姓最关心的八个问题通过调查提取出来，然后又带着这些问题去听取社会各界人士的意见和看法，最后整理分析，并汇编成书。我们的用意十分明显，一、收集老百姓的心声，了解他们所关心的问题，让他们有机会面向社会以及更多的人“说一说”；二、为政府决策部门更好地治理和完善我们的国家与制度提供一些基本素材和依据。

总之，目的是为了使我们共同生活的这个社会更安定、更祥和、更健康、更美丽。

作为长期从事这方面问题研究的社会工作者，我们认定我们所做的工作是有意义的。

编　者

98年9月28日

目录

社会文明与公德，就如同一面镜子，折射着一个民族在某一时代的精神风貌与实力水准。

中国历来被称为“礼仪之邦”，然而到今天，文明与公德，却成了我们最严重的社会问题之一。难道我们不该想想在生活与物质一天天好起来的时候，我们是否忽视了什么？丢掉了什么？缺少了什么？也许今天被我们淡漠的东西，正是我们最需要的。

我们不反对财富，然而，当金钱成为社会唯一的价值尺度时，人的整体价值就将贬值。这个尺度必然造成人们相互歧视，甚至人格伤害，它不仅为那些穷凶极恶不择手段谋取钱财的人提供堂皇的借口，也使得绝大多数老百姓只能长期生活在压抑的黑暗中。

这不是值得高兴的事！

第三章　必然的革命

人人都想有个自己的空间，但大多数人却又难以拥有自己的空间，这就是现实。

房改是一个跨世纪的牵动亿万人心的工程，它关系到每个人的“切身利益、最大利益、终身利益”。

房改之后，人们将变得更为个体，职工与单位的关系也将更为松散，随之而来的必然是人员大流动，社会能容纳吗？

第四章　残酷的风暴

失业下岗，是市场经济下的一种必然现象，因为单位和国家已经负担不起。那么，谁来负担？

失业下岗按说并不可怕，不合适再换一个工作。但关键在于得有地方可换，得为他们提供再就业的机会。否则，只能成为多余的人。那么，再就业机会在哪？够不够？

失业下岗，谁之过？

第五章 世纪的隐忧

衡量孩子好坏的标准仅仅是学习成绩吗？显然不是。但对于成绩差的孩子，社会提供的发展机会有多少？

究竟是教育孩子诚实、廉虚、忍让、友爱、宽容、互助，还是教育孩子个人奋斗、适者生存，为达目的不择手段？在传统美德与现实社会极度矛盾的今天，教育该如何调整？孩子以及家长该何去何从？

大学校园，曾经被誉为圣地和净土，那是因为它是做学问和读书的地方，与喧闹的社会隔着一堵墙。

然而，今天这堵墙无疑已经坍塌了，它不能阻拦进进出出的阳光、空气、风沙以及污浊。

利弊得失暂且不论，问题是我们的大学管理该如何跟上，莘莘学子们又该持何种心态？

男人和女人，是构成这个世界主体的最基本单位。上帝将我们创造出来并加以区别，同时也就给了我们不同的属性和定位。

这是最简单而又浅显的道理，然而又是最难把握和区分的现实。

除了尊重上帝的意志别无选择。愿我们的男人更刚强，愿我们的女人更娴惠。

第八章　更新、矛盾和危机
——情感与婚姻

婚姻和家庭，是个古老的话题。因为我们每一天都在编织着前人所编织过的故事，重复着前人所做过的事情。然而，它又是个新话题，因为我们每一天都在探求与摸索，都在为其注入新的内容，新的理解，新的形式。

问题是我们的努力与创新是否有意义，这取决于我们的社会环境、水平认识、心态及素质。

第九章　投机者乐园和墓地

真正的投机凭的是智慧、胆识和实力。通过投机赚钱，不一定最好，但也是一种方式和途径，未尝不可。

中国的股民都是些什么样的人所组成？有多少具备相应的知识与素质？

仅仅凭着想发财的愿望就盲目杀入股市，最终只能成为被宰割的羔羊。然而，一旦这种羔羊太多了，责任恐怕也就不仅仅在羔羊本身了。

心态不端正，出路及机会缺乏，该是真正的原因。

改革开放二十年，贪污腐败问题没 一天不被人所谈论，所痛恨，国家司法部门也从来没有停止过查处与打击。然而，随着历史的进程，这一问题非但没有得到制止，反而愈演愈烈，贪污、受贿数额越来越大，形势越来越严峻。

为什么？为什么??为什么???

引　言

中国人最关心什么

1998 年 8～9 月间，“国民心态”课题组在北京、沈阳、上海、武汉、郑州、重庆、西安、长沙、昆明、广州等十个城市进行了一次规模浩大的采访调查活动。

在接受访问的对象中，35％的居民对 1998 年中国的现状感到满意，16％的居民不满意，另有近一半的人(49％)感觉一般。那么到底是什么因素使得人们产生这些感受呢？通过交叉分析发现，人们是否满意与其“就业状况”、“家里是否有人下岗或正在寻找工作”和“收入水平”有关。在各类企业单位工作者，满意程度明显高于下岗、无业、失业、在校学生等人；家里有人下岗或无业的人满意程度明显低于没有下岗或无业人员的家庭；家庭收入水平高的居民，满意程度明显高于收入水平低的。

98 **年，城市居民最关注的社会热点问题：**

1. 子女教育；	2. 职工下岗；
3. 住房改革；	4. 社会治安；
5. 社会保障；	6. 国企改革；
7. 廉政建设；	8. 通货膨胀。

“你最关心什么?”这是“国民心态”课题组在此次活动的一项问卷调查。接受调查的总数为11524位市民，其中男性市民占48%，女性市民则占52%，年龄在18～65岁。

一个人所处的位置不同，自然心中的忧虑也大不一样。这次调查的参加者可以自行选择自己的位置、自己的角色，从而吐出心中的忧虑，使我们对当今中国人心中的所忧所虑有个全方位、多角度和较为系统的直观认识。

社会治安，每况愈下

“国民心态”课题组对于京、沪、穗、武等10个城市居民的调查结果显示，公众中感到周围社会环境“不太安全”和“很不安全”的群体达33%，较1997年同期调查上升了6个百分点。在感受不安全的群体所表述的原因中，本人与家人的直接受害体验为30%，不法事件传闻因素为26%，对外地人口进城的抱怨占22%。

在公众不安全感的恐惧情景中，惧怕生人造访率为9%，女工上夜班的护送率为36%。在遇到不法侵害事件时，明确表示愿意帮助受害者的仅为12%，较去年同期下降；持“围观”与“静观事态发展”态度者占32%，较去年同期继续上升。公众对司法机关阻止犯罪的能力持怀疑态度，信心充分者仅为20%，警民关系的互信程度未见提高。

调查显示，近半数居民与邻居街坊处在既不认识，也不来往的状况。而相关分析表明，邻里互识互助关系与公共安全感有密切的关系。

子女问题，一言难尽

“孩子的教育”和“孩子的学习”，被京、沪、穗、武、渝等10个城市市民列为现今人们最担忧的问题之首，而曾一度被人们最为关注的“物价”问题已悄然降温。物价就是天价，毕竟也有价也见底，而孩子的教育和学习是无价无底，打不得折扣来不得半点马虎，是孩子一辈子的事。

子女教育的费用占据市民收入相当大的比重，并且也是构成居民储蓄的主要动机之一。调查结果表明，在上大学子女的家庭中，子女所支出的费用占家庭收入的28.6%，高中、初中、小学生家庭的子女支出费用在家庭收入中的占用率分别为38.2%、26.4%和23.3%。同时我们如果将孩子接受学校外教育及其他方面的开支归为“辅助费用”，则其与市民家庭支付的“学校教育费用”的构成比为：大学生1.7∶1；高中生3.4∶1；初中生7.1∶1；小学生7.3∶1。我们可以看到，随着孩子进入更高阶段的教育背景，家长支付孩子学校教育费用[illegible]负担在逐渐加重。

孩子的学习和教育之忧被家长们列为第[illegible]了学习和教育的重要性外，还有以下几个[illegible]

在社会竞争越来越激烈，孩子们不武装到牙齿就有可能被社会所淘汰；第二，现在的社会，比起父母们的孩提时代要复杂许多，有着太多的的诱惑，吸毒、早恋和书刊不良音像制品等泛滥，严重影响孩子健康成长，也让为父母的忧心忡忡。

调查所列的第二之忧为孩子的就业，孩子的工作和前途。据有关部门统计：在中国国有企业和城镇集体企业中，停减发工资的职工人数为1096万人，停减发离退休金的离退休人员为227万人，全国下岗工人900多万。有首民谣曰：50年代新主人，60年代带头人，70年代领导人，80年代苦恼人，90雇佣人。父母们望着人才市场的济济人头，真怕孩子毕业就失业，他们中间的一些人正如一个知青所写的那样：二十五年前上山下乡，二十五年后回家下岗。

从调查来看，受采访的父母不管学历高低，年龄大小，无一例外地都将孩子的“学习”、“教育”、“工作”看作首要问题。面对孩子本身素质方面，如“没责任心”、“怕吃苦，不孝顺”等并不关心。有的是关心了却苦于无良策治标治本，有的是抓而不紧，有的是一抓一放等于不抓。

研究人员在分析研究了调查中反映的忧虑之后，他们心中的一个最让人担忧的问题是：京、沪、穗、武、渝10个城市市民对个人、家庭的担忧程度远远高于对国家大事的担忧。我们还须牢记：先天下之忧而忧。

城市三口之家最让人担忧的问题：

1. 老龄化问题，孩子负担重；

2. 孩子孤独，有压力；
3. 溺爱、任性；
4. 教育；
5. 能否培养合格人才；
6. 自立能力；
7. 缺乏友情亲情；
8. 无人养老。

文明建设，苍白无力

“加强社会主义精神文明建设”是1998年的又一个热点话题，这一话题热起来的背景是越来越严重的不良社会风气及与之相伴随的公众社会批评。但是无论是一些城市公开讨论建立“市民公约”的活动、新推出的各行各业的新模范，还是运动式地推行服务承诺制以及对于道德建设问题越来越多的公开议论，人们仍然觉得需要在道德检讨的标准、追寻什么样的道德目标、发掘新的道德建设的动力及产生有生命力的道德典型方面作出更为深远的探索。

1998年8～9月间，“国民心态”课题组同期进行了多项包括一般市民、青少年、幼童、商业人士的道德思想状况的调查。调查结果显示，中国14岁以下都市儿童由于特殊的生活环境而变得更为任性，其观念极端地反传统，存在着朴素的“见义勇为”、“救死扶伤”的正直梦想，在开阔眼见、改变生活现状的积极性方面显然异于以往的孩子；青少年的社会化过程大大提前，但是社会化过程中防止劣化的机制却十分脆弱；无论在一般少年、一般市民还是商业人士中，道德信仰的多元化、对道德作用的低期望、道德标准的重要性与道德作用的外在化都是一种普遍的现象。道德正在被许多人作为一种外在的礼仪规则和口号在使用着，而其作为个人内在生活规则及个人内在信仰的自然化的特点正在社会层面上越来越被疏忽。"国民心态"课题组的几项相关调查都显示，较多的人承认现在社会上存在着大量的不道德行为，大多数的人把这些不道德的行为归因于社会风气、他人，很少有人为自己的不道德行为勇于承担道德责任，只要有条件与利益驱动，许多人都会去实践其一向所批评的不道德行为。

因此，道德重整被一些专家在信仰的层面上加以探讨。"国民心态"课题组的调查表明，在都市人群中，工具信仰（科学、知识、学问、金钱）、亲情型信仰（亲朋好友及家族关系）、权力型信仰（权力）、政治型信仰（共产主义或其他某种政治信念体系）、超自然信仰（宗教及迷信），以大约7：5：4：2：1的构成比为人们所接受并奉行，这也许能用于解释在社会风气中存在着的功利主义、家族经营、权钱交易及淡化政治责任感的现象。

反腐倡廉，任重道远

廉政建设随着若干涉及惊人数目金额的案件在近

几年的曝光，而成为公众关注的仅次于社会治安与社会保障的热点。1998年8～9月“国民心态”课题组对于京沪穗武等10城市市民的调查表明，33%的人认为目前党政机关与社会生活中的腐败现象“越来越严重了”，22%的人认为“基本没有减轻，还是老样子”，两者之和为55%；有36%的人认为“有所减轻，但有些方面仍很严重”。在对300家企业及各地的大学生对于各种不道德行为的测试中，中国企业领导者和大学生对于行贿受贿现象的耐受程度是相当高的，分别达到79%和25%。问题的严重性还在于49%的公众对国家控制腐败，实现为政清廉的前景“信心不大”或“没有信心”。应当看到，虽然政府惩办大案、要案的决心与实践给予公众以某种激励，但是制止具有相当普遍性的腐败现象还需要进一步的体制创新。

社会保障，忧虑重重

吃饭、看病、养老这三件大事牵动了许多人的心。“个人身体健康”、“增加收入”、“改善就业”是处在市民对于个人事务关注点前列的3项问题。其中增加收入与获得保障，构成了一个问题的两个方面，事实上市民更信赖以自我保障为核心、以社会帮助为依托的保障模式。

“国民心态”课题组的调查显示，市民的高储蓄行为之所以不会轻易被打破，是由社会公共安全感不高、个人社会保障需要与长线消费需要构成的高强度的储蓄动机构成体系所决定的。

调查表明,41%的市民不同程度地担心自己的养老问题,52%的人则不担心或担心程度较低。而不担心的主要动力来自有自己的退休工资或养老保险(38%)、单位肯定会管的信心(23%)、有自己的储蓄或财产来源(13%)。由此可见,我国都市对于以单位为主要来源的收入变化极为敏感。因此人们对于社会保障问题的关注度的上升,很大程度是由于相当一部分国有企业不景气而导致的企业亏损及部分企业因裁减人员而实施的职工下岗措施,从而导致了部分职工所依赖的主要收入来源的被切断或消减。

社会保障问题的最终有效化解,除了进一步健全与完善最低生活保障制度外,促进建立创造就业机会与保障有效就业的机制是更为重要的方面,这尤其需要对非公有制经济在吸纳剩余劳动力方面的作用给予充分准确的估计。

展望未来,不容乐观

从这十个城市的总体来看,市民对1998年持正面评价的同时,当询问他们“过去一年中你的最大收获是什么”,排在前五位的收获依次是“身体健康”、“没有什么收获”、“挣到钱、股票、邮市、债券等投资成功”、“参加工作,找到工作,调换好工作”、“获奖或事业上有一项特别的成就。”在对1998年进行评价的同时,百姓们对未来的一年，又有什么样的期待呢？

我的 1998

很糟糕	说不清	感到满意	有得有失	没什么特　别	比较不满　意
3%	1%	35%	25%	23%	12%

昨天的收获与明天的期望

	1998 年的收获	1999 年的期望
第一位	身体健康	身体健康
第二位	没什么收获	挣到钱或股票、邮市、债券等投资成功
第三位	挣到钱或股票、邮市、债券等投资成功	获奖或事业成功
第四位	参加工作、找到工作、调换好工作	孩子找到好学校或好工作
第五位	获奖或事业取得成功	买房、分房
第六位	孩子找到好学校或好工作	参加工作、找到工作、调换好工作
第七位	买房、分房	上学、留学、毕业
第八位	上学、留学、毕业	买车

在1999年的城市发展中，应大力鼓励非公有经济的发展，提供更多的就业机会及进一步扩大开放的步伐，从而聚集更多的社会发展的动力。短期难以解决的问题仍将主要来自公共安全感的继续下降、下岗失业职工的集中而又强烈的不满情绪、公众对于社会不公正的待遇的不满情绪。而直接威胁社会稳定因素则可能来自大规模地下金融活动及黑社会性质的社会组织的发展。在城市社会基本稳定的外表下，体制性的裂隙及传统社会基础正在发生较大的变化，虽然不会有导致重大不稳定诱因的明显的形成机会，但是导致远期不稳定的因素将处在持续的增长之中。

对于相对属于中长期的社会稳定与发展而言，产生并实践更新的改革理论与方案似乎较以往更为迫切，而类似国庆50周年大典、澳门回归都有可能成为激发人民投入深层的社会变革的热情与理想的机会。1999年，是中国都市人民有更多的期待的一年。

第一章

陨落的东方文明

——精神文明与社会公德

社会文明与公德，就如同一面镜子，折射着一个民族在某一时代的精神风貌与实力水准。

中国历来被称为“礼仪之邦”，然而到今天，文明与公德，却成了我们最严重的社会问题之一。难道我们不该想想在生活与物质一天天好起来的时候，我们是否忽视了什么？丢掉了什么？缺少了什么？也许今天被我们淡漠的东西，正是我们最需要的。

进不了21世纪的国人文明

对我国现阶段精神文明所存在的诸多问题，上自党和国家领导人，下至黎民百姓，无不深深的忧虑。如果公民的思想意识、道德水准以及社会行为不文明，要想建立一个高度文明的社会，就只是一句空话。那么，我国的公民离文明究竟还有多远呢？

中国人，请文明一点

程国鸿，男，报社编辑

早在二、三十年代，一些人便撰文呼吁：中国人，希望你们变得有教养一点，文明一点。历史过了半个多世纪，我国公民的文明水准似乎没有多大的长进，你只要到公共场所去看一看，可以说，没教养的行为触目皆是。随地吐痰、乱扔垃圾、满口脏话、胡写乱画等不文明之举，已经渗透在一部分公民的日常生活之中。不文明者习以为常，文明者见怪不怪，久而久之，就形成了一种极其丑陋的世俗恶习。

不文明行为表现最集中也是最常见的场所有两处：一个是厕所。“厕所文学”在我国极为流行，从城市到农村，几乎无孔不入，就连一些大宾馆和豪华酒楼的内用公厕，也留下了“厕所文学”创造者的“杰作”。无聊之徒在公共厕所里胡写低级下流的语言，乱画不堪入目的图画，既污染社会环境，又败坏社会风气，已成为难以根治的一大公害。

其实，更为恶劣的不文明行为简直令人发指，去年，在107国道许昌北郊的收费站前，民警赵某和杨某在灯火通明的收费亭附近，当着许多女同志的面公然撒尿，《河南日报》一名记者上前指责，反而遭到赵、杨二位的一顿毒打。记者认真了，终于邪不压正。许昌市委决定，将赵某清出公安队伍，给予杨某留党察看一年、行政降一级的处分。蚌埠市也发生类似事件，某文工团体到该市演出，住在一家宾馆，一位演员因不满服务员的态度，临行前在被子里拉大便，在暖瓶里撒尿。这件事影响极坏，省有关部门也只是给予通报批评。

在人们的印象中，不文明行为似乎是没有文化者所为，有文化者则文明，其实不然，上述能写能画能喝能演的不文明者都有文化，至少不是文盲，说穿了，还是思想意识问题。青岛建筑工程学院搞过一个“大学校园里的污垢——大学生不文明现象曝光展”，以图片、实物、调查报告、漫画等形式，向大学生展示了发生在他们中间的各种的不文明行为。大学生看到他们自己创下的不文明记录，触目惊心，于是，才有了“优化校园环境”的文明意识。

北京图书馆宣称，有的读者借阅图书报刊，撕其所需部分不择手段，许多珍贵书刊被弄得残缺不全。此类恶迹在大专院校的图书馆更是司空见惯，干这种勾当的大多是有知识有“教养”的“天之骄子”。

都市人也常常干出许多不文明的事情。比如，北京新手音乐会演出时，场内自始至终不断有人走动，大声喧哗、无所顾忌，大哥大、BP机响声不绝于耳。上海博物馆新馆开馆10天之内，高级地毯上一片狼籍，粘满了口香糖残渣。馆内的公厕为参观者备有卷筒手纸，每天要“耗费”百余筒。

衣食足却不知礼节

沈鸿，男，电视台记者

当今社会普遍存在一种“人损我，我损人”的心态，只要不吃亏，就任意拿道德开玩笑。

北京当代商城为美化环境，在门前的广场上放养了2500只鸽子，4个月以后，幸存的只有500只左右，除了少数受惊吓飞往别处，大部分被人抓去当作下酒的美味了。本来放养鸽子的主人一片爱心实属难得。可是有人却不领这份真情，不断有成人去抓走鸽子，或大声吆喝、拍巴掌、跺脚、扔东西，惊吓鸽子。而对市民的不文明行为，放养鸽子的主人不惜代价，继续放养，目的是以此来推动文明的进程。

广场鸽的遭遇给我们这样一个启示：一边有人在推进文明，另一边有人却在践踏文明。天津市有一个名为“远航”的瀑布式喷泉，是点缀开发区环境的大型景观。

这本来是文明的一种标志，就是这项文明工程，却遭到了极不文明的礼遇，“远航”的瀑布之下，一些司机用喷泉池的水来刷车，甚至还有许多收破烂的在池内洗泡废品，清洁的喷泉受到严重污染。

天津市引滦入津工程纪念碑上铸有600来个铜字，是市委、市人大、市政府为纪念碑所题的碑记。在很短的时间内，碑上的铜字竟然被人偷去2/5，碑文变成了残缺不全的“天书”。

河南济源是愚公的家乡，该市为了弘扬愚公精神，塑造了以愚公移山形象为主题的城标。可是，不久便被人损毁，破坏的目的仅仅是为了盗窃底座的大理石。

武汉市三品路的孙中山铜像建于1933年，半个多世纪安然无恙，去年夏天，孙先生的铜杖突然不翼而飞。窃贼陕西农民吴伯忠落入法网后，坦然供道：拿铜手杖去卖钱。

可怕的道德沦丧

童军旗，男，社会学家

据媒体披露，从1986年1月至1994年底，全国各地被公开曝光的见死不救的事件总共在1000起以上。上海市的某位官员因见死不救，受到严厉处分，这多少让人感到，公理还在。然而，这并不能让那些见死不救者闻之足戒，见死不救的事情仍在发生。甚至趁火打劫的丑剧屡演不衰。

前不久，一位姓裴的游客在郑州市人民公园游玩，一不小心，从假山上摔下来致伤，市急救中心闻讯后火速派车赶到现场抢救伤员。可是，救护车在公园东门被当班的售票员卡住了，急救车在急救状态下，不受红灯、左转弯和直行的限制，为什么进公园救人就非买门票不可呢？

山西兴县农民奥耕牛老人被一场特大洪水冲到百十公里以外陕西境内，家里人找到老人的尸体，当地一位男人硬不让运尸，理由是去年他捞了一具尸体人家给他一万元。奥家人苦苦哀求，无济于事，最后，以1720元成交。家中人死屋空，又遭此一劫，无异于雪上加霜。

浙江四方集团的货车驾驶员蒋某在行车途中碰上一起车祸，他见义勇为，向车祸受害者伸出援助之手，请在场的围观者帮帮忙。可围观者异口同声问他“出多少钱？”蒋某无可奈何，救人要紧，只好付给4个民工160元，把受害人抬上了车，又花20元请人带路送往医院。

去年7月中下旬，柳州地区遭遇罕见的特大洪灾，92次列车在柳州受困，乘客忧心如焚，列车员却趁灾打劫，每瓶矿泉水卖5元，盒饭量不到平时的1/3要价15元。当地政府给列车送去救灾食品，列车员也高价出售，为了获得最大的收益，他们守住车门，强行禁止旅客下车去买便宜的食品。无独有偶，由成都开往郑州的248次列车乘务员推销饮料才有新招：补办卧铺票，要买4瓶饮料；帮老同志找一个座位，要交10元手续费；送一杯白开水，一块五毛钱。

应当看到，论精神文明水平，我国公民与发达国家的公民相比，确实存在着相当大的差距。前不久，一位游客到黄山游览以后，给《主管部门》写了一封信，说黄山玉屏峰下的一条小山谷内，有一条绵延长达数十米的垃圾带，塑料袋、饭盒等垃圾被强劲的山风吹得漫天飞舞。黄山风景区的污染早就引起管理部门的重视，也采取了措施，但游客则我行我素，照扔垃圾。在地球那一边，阿尔卑斯山上，白雪与绿草之间不存在一丁点儿杂物。一位出访瑞士的中国人，在海拔3000多米高的山顶上，居然看到了垃圾筒，居然看到瑞士人把废弃物从老远的地方带来，自觉地放在筒里。

发达国家的物质文明、精神文明比我们要高得多，他们经历了100多年的努力和奋斗，两个文明才取得了同步发展。有一点很清楚，两个文明的进步不像有些人想像的那样，只要物质文明达到一定高度，公民的精神自然就会文明起来。其实根本不是这么回事。香港社会在物质高度文明以后，精神在相当长的时间内一直文明不起来，仅禁止吐痰就走过一大段弯路，先是到处张贴告示，“不随地吐痰”。市民看见告示，就往墙上吐，往树上吐，吐在纸里扔在地上。市政当局无可奈何，把告示一改再改，最后改成“不准随地随墙随树随纸吐痰”，还是不行。后来才采取罚款手段，罚得人人心惊胆寒，吐痰的人才不得不把痰吐在随身携带的塑料袋里扔进垃圾箱。

综观西方的发达国家，在精神文明建设上几乎都采取了强制性的法律约束。以瑞典为例，政府颁布了严厉的禁烟措施，各行各业的人，上自高级职员，下至勤杂工，任何人在公共场所吸烟都会受到重罚，第一次扣薪，第二次辞退，绝不留情，瘾君子岂敢以饭碗试法？最典型的要算是俄罗斯，苏联解体之后，俄罗斯公民因失业和生存的压力而苦闷不堪，使得原本就很盛行的酗酒之风更为嚣张。在莫斯科，酒鬼约占1/10，酗酒已成为严重的社会公害，酒徒犯罪占总犯罪率的30%，在杀人、强奸等恶性案件中，酒鬼占80%。政府为惩治酒鬼，在全市设28个醒酒所，逮到酒鬼就扒光衣服，从头到脚浇凉水。酒鬼进一次醒酒所，要交一个普通工人的月薪，“醒酒费”另算，进3次以上，则交法院判几个月劳役，酒鬼的嚣张气焰才有所收敛。

为禁止不文明行为，我国各地也都制定了一些具有法律效力的规定，但是，文明的进程总是不如人意。问题究竟出在哪里呢？罚不得力。某市的文明办负责人说，要想让人们文明起来，非得狠罚不可。日前，中央电视台报道了福建三明市创建文明城市的经验，其中一条做法就是重罚。某司机拉沙漏了一条街，被逮住后重罚25万元。此举一出，比市长做100场保持环境卫生的动员报告还顶用。

现代人精神文明的调查分析

什么是文明，怎样才能使不文明的现象消失，人们对自身和对他人有什么要求?“国民心态”课题组 1998 年 9 月的调查表明，现代社会，人们对文明有了新的认识，比如，越来越多的人认为“守规矩，懂礼貌，处事谦让，”不是绝对的，要视情况而定；再如，对发生于公共场所的过分亲热举动大家不再反应激烈，甚至相当一部分人认为很合适，没什么不妥。一些传统的文明标准，道德准则正受到挑战，现代人对文明问题有了新的衡量尺度。文明不是老生常谈，它正随着社会的发展，一点一滴地发生变化。我们希望通过这组调查，捕捉到这些变化，因为我们相信这是有意义的，无论对于我们社会文明程度的发展，还是社会中个人文明素质的提高。

关于文明

约有 15. 8%左右的人认为文明程度高低与是否“有钱”相关。大部分学生认为“受教育程度高”是文明的首要条件，而已经工作的人则多数认为“严格的社会规范”是文明的首要条件。

47%的人认为应该对不文明行为采取严厉措施。

49%的人认为文明程度对社会发展有决定性影响。

10%左右的人认为文明的习惯来源于“好的榜样”，20%的人认为来源于“社会习俗的要求”。

在“校园”和“饭店”之中，68%的人认为校园的文明程度更高；在公众心目中，“火车站”和“医院”是公共场所中文明程度较低的地方。

关于粗野

17%的人表示自己从没说过粗话，76%的人“不常说”，承认自己经常说粗话的人几乎全是男士。

如果有人说粗话，则33%的人认为这个人“不文明”，61%的人认为不能一概而论，他们的理由基本上是如果遇到可恨之人或可恶之事，就可以痛骂。

当遇到不文明行为时，29%的人会采取“随他去，跟我没关系”的做法。

仅3%的人认为只有在公共场所才有文明问题。

9%的人认为文明最根本的目的在于“证明自己的素质”，17%的人认为是“为了更利于社会的管理”，52%的人认为讲文明是“为了使自己生活得更愉快。”

虽然只有15. 8%的人认为“有钱”是文明的首要条件，但持这一观点的人数显然较前两年有所上升——“生活越富裕，社会越文明”，成为一部分人的共识。有趣的是，涉世未深的大学生和工作多年的国家干部关于文明有不同的看法，学生意见是教育使人文明，而干部则认为严格的规范使人“知礼节”。47％的人赞同对不文明行为采取“严厉的惩戒措施”，大部分人认为文明的习惯来源于社会习俗的要求、教育的结果以及个人成长环境，只有10％左右的人认为文明的习惯来源于“好的榜样”。

另外，调查还显示人们对于文明的认识有所深化。大多数的人不认为富丽堂皇的宾馆饭店比书声朗朗的大学校园文明程度更高，这说明人们更加认可精神世界的丰富，并将这一点作为衡量文明程度的重要标准。在公众心目中，“火车站”之所以被认为是文明程度最低的地方，主要是由于“客观原因”，即人多、环境不好、脏、乱、差。而“医院”被挑拣出来则主要是由于“主观原因”，即部分医生素质不高给患者留下不文明的印象。

大多数人认为文明不是做给别人看的，也不是“为了证明自己的素质”和“利于社会的管理”，他们觉得文明能使自己更好地生活。所以，近1/3的人在遇到别人不讲文明时，采取事不关己，高高挂起的态度。另外，人们似乎已经不把“粗话”和“不文明”、“粗俗”联系在一起，很多人仅把粗话当做一种语气词或说话习惯。从调查看，只有不到1/5的人表示自己从没说过粗话，超过4/5的人是说多说少的问题，他们不认为自己说粗话就是不文明，他们认为文明不是表面的东西，一个文明人首先是有血有肉有感情的，所以，在可恨可骂的人和事面前无动于衷，保持风度才是最没劲的。不过，这个时候，是否只有粗话才能表明自己是个热血汉子呢？大多数人认为至少酣畅淋漓地说几句粗话是无关体统的。这说明“文明不文明”，“什么是文明”的有关衡量标准，评价标准正在趋于多元化、个人化、内在化，人们心目中的这些准则已经和传统有了很大区别。

关于绅士

谈到绅士，58%的人首先想到“诚实，与人为善，助人为乐”，26%的人首先想到“衣冠楚楚，风度翩翩”，其中女士约占72%；而在15%首先想到绅士是“假模假式，拿腔做调”的人中，男士约占73%。

33%的女士认为“为女士开门，讲究女士优先的男士“招人喜欢”，13%的男士有“向他们学习”的愿望。但是，调查中32%的人对这些男士的行为表示“无所谓”，还有6%的人“感觉别扭”。

32%的人认为自己周围没有绅士，34%的人“没注意”过周围是否有绅士。

几乎没有人说自己绝对“不愿意”守规矩，懂礼貌，处事谦让；但是只有不到一半的人表示“愿意”，51%的人视情况而定，即“有时愿意，有时不愿意”。

超过30%的人认为在公共场所过分亲热“无所谓”。

大多数的人想到绅士的时候，总是把绅士与一些优秀品质联系在一起，但是，一个有趣的现象表明显然女性对绅士更有好感，在认为绅士首先是“衣冠楚楚，风度翩翩”的人中，女性占了72%，而在认为绅士“假模假式，拿腔作调”的人中，男性占了73%。同样女性欢迎那些“为女士开门，讲究女士优先的男士”，约有1/3的女性认为他们“招人喜欢”，但是表示“向他们学习”的男人只有13%。大部分男士没感觉，还有部分男士感觉“别扭”。其实，绅士是对男人的要求，但是从调查来看，似乎男人对自己是否是绅士，是否能成为绅士没有表现出绝对的热情，他们很多时候根本“没注意”周围是否有绅士，这就难怪大部分妇女认为“自己周围是根本没有绅士”了。

从调查中还可以看到社会评价系统正变得宽容，有弹性。因为认为在公共场所过分亲热“合适”的人与几年前相比已不在少数，另外还有1/4的人对这一现象熟视无睹，认为“无所谓”。而且，根据分析，说明人们已经不是无条件地遵守一些社会规范，超过半数以上的人认为“守规矩，懂礼貌，处事谦让“要“视情况而定”。

众人杂谈

梁咏慧，女，作家

对于大多数中国人尤其是年轻人来说，绅士起初的名声可能并不太好，一句“打倒土豪劣绅”很容易使人把绅士划为坏人之列。后来，通过国外一些影视剧，人们发现绅士的形象似乎说不上坏。他们的做派、风度，譬如衣着整洁、彬彬有礼、富有教养、谈吐儒雅、尊重女性等等，甚至不能不说很有吸引力。

按《现代汉语词典》的解释“绅士”本来的含义是指“旧时地方上有势力、有功名的人”，不过今天，绅士早已脱离其本来的含义，但作为一种精神气质，“绅士”大抵还是可以为我们所用的。衣着整洁总比邋里邋遢看得顺眼，谈吐儒雅，彬彬有礼总比满口脏话、举止粗俗更有审美价值，至于尊重女性、女士优先，更是时代进步使然。因此，当人们说某一个人“特绅士”时，我相信，那应该是一种难得的评价、由衷的赞美。

或许正因为绅士文化自有其独特的审美价值，绅士在当下也颇有走俏之势。一些以绅士命名的产品大受欢迎，从一个侧面说明了消费者的口味。现在也很有一些年轻人以绅士自居。他们买名牌、穿名牌、大方阔绰、风度翩翩，对女性更是张口闭口“lady first”，俨然已成“绅士一族”。有时看着一些挺拔俊朗、健康朝气、衣着时髦、风度翩翩的年轻人，我真很为他们骄傲：有他们在，世界显得多么美好！但有时我也挺害怕他们会冷不丁地冒出一句“傻×”。

欧阳坚，男，网络工程师

我从来不认为“外国的月亮比中国的圆”，但我必须承认，自己初次领略和了解“绅士风度”，是在俄罗斯的明斯克。

第一次乘公共汽车出门，正值上班高峰时间，车站上候车的人很多。车来了，挺空，有座，站台上的人鱼贯而上，按着老人，孩子，妇女的顺序。老头子让着老婆婆，小男孩子让着小女孩。更不可思议的是，车里坐着的全是女人，男人们全都站着。你知道，这时车厢里还有好几个空位呢！

后来，在一次俄语课上，我们一本正经地问我们的俄语老师达利亚·伊万诺夫娜：为什么车里有座，男人们都不坐。娜达利亚·伊万诺夫娜沉思了片刻，回答说："这是绅士风度！"

日子一天天过去，我们上下车时，不但不再冲锋在前，还学会了下车后，90度转身，侧立一旁，等候同行的女士下车；公共场合不再旁若无人地神侃；吸烟时知道征求一下女同胞的意见，或是主动到洗手间；在食堂买饭时，也不再伸头伸脑，寻找自己的同伴……总之，我们越来越彬彬有礼了。我们开始每天换衬衣；不再穿着运动衣去参加研讨会，也不再像刚来时那样，把西服领带和旅游鞋搅在一起。环境确实是能够改变人的，中国人也是绝对不缺乏成为绅士的潜质的。

时光流转，5年的求学生活一晃就过去了，我们这拔人又相继回到国内。我们发现自己时常处在两难境地，还了"英雄本色"吧，有点难为情；保持"绅士做派"吧，又行不通。

洪峰，男，报社编辑

著名诗人臧克家，该算是当今中国文坛的大家之一吧。有次对记者谈到某些诗朦胧得让人喘不过气来，晦涩得让人望诗兴叹，我几乎看不懂他们的诗，快成诗盲了。"

北京大学中文系著名教授朱德熙，称得上大师级的人物了，可他在谈到"海的心上躺着贝，贝的心中含着泪”这句歌词时，无可奈何地摇摇头，说：“我一点儿也不懂！”香港的黄沾先生，也够得上歌词高手了，他面对大量不合逻辑、不合语法的歌词，喟然长叹：“我几十年中文白学了！”

诚如朱德熙老先生所云，这些“天书”式的作品充斥报刊影视，不仅是文坛的不幸，也有损国风。

写诗写歌写小说，给人读，给人听，给人唱，首先就得让人懂。而那些“天书”式作品的作者们却鼓吹远离现实、淡化生活，要着重抒写自我的瞬间感受，抒写自我的下意识、潜意识，其表现手法更是随心所欲，信笔胡来。有人居然还自我标榜为手法创新。殊不知，此类创新正是复古，正是倒退。鲁迅先生对此早就深恶痛绝了“用怪字面，生句子，没意思地硬连起来的，还加上好几行很长的点线。作者本来就是乱写，自己也不知道什么意思。但认真的读者却以为里面有着深意，用心地来研究它，结果是到底莫明其妙，只好怪自己浅薄……”其实浅薄的是作家，他们的作品怪异，不遑自解，却故作高深，误导读者。难怪当今有人提议作家应是学者，因为学者严谨，全面的知识背景为创作提供开阔的眼界和丰富的思想，才能保证其作品真正的出新。清人李笠翁有云：“琢句炼字，虽贵新奇，亦须新而妥，奇而确。”那些惯以怪异来炫人耳目的作家，当以李笠翁之言为座右铭，晨夕接目，警省自己才好。

毋庸讳言，这类新潮作家及其作品，所产生的社会效应令人殊堪忧虑。君不见，那些文理不通、逻辑混乱的朦胧诗，那些闪烁其词、匪夷所思的歌词，被那些少不更事的中小学生抄进了自己的日记本，盲目地奉之为美文佳作，刻意模仿。一位语文教师给笔者看过这样一篇学生作文："朝阳下，我不曾在意理想，为了那感觉，这样负你太多，之所以我选择了收藏……"孩子的作文竟这般佶倨聱牙，不伦不类，对照一下，实在太像当今某些朦胧诗和歌词了。

以生产此种文字垃圾为能事的新潮作家们，对此能不汗颜么？

沦丧的社会公德

如果你在街头看到几个流氓正在殴打一个无辜的人你会怎么办？

当我们拿这个问题追问一些相识或不相识的人时，得到了多种多样的答案：

“我会冲上去把那流氓打跑！”

持这种答案的人数最多，而且他们在说出这些话时表情严肃，仿佛他们已经这么做过了似的。

大多数时候我们无从判断那被打的人是不是无辜的，因此我们的无所作为就是可以原谅的。

可是如果你在长途公共汽车上与一群乘客被几个持刀流氓逼住时，你会怎么办呢？

实际上我知道在已经发生的众多个案中，绝大多数人选择了沉默。

“如果有人领头站出来和他们干，我也会跟着一起干！”

这又是一个典型的答案。人人都希望别人领头，人人都在担心，万一自己领头了会有人跟上吗？

随着我国经济的不断发展，可以说大多数人现在已经不愁吃不愁穿，然而，在生活与物质富足的今天，更令我们关心的一个问题是：人们的价值观念和公共道德，在经受市场经济的风雨洗礼后，现在到底变成了什么样子，为此我们对见死不救这一近年来时常被公众广泛议论的话题在街头进行了调查。

从调查结果看，有30%以上的公民曾受到过歹徒的威胁和伤害，有近40%的公民亲眼目睹了歹徒威胁或伤害他人，生活在这样的空间，公民自然习惯于明哲保身，不少人开始变得麻木冷漠。助人为乐，见义勇为的公德荡然无存。生活在这样的社会风气、氛围中，出现见死不救这种现象就不足为奇了。

被歹徒胁迫或伤害的事：亲身遭遇过35%；亲眼见过41%；听说过29%；没有听说过1%。

当调查公众的看法时，绝大多数人对见死不救的行为表达了痛恨之情，近60%的调查对象认为他们应当受到道德法庭的审判，甚至有近30%的公众认为应追究见死不救者的法律责任，但问题是，当有一天他们真正面对同样处境的受害者时，他们会伸出援助之手吗？

认为见死不救或袖手旁观者应受到道德上的谴责56%，受到经济或名誉上的惩处10%，追究法律责任30%，不承担任何责任4%。

见义勇为、助人为乐和拾金不昧一直被推崇为中华民族的传统美德，它如同一面镜子，照出了一个时代与社会的公德水平与精神风貌。今天，我们是否应当考虑这样一个问题：在生活与物质一天天富有起来的时候，我们是否还忽视了什么，丢掉了什么，缺少了什么。也许今天被我们淡忘的，正是我们最需要的。

好人怕坏人

方季维，女，大学生

英雄流血又流泪，这已经是我们这个时代里最令人心酸的事。

在北京发生了这样一件事，有人见义勇为抓小偷，小偷把勇为者打伤，围观者无数，小偷却逃之夭夭。也许是因为类似的事情类似的结局听过太多了，我们听说后已经没有了正常人应该有的义愤和激动。这不正常。但谁又能有办法？好人怕坏人，但这种好人怕坏人是指个人对应个人的一种通常可能，而一旦好人群体对坏人产生无能为力的恐惧感，那么我们赖以生存的社会就会陷入危险的境地。尽管这种危险并没有降临到整个社会，但在局部地区应该说非常严重。正不压邪的事件只要发生一例，它的消极影响就会非常大，人们对此的第一反应就会是：现在人都这样，我可得小心点！

杨思宁，男，报社记者

好人怕坏人吗？我曾经多年从事政法工作，接触过很多穷凶极恶的犯罪分子，他们在做案时怕不怕？他们怕得要命！怕谁？当然是怕好人。我去年去浙江温州采访，在公共汽车上，有两个歹徒手持匕首想洗劫车上的乘客。车上至少同时有5位乘客站了出来，歹徒们显然是心理准备不足，顿时被吓得刀都拿不稳了。我们把歹徒交给警察后就继续赶路了。事后我想，如果当时站出来的只有一个人，那没准又是一场血腥厮杀，结果又会有一位英雄诞生，我当然是那5个人中的一个，我当时的想法非常简单，我知道他们的心中也是很恐惧的，只要我大声地喝斥他们，就会让他们胆寒，同时也会鼓起其它人的勇气。有5个人同时站出来这稍稍让我有点意外，但细细一想也没什么意外的，明白好人不怕坏人这个道理的永远不会只有我一个。

童颜，女，外企雇员

好人怕坏人的议论，在很多年前就已经出现了，一直持续到今天，真可谓长盛不衰。我觉得最重要的原因就是几乎每年都会有这种新闻爆出，而且一年比一年邪乎。先是马路上打人没人管，然后是在汽车上遇抢没人敢吱声，再以后竟然出现了流氓在公共汽车和大街上强奸妇女而没有一个人敢于伸张正义！我认为在这里问题已经超出了好人是否怕坏人的范畴，像在公共汽车上流氓强奸妇女时，他肯定已失去了足以威胁他人生命的能力，这时候居然还有人能闭目假寐，他根本就不是怕不怕的问题，而是一种彻底的麻木！

好人怕坏人并不可怕，最可怕的是这种麻木。是一个民族的种性在退化！

王勇，男，出租车司机

我总觉得，现在的新闻舆论在讨论好人为什么怕坏人这个问题时存在一定的偏颇，就是往往过于强调让群众去当英雄。为什么在大庭广众之下罪犯很容易就能逃之夭夭却没人出来管？如果你一味责怪普通群众，我觉得就好像老鼠泛滥，你却总批评老鼠，而真正应该负起责任的是猫！

黄芳，女，中学老师

见义勇为是置自己的利益于不顾，为了他人的利益挺身而出。这不是人自身固有的一种本性。人保护自己是出于本能，是无条件的。而牺牲自己保护他人需要后天的教育、宣传和社会保障系统，是有条件的。因此，可以说好人怕坏人也没有什么特别不正常的。但我们为什么还要大力倡导见义勇为呢？最根本的原因就是，唯有如此，才能让我们每个人的生活变得更加美好。我们都会注意到，在今天，好人不怕坏人的事例正在渐渐地变得多起来，这就是我们宣传与教育的结果。再加上整个社会对见义勇为者后期褒奖和保障体系的建立和完善，我相信我们的周围好人怕坏人怕得要命的窘况会越来越少。但也不会完全杜绝，因为完全杜绝是根本不可能的，除非我们都搬到真空里去住。

韩小元，男，警察（以下●代表受访者，□代表采访人）

□　假设我们以好人怕坏人已成事实为前提，那么如果公众把它归因于你们保护不利，你能接受吗？

●　我先给你讲一个事，是我曾接触过的一个不算是案子的案子。有一个即将退休的老厂长，他在20年前亲手扭住了一个罪犯，这个罪犯后来被判20年徒刑。最后，那个人经过劳改出来了，他要办的第一件事就是到厂长家去威胁，要和厂长拚命，又说要炸死厂长全家。老厂长来找我们，我们就去找那个人。但他只是口头威胁，并没有采取什么行动，所以我们也只能口头警告他，没法对他实行更进一步的措施。老厂长全家的恐惧感是我们能够想象的，老厂长对我们的做法不十分满意我们也是能够理解的，可我们有什么更好的办法？24小时监控那个人吗？还是24小时保护厂长的家？我们怎么可能有那么多的警力？

□ 这应该算是一个特例吧？

● 这当然是一个特例。我想说的是，我们从来都没有忘记我们的职责，我们一直并且正在尽力地去做。我现在都已不愿意再谈我们的困难，但困难时刻都在困扰着我们。我说这些丝毫没有推卸责任的意思，我也知道我们距人民群众的要求还有差距，但这差距正是我们继续做好工作的动力。

□ 有一种说法是：如果本应是好人的人变成了坏人，那么好人就没法不怕坏人。你怎样理解这句话？

● 这种说法非常有道理。它并不专指我们，但我们适用它。林子大了什么鸟都有，各个行业都不可避免地会有一些败类。就我个人来讲，内有做人的良心，外有纪律与惩罚，我变成坏人的可能性极小，我的同事们也和我一样。

□ 就你个人的见解，怎样才能更进一步地消除好人怕坏人的观念？

● 我不是某一方面资深的人物，我只能实实在在地讲，我们的破案率再高一点，社会上的全体好人尤其是男人们再勇敢一点，我们的法律对犯罪的惩罚再严厉一点，有了这三点情况必然会有大的改观。

在本次调查采访活动中，不断有人对见义勇为提出一些质疑或者全力辩解。我们知道，争论并不容易改变什么，我们只希望你能问问自己的心：如果你或你的亲人不幸遭遇厄运，你希望别人怎样做？在已经发生过的若干桩令人发指的“好人怕坏人”的案件中，如果你就是其中好人的一员，那么你有勇气通过自己的力量让事件变换一种结局吗？

问问你自己的心，你能当一个什么样的好人？

我们可以很容易地描绘出一种理想状态，那是我们该给自己制订的最高要求：每个好人都不胆怯，不退缩，那么坏人就会在一片浩然正气的重压下惶惶不可终日。

但我们也知道这种理想状态是很难实现的，那么我们的最低要求也应该是：面对邪恶的嚣张气焰，你不要低下你的头，当有英雄挺身而出时，你不要做一个麻木的看客。这样，我们的社会就会很幸运地多几个活着的英雄！

问问你自己的心，握握你自己的拳头，你是一个好人！

脆弱的公共安全感

“小心点，注意安全！”这是我们在日常生活中经常可以听到的一句话，临出门前，父母叮咛子女，妻子嘱咐丈夫。然而，这不经意的一句话却道出了普遍存在于我们内心深处的一种心理需求——人身与财产的安全感。在一个社会中，安全感的高低会直接影响到每个人的日常行为和整体的生活质量，特别是在社会经济文化结构处在调整期的今天，城市居民的自身安全感直接反射着这种调整中所释放出来的影响公共安全的因素以及对于这些因素的控制机制的有效性。

“国民心态”课题组 1998 年 8 月对市民的公共安全感进行了多角度的透视和研究。调查结果表明，总体而言，公众评价维持在“较弱的中等”安全感水平上，而并未延续下滑现象。该项调查在北京、上海、广州、武汉、南宁、成都、西安、济南、沈阳、厦门 10 个城市进行，每个城市有 200 名市民接受访问。

陌生人一多，心里就没底

朱茵，女，68 岁，退休在家

我在这个院子里生活了几十年，它类似于过去的家族，每户人家的祖辈都是同一个姓氏，有一定的血缘关系。虽然后来院子里嫁出去的娶进来的人都发生了很大的变化，大家仍然互想熟悉，知根知底。如果有陌生人的来访，只要一进院子，就会有人上去询问并给他带路，所以生活在院子里的居民一般都很有安全感，不太会有偷窃抢劫之类的事情发生。但是，这两年，从外地到上海来打工的人越来越多，而我们这儿又大多是私房，自己住着宽裕，所以也想租出去赚一点房租钱贴补家用，所以院子里的外地民工也就越来越多。陌生人的脸一多，心里就没了底，加上报刊杂志经常曝光的案件又多数是外地民工干的，感觉当然不像以前那么安全了，进进出出也小心警惕得多。

我的几个孩子早就成家立业了，他们隔一段日子总会把我和老伴接过去住一阵。但是，说实话，我实在住不惯那种市区公房。白天，他们上班的上班，上学的上学，整幢楼空荡荡静悄悄的，我们老俩口没有邻居可以串门，只好锁上铁门呆在房间里不出去，想到那些“敲头案”就战战兢兢的。住在这种公房里，如果出了什么事叫都叫不应，还不如大院里的老房子安全呢。

家里有个男人感觉上才安全些

徐洁雅，女，40岁，证券公司职员

我家住在康健公寓，离地铁站很近，是新兴的生活小区。那里的保安措施看上去很严密，门口有警卫，每幢楼都有总的铁门把守，必须输入正确的密码才能进楼。这样的措施起码挡住了一定的危险，也避免不了少麻烦，比如我的很多的同事都抱怨经常有陌生人会上门推销各种商品，让她们不知如何应付，头痛得不得了，而这种事在我们小区基本上就被杜绝了。虽然如此，我们还是不敢有丝毫松懈，特别是我丈夫经常要出差，他不在家的时候，我每天晚上都要检查好几遍门锁，家里有个男人在感觉上总是要安全一些。

其实，不安全的因素到处存在，它们几乎无孔不入，如果心理素质差的话都会担心出病来。我们家请了一个钟点工，是安徽人，每天下午来给我们烧一顿晚饭，间或做一些清洁卫生工作。刚开始的一段日子，我真是提心吊胆的，害怕她会和几个老乡勾结起来，里应外合地把我家洗劫一空，所以我说话做事总是虚虚实实，不让她摸出我家的生活规律。后来，时间长了，我才渐渐放松下来，觉得自己有些神经过敏，毕竟大多数的人都是好的。可是，“害人之心不可有，防人之心不可无”嘛，现在这个社会，很多事都是拿不准的。

如果一个人在家里都没有安全感，那整个儿的生存都是会有危机的。老人和妇女也许是要加倍小心，但不等于我们的整个社会全都像老人和妇女一般软弱可欺。这方面，男人和年轻人，是要“硬”点的。

我女儿就没我们那么紧张

文强，男，49岁，大学教授

我女儿从小学到大学因为学校离家都很近，所以从来没有在外面住宿过，即使是她念大学谈恋爱以后，我们也规定她最晚不超过十点回家，她也基本上没有违例过。可是，她是个非常要强的孩子，总是想把事情做到最好，今年她刚刚大学毕业参加工作，晚上常常要加班到很晚才回来，这样，我和我太太就非常不放心。现在社会上形形色色的坏人很多，而且都是些亡命之徒，女孩子晚上一个人在外面太危险了。可是，我女儿就没我们那么紧张，虽然她晚回来事先也会打个电话，但她那样做好像只是为了让我们不必担心她，而不是切切实实地担心自己的安全。

现在有不少年轻人喜欢一个人在外面租房子住，认为那是真正独立自主的表现，我女儿也曾对我们提过，但我和她妈妈都坚决反对，她也就没再坚持。其实，归根结底是一个安全问题，在这方面，女孩子总是要更小心一点，父母也总是要更操心一些。

什么都有就是没有安全感

周小凡，男，23岁，复旦大学学生

高中的时候，我们班有个女生离学校很远，路上要倒三次车，乘两个小时才能到学校。她告诉我，几乎每一天，在往返的6次车上，她总会碰到一些男人对她动手动脚，在人挤人、人贴人的车厢里，她一点退路都没有。她打掉那些肮脏的手，她用书包拼命推开那些丑陋的脸，但她一直没有勇气厉声斥责他们。一个学期后，她转学了，她说她实在受不了，太累太委屈了，简直是身心俱疲。

我有个大学同学，家住梅陇，念大三的时候一次回学校乘地铁到人民广场，在那里遇上几个年轻人别着人民大学的校徽。他们告诉我同学钱包被偷了，没钱买回去的车票，向我同学借点钱，保证回北京一定把钱寄来。我同学是个从不大声说话、一紧张就脸红的女孩子，她看过他们的学生证后把身上所有的钱都掏了出来，包括下个月的生活费共700多块。回学校后，大家都说她受骗上当了，她还不信，天天盼着北京的汇款。现在，一年多的时间过去了，她也终于肯承认现实了，但这样的善心又能经受几次欺骗的挫折呢？

所以，我认为，社会发展到今天，要什么有什么就是没有安全感！

周小凡的叙述是一个事实。许多这样的诈骗都隐藏于一切人类的社会交往之中，我们还可以举出许多这样的例子，不过由此就推断为“要什么有什么就是没有安全感”来，就令人难以接受了。毫无疑问，我们可以在这个事实里看到诈骗，但周小凡在这个事实里的本身就是一个具有公共精神的形象。一个乐于助人，富有同情心的周小凡，却让我看到的就是这个社会的安全感，相形之下，几个骗子真的是算不了什么的。

钱的多少和安全感不是一回事

顾伯伦，男，34 岁，个体户

4 年前，我是学校的老师，每年教相同的课，拿相同的工资，生活安定。今天，我有了自己的公司，尽管规模不大，但却体验了做老板的滋味。应该说，现在我挣的钱比当老师那会儿要多得多，但谈到安全感却是少了很多。那时候，我有组织可以依靠，有奖金，有福利，还可以分房子，而现在我什么都没有，随时都面临着倒闭失业的危险。所以，在我看来，钱的多少和安全感并不是绝对成正比的。

但是，对一个男人来说，要那么多的安全感干什么呢？太安定的生活是会磨掉一个人的激情和斗志的，男人就应该在外面闯世界，在风浪中锤炼自己，即使明天什么都没有了，有从头再来的勇气和信心就会再站起来。这样的男人才是真正的男人，才能给女人带来安全感。

一个社会这样的男人多，自然是会有更多的安全感的。就像有刚才的乐于助人的周小凡，区区几个骗子不足为道。就公共安全来说，没有安全感是不行的。对于老人、妇女、儿童和弱者，公共安全是最要紧的，有句老生常谈叫“安全第一”；而真正的安全，就来自于所有人共同具备的公共精神——自尊、大度、革新、进取心和勇气。

当前社会治安形势依然十分严峻，经济改革闯关释放出企业经营调整与就业安排方面的压力，政府行政机制开始改革与现实理想的运行状态间存在着时间差，面对更为活跃的社会负面因素，原有的警察保安机制的反应能力与控制能力显得捉襟见肘。未来市民公共安全感的波动，与能否建立警察队伍的服务化管理机制、能否提高警察保安快速反应能力与高频出巡率、能否推动社区沟通互助机制的发展密切相关。

不同收入水平的公众安全感程度存在差异：无固定收入和个人月收入在 800—1500 元的人安全感程度最低。此外，以 800—1500 元这一收入水平为界，个人月收入在 1500 元以上的人安全感程度随收入水平的增加而增加，月收入在 800 元以下的人中公众安全感程度随收入水平降低而降低。由此我们可以看出，除了 800—1500 元这一收入水平的群体以外，公众的安全感与收入水平基本上是呈正相关关系的。

第二章

模糊的主题和追求

——金钱、收入与价值观

我们不反对财富，然而，当金钱成为社会唯一的价值尺度时，人的整体价值就将贬值。这个尺度必然造成人们相互歧视，甚至人格伤害，它不仅为那些穷凶极恶不择手段谋取钱财的人提供堂皇的借口，也使得绝大多数老百姓只能长期生活在压抑的黑暗中。

这不是值得高兴的事！

钱不是万能的，没钱却万万不能

据估计,中国已经有了几百万人先富起来了,当然,中国更有几千万贫困的人,以及数以亿计的仍然收入一般的人。

人们开始用“成功人士”这样的词汇来描述那几百万人，他们的衣食住行、言谈举止被固定成一种样板模式：一种几乎大家都认可的“体面”模式。

在当今任何社会中,财富理所当然是衡量成功的一个重要标准，然而，当财富成为唯一的标准时，我们就不得不痛感一些令人不安的病态，最明显的是：因为各种原因无法成为“成功人士”的大多数人，他们在物质上时常匮乏，同时还要在精神上品尝作为“失败者”的滋味。接受这样的双重折磨是一件非常痛苦的事。

我们并不反对财富，反对拥有财富的人。我们只是痛感把金钱作为唯一价值尺度时人的整体贬值,因为这个尺度带着对穷人的歧视，甚至人格贬损。这种价值观不但为穷凶极恶的致富手段和穷奢极欲的为富不仁行径找到了堂皇的借口，同时也侵蚀着众多没有发财的人。这绝不是值得高兴的事。

有了钱谁都尊重你

某大商场门口，红山木材厂63岁的退休工人崔大爷在地摊上买了双棉鞋，又在另一个摊上买了两袋洗衣粉，一捆卫生纸。他说："这棉鞋才七块钱，结实，便宜。这卫生纸也值。唉，能省一点是一点。现在可苦了我们退休工人了！我们红山木材厂是当年朱老总建的厂，是全民企业，我们这帮人，那真是玩儿命在干，干了40多年，现在退休拿300多块钱，连吃药都不够！这年头，没钱，什么都没有！"他越说越激动，步履蹒跚地走开了。

早晨，六级偏北风，黄沙漫天飞舞。某厂职工吉先生顶风骑自行车上班，每蹬一圈都十分困难。面对我们的问话，他显得颇不耐烦，"现在谁还在乎尊重不尊重，有本事多弄俩钱，有了钱谁都尊重你！"他说，他所在的工厂效益一般，每个月400多块钱；他爱人的厂子效益更不好，300块出头。他说："一般都骑车上班，有时也挤公共汽车。挤车的滋味能好受么？要能打'的'，谁还去挤那公共汽车？"

这年头就认钱

龙潭公园北门早市。58岁的家庭妇女周大妈，穿一件灰咔叽西装，不紧不慢地往回走。菜篮里装有油菜、小白菜、茄子等。她说："我没工作，也不挣钱。我丈夫退休了，在路口摆了个摊儿，修自行车，挣钱没个准儿，多的时候一月千儿八百，少的时候六七百。我儿子厂里工资也不高……钱少，就紧着花。再怎么着也得吃饭吃菜吧。咱就觉得菜价太贵了，还老涨，受不了，可别人儿就不一定了。昨天我们老头的一个徒弟来看他，人家一月挣好几万，媳妇也挣一万多。两口子开了个什么公司，挣钱海了去了！你说人家会觉得这菜贵吗？没准儿人家专挑贵的买呢！咱们不行，贵的就不买，吃点便宜的呗。"

随后，我们见到了49岁的某厂下岗女工杨女士。她提了条无头鱼往回走，神情比较轻松。她告诉我们说今天家里有客人，菜昨天基本都买好了。"要我说，我们两口子收入也不算太低，快两千了……我家老头子是工程师，他挣得多，除了工资，还有外快。但我们开销也大，儿子上大学，学费不算，每月得四五百；两边还有四个老人，也得花不少钱。没钱就让人看不起，这没的说。我老伴儿在厂里，有的同事挣钱还不如他，可就是敢说大话，因为人家两口子挣钱，也没什么负担，不像我，厂里就发一百多块，管什么用？这年头就认钱，有钱说话就硬气。这样好不好？有钱的说好，没钱的说不好。"

都是钱闹的，以前哪这样

"排队上车，给老人让座，给抱孩子的让座，这是做人最起码的道德。现在却不如从前了，一个个火气都特大，好像别人都欠他钱似的。”在车站维持秩序的公交公司退休职工成先生对我们说，“都觉得自己穷，觉得自己亏大了，看谁都不顺眼，这样能不挤吗？要我说啊，都是钱闹的，以前哪这样？”

332路公共汽车木樨地站上，一位候车的女工向我们谈起她的感受：“过去坐公共汽车是很舒服的。那时人少，没这么挤，而且司机、售票员也很客气，比如车要离站了，看见后面有人追过来，就停车开门让人上车，还说：‘甭着急，我们等着您，别摔着。’那时司机开车很稳，不用扶也晃不倒。可现在，挤来挤去不说，车开得跟喝醉了酒似的，一会儿刹车，一会儿加速，好像拉的根本不是人，而是一车货似的。有时司机说话特损人：“嫌挤，嫌挤打‘的’去呀！……”

在一个联欢会上，张先生，29岁的某机关干部，戴一副很沉重的眼镜，一个人默默地坐在一角。他的同学告诉我，他是北京人，大学在外地上的，毕业后留那儿了，因为女朋友是那儿的人。那儿没呆多久，后来考研考回来。现在研究生毕业，分在区政府，一个小职员。他人太老实，去区政府的目的很天真，以为能把他老婆调到北京来。现在他老婆人先回来了，没户口也没工作，两个人刚租了房子，凑合着过。我们遂上前和张先生聊天，他苦笑说：“干我们这行，听起来挺好，其实没什么实惠。像我这样一个小科员，要钱没钱，要权没权，谁拿你当回事儿？”

拿"大哥大"还来挤车，装什么孙子

某街道小学小张，每当想起两年前的那桩窝火事，总是愤愤不平："那年教师节，我们有个学生家长，是附近饭庄的经理，给学校搞了点赞助，也就是给老师每人发了张优惠卡。大伙也觉得累了一年，该轻松轻松了，于是就拿了优惠卡去吃饭。没想到刚坐下，旁边一桌就有人嘀咕：一看就是穷教书的，平时不敢来，今儿个来打牙祭了！当时那个气呀，就差点上去扇他……后来我就吸取教训，哪儿也不去了。我们这些人，也只有在家呆着才踏实，一出去就得受气。"

早就听说过拿"大哥大"挤公共汽车的笑话，没想到有天还真碰上了。4路车，拥挤异常，闷热难当，不时有人骂一句天气，骂一句堵车，大部分人保持着无奈的沉默。这时，后排座上传来一个底气十足的男高音："喂，我在路上呢，对，堵车，半天动不了。"回头一看，是个很胖的男人，一边用手机和别人通话，一边不停地擦着脸上、脖子的汗水，"你告诉小杨，这事得等陈总回来再决定，亏了本谁也担当不起……"车上有人窃笑。车到了中山公园，那男子收起手机，刚一下车，车上一个小伙子就骂了一句："拿着'大哥大'还来挤车，装什么孙子！"和他一块儿的另一个小伙子笑骂道："你以为那是他自己的！就他那×样，把他卖了也买不起！"

你有车你就是大爷

三月底的一天傍晚，崇文区福光路铁路桥下，一个向东骑车的50左右的“眼镜”和一辆西行的“丰田”正面相遇，“丰田”“叭叭叭”一顿鸣笛，示意“眼镜”让路，“眼镜”大怒，把车横放在“丰田”前，死活不动了。不到两分钟，“丰田”后面就堵了一溜小车。“丰田”车内，一穿戴体面的男子无动于衷。后面有司机下来，劝“眼镜”差不多就得了”，“眼镜”不依，大骂：“我今天就不信，他有车就是大爷……”僵持了十多分钟，后面的司机强行将“眼镜”拉开，“丰田”得胜而去，“眼镜”抢天呼地，破口大骂。

一位老人指着一个驾着宝马车疾驰而去的小子对我们说：“这人是这里的一个痞子，这些年也不知鼓捣啥玩意儿，开了家公司，赚了几个臭钱，整天横着走路不看人。前些天把一个看车的老头打成重伤，听说扔了3000块钱就什么事也没有了。”老人还说，这人的父母以前见了领导都点头哈腰的，知道自个儿子没教育好，净给大伙添事；现在可好了，趾高气扬，跟个大干部似的，有那不要脸的还老凑上去舔他屁股。

关于个人收入的零星采访

在以前，谁也没有想过，要把工资当作一个隐秘的话题来保护。因为人们的工资，就像是大型团体操一样，整齐划一。你只要知道一个人的年龄，只要知道一个人的学历，只要知道一个人的工龄，只要知道一个人的行政级别，你就能大致推断出一个人每个月能拿多少钱，其误差不会超过 5 元。

当然，这已经是老皇历了，以致我们的记忆力已经发生模糊，但是有一个传统的习惯，我们没有忘却：在度过这样的老皇历的时候，谁都不想对自己的工资保密，而且谁都无法对自己的工资保密。

而且，直至今天，在生活中，大多数的人，或多或少还保留着这样淳朴的民风。

如果自己的孩子第一次拿薪水，家长肯定会关切地问发了多少；如果这份工资令家长满意，那么家长还会沾沾自喜地相告于同事朋友。如果是老朋友老同学之间相聚，寒暄之余便会问，你单位效益怎样？

众人杂说

丁玢，23 岁，本科毕业，计算机和英语双学士

1997 年 9 月，丁小姐在一家相当著名的计算机公司找到了一份待遇很好的工作。

丁小姐每个月的月薪构成是：工资 4000 元＋车贴 1200 元＋饭贴 500 元＝5700 元。从第二年开始，工资部分以每年 30％的速度递增。也就是说，丁小姐第二年的月薪是 6900 元，第三年是 8460 元……如果丁小姐在这家公司供职直至 2001 年，也就是第四年，她的月薪应该是 10488 元，如果以四舍五入计算的话，那就该是 10500 元了。

当丁小姐的母亲既惊讶又喜悦于女儿的高薪时，丁小姐却认为，这又不算高的，你到外面去打听一下。当母亲为她计算 2001 年的收入时，丁小姐问母亲，你觉得我会在这个公司里跨世纪吗？

除了旅游，丁小姐眼下还没有很具体地想过自己的钱将投向哪里。

林玉松，39 岁，出租汽车司机

林先生以前是开公共汽车的，千儿八百一个月的工资奖金，使他下决心开起了出租汽车，这已经是 1996 年年初的事情了——稍稍懂得出租汽车行情的人都知道，生意就越来越难做了。按照林先生与出租汽车公司签订的驾驶员包车协议，林先生和另一个驾驶员轮流开一辆公司提供的桑塔那轿车，每个月每人向公司上缴4900元（如是桑塔那2000型，则需5200元），汽油费、保险费都得自己掏腰包。

因为在一个月中，实际开车15天，所以成本和利润的计算，也要以15天为单位。4900元摊到15天头上，每天就是326元，加上汽油费100元，还要加上些许保险费和其他费用，林先生每天的成本是500元差一点，也就是说，早上车开出去，做了500元生意，刚刚保本，然后才是赚钱。

"有时候做到晚上刚刚做出本钱，有时候连本钱也做不到。你看，马路上的出租车全是红太阳对着红太阳（指出租车空车标志灯），哪有生意做？"林先生说起这些的时候，总是连连摇头。当然这只是有些天。那么赚钱的时候呢？如果正常的话，林先生一天大约能做到650元，一个月合下来大约是2000多元；有时候也有3000元的。"如果是下雨天，生意会好一些；还有跑长途，苏州一个来回600元，回到上海还可以做半天生意；还有过年，出租车就像公共汽车一样，哪里放客，哪里就上客，只要你不怕吃苦，不怕赚不到钱。"

虽然开出租并没有让林先生非常称心如意，但是当问到是不是愿意回到公交公司开公共汽车时，林先生断然摇头，"当然还是开出租好。"

说到自己的跨世纪打算，林先生说，"为儿子啊，儿子已经读初中了，2001年正好考高中，要为他准备点钱。他成绩很好。"这时候林先生的表情，比他做了800元生意时还要好。

沈华，35 岁，饮用水公司送水员

以前干这一行的几乎都是外地民工，因为这是个力气活——一桶水 39 斤，而现在已经有本地的下岗工人加入了这个行列。沈先生就是其中之一。如果顾客自己到饮用水公司去领水，可以便宜 2 元钱，但是几乎都是委托公司送水的。饮用水越来越普及，也就意味着送水员队伍的越来越大。送水员送一桶水可以拿 6 角，一辆三轮车可以装 16 桶水，每天装三车，48 桶水，工资是 28. 8 元，一个月下来，也有千把元。

这位先生说，这个活，只能算是过过渡。他希望找一份 1500 元的活，苦，是不怕的。

唐美卿，23 岁，音乐学院本科毕业，洋琴专业，现供职于某专业音乐团体

唐小姐那一手洋琴敲起来，真可谓是行云流水。虽然才 23 岁，却已有 15 年的琴龄。在学业有成时，完全可以想象唐小姐为洋琴付出的代价，付出的艰辛。

然而，唐小姐付出的代价和艰辛，并没有跟她的收入成正比。唐小姐工资不高，甚至可以说很低。唐小姐说，她每个月从单位里拿到的钱是 480 元。一个专业的艺术团体，一个专业的艺术从业者，这样的工资似乎不可思议。

唐小姐坚定地说，这是真的。因为她所供职的这个专业民乐团体，几乎一年四季都没有演出任务。“你什么时候会想到去看民乐专场演出？你不会去看的。”唐小姐常常这样反问别人，并且也常常这样代替别人回答。很少有人去看民乐专场，直接后果是民乐演出越来越少，而演出越来越少，直接后果是民乐手的效益工资几乎等于零。当那些红歌星在斤斤计较出场费的时候，民乐团体连出场的机会也成了问题。

不过，唐小姐的实际收入是肯定不止480元的。这也是她能够很安心地供职于现在单位的一条理由。通过友人介绍，唐小姐在一家五星级的酒店找了一份餐厅演奏的活，也算是学有所用。一个星期去两个晚上，每次3小时，每次报酬是70元。在优雅的餐厅里，飘逸出一缕《浏阳河》的乐曲，不亦乐乎？虽然报酬少了点，70元只不过是人家餐桌上的一小碟冷菜，唐小姐还是乐此不疲。

唐小姐的第三份收入是当洋琴家庭教师，辅导学洋琴的孩子。每次辅导课一小时，每星期一次，每次收费60元。唐小姐目前收了三个学生。唐小姐说，教孩子心情很舒畅，因为体现了自己的价值。只可惜现在学洋琴的小孩子太少了。

唐小姐希望到了2001年的时候，单位里的工资每个月可以拿到1500元，但是她估计拿不到，1000元就了不起了。

但是唐小姐对自己的经济前途一点也不悲观。说不定什么时候洋琴，还有民乐，就变得很吃香了。

贺鸣武，25岁，某速递公司速递员

如果想将某东西很快送到某某地方，自己又没有时间，那么打一个电话请速递公司传送，是很方便的，而且不很贵。比如从外滩送到新锦江，大约是15元。

速递员的工资完全是计件提成的，多做多拿，少做少拿。为客户送一封信或其他东西，在收费中，他拿一半，公司拿一半；至于速递员必备的交通工具（有的公司是自行车），由公司提供，BP机则是自己掏钱买。一个月基本可以维持在2000元的水平。

这位先生很热爱自己的工作，可是有一次差点被公司炒鱿鱼。客户的一封急件，原本应该在一小时之内送到的，他却送了整整五个小时，因为阴错阳差地把这封信放在包里忘了。任由他赔不是，客户拒绝签收。他在客户办公室里默默而坐，等待客户原谅。半小时过后，客户继续拒收，但是这位速递员说了一句话，使客户终于高抬贵手。他说："先生，请你原谅我。如果你不签字，我回公司，肯定会被炒鱿鱼的。现在公司要找一个像我这样的人，不是很多噢！"

牛德利，64岁，原海军东海舰队军官（现已退休）

牛先生1951年参军时，是享受供给制的，每个月拿6元的军贴；1955年实行军衔制，正排级的牛先生工资是72元；60年代初晋升为副连级工资为92元，是年，全国遭自然灾害，部队减薪，牛先生的工资也减了2元；1965年取消军衔制，改为行政级别，牛先生被定为行政19级，相当于原来的正连级，工资仍为90元。这以后直至1977年，牛先生的工资才艰难地跳了一级，超过了100元；1985年恢复军衔的时候，牛先生被提前退休。这以后虽然不可能再提级但是并不影响加工资。至1997年年底，牛先生每个月的退休金为1000多元。

牛先生希望到了下个世纪的第一年，退休金能够达到1500元，而即使到不了这个数，牛先生也还是会很悠闲地生活。由于女儿在国外工作，所以牛先生和太太就不必在物质上为女儿操心。牛先生肯定不会买房子，因为房子是部队的，而且很宽敞。于是，牛先生手头就有了些闲钱，添了29英寸的彩电，添了健身器，添了VCD，接下来还要添音响。

施丹萍，45岁，原自行车厂职工，提前退休

自行车厂的辉煌已成为往事，施女士因为自行车厂的不景气，而成为一个退休工人。

施女士说，直至90年代初期，自行车厂工资一直走在社会的前头，加上自行车票是实际上的有价票证，所以，那时候的日子非常好过。

退休后的施女士，每个月的工资是500元。趁着身强力壮，施女士很快就找了一份工作。本来在厂里就是当工人，退休后还是找一份力气活，每个月就可以多500元，比在退休前还拿得多。

施女士的居家不宽敞，儿子已经读初中，所以施女士说，过三四年——实际上也就是跨越了20世纪后，她和她的先生要买房。用公积金贷款，加上原来的积蓄，应该买得起。

施女士说起这些时，充满了自信，而且这种自信，要比那些电视剧中的下岗女工自强不息的故事，真实得多，生动得多。

钱，对于每个人来说，总是多多益善的。不必说钱多的人一定幸福，也不必说钱多的人一定不幸福，关键在于钱多钱少的标准在哪里。我们所遇到的诸位被采访者，对钱多钱少的标准和理解、对自己未来收入的展望，都不尽相同。或许，希望自己未来能够拿到2000元收入的被采访者，会为自己的愿望的实现而兴高采烈，而希望自己未来能够拿到2万元收入的被采访者，会为自己的愿望没有实现而轻轻叹息。

1999，你的钱怎么花

今天，储蓄已不再是人们的最佳选择，寻找一份重要性、收益性俱佳的投资品种，是时下工薪族所急需的。买国债？进股市？还是买人寿保险？

让我们听听这几位朋友的心里话。

众人杂说

席文利，男，杂志社编辑

我属于工薪阶层，工资离“高级”绝对的远。虽说物价涨幅连年下降，可与我辈关系密切的书价、电影票价、高雅艺术演出票价等等，却一个劲儿地往上窜，或者居高不下。因此，除了孜孜不倦地爬格子，获得一些稿酬，储蓄利息就成为一项不可或缺的，带来经济实惠与心理安慰的，稳定的补充收入。

储蓄利息说降就降。但本人不会因此改变主意，去炒股票，或入邮市，或下海，也丝毫不会因此受到刺激，吊起消费的胃口。今后花钱，将愈加精打细算，量入为出。

胡纪刚，男，银行工作人员

承受着1998年世界金融市场动荡不安压力的百姓们，在1999年如何使用手中的钱，想必是各有打算的。

总的来说，世界金融市场剧烈动荡，对中国似乎并无太大的影响，这固然与我国经济与世界经济尚未完全接轨有一定的关系，同时也是由于我国自1993年以来实行宏观经济调控取得成功，国民经济顺利实现了软着陆，抗御外来影响的能力增加。

进入1998年，我国物价在上半年较低水平的基础上持续回落，全年社会商品零售价格和居民消费品价格将分别比上年同期上涨2%和4%以下，尽管人民银行降低了存贷款利率，但以一年期存款为例，降低后的利率仍超过物价上涨幅度，扣除物价上涨后，实际利率将分别在3.67%和1.67%左右。可见，如果1999年的物价水平保持低增长，存款储蓄还是比较合适的，只要把钱存到实力强、信誉好的大银行，是可以保值增值的，而且不必担心支付风险。另外财政发行国库券，其利率比同期存款利率要高，也是个投资的好途径。而购买股票获利大多是不确定的，而且要承担股市波动的风险，我作为外行，不愿意受到市场大起大落那种令人心跳的刺激；收集古玩、集邮又不是自己的爱好。所以对于我个人来说，钱该花还得花，该存就存，长期投资的目标是买国库券，以平常之心对待当前市场形势，不失为一智者吧。

谢芳琳，女，农场职工

以前，人们有了钱，大多是存入银行，用于接个短、救个急、买个大件物品。现在，随着改革开放，人们的生活发生了变化，观念也发生了变化，随潮流而动，手中的钱越多越好，日子越过越好，是一般家庭的向往，如何做到这一点。我考虑：首先是合理使用，发扬精打细算的优良传统，把钱用得更合理实惠。其次，是合理投资，跟上时代发展的步伐，拿出一部分钱投入到收益更高的方面去，如国债、企业股票、房地产、收藏等，使资本收益更多更快。再次是合理投保。现代社会的发展，使社会保险体系成为人们社会生活的根本保障，加入社会保险势在必行，我们应有选择地加入一点必要的保险，如：子女医疗保险、养老保险、人寿保险、财产保险等，最后，还要有一定数量的银行存款，每个家庭需要有一定数量的储备，以防万一有个急用，无处筹钱，而这部分钱，存在银行最保险、最方便。因此就是银行存款利率再低，也要存一些备用。

当然，这些考虑都要根据自己的实际情况和所处的社会环境来决定，主要是把钱用好用活。

涂明远，男，国家公务员

我和未婚妻一起在攒钱准备买房。俩人平时对股市、期货、利率等消息，也比较在意。偶尔也和同事们探讨财经方面的问题。同事中，有业余炒股票的，前些时候，股市上升，看到别人钱生钱，心里特急。也想把存款拿出来买股票，但朋友劝我，股市风险大，血汗钱一旦被套住，还没有利息收益高，委托别人来做，又不放心。心中的理财原则是风险要小。银行储蓄利息降下来了，我琢磨了一下，还是分散存款，以低风险获取稍好的利益。

叶玫，女，外企公司文秘

首先，我准备买保险。体制改革了，大病、养老等问题，很多得依靠自己。如果选择好的品种，可以后顾无忧了。如太平洋保险公司的“福禄寿”，每年交1230元，交到60岁，到60岁后，每年可领到1万多元的养老金，这种回报是比银行存款更有保障的。

其次，我准备把部分存款折换成国债。国库券的同期利率比银行高，而且可以支援国家建设，最主要的对我们工薪阶层来说，国债较股票风险小，也较容易兑换成现金。这样算是可以实现存款“保值”了。

最后，我还是会把剩余的钱，存起来。把多余的钱存起来，这还是咱老百姓的老规矩。利息不管怎么低，手里握着存折，心里就踏实多了。

钱光明，男，大学教授

钱到底该怎么花？现在谈谈我个人看法。

先说炒股。它具有较大的增值幅度。但是需要密切注意股市行情的变化，需要花费相当的时间、精力和体力，思想负担较重，且有较大的风险。显然并非对每个人来说都是可取的。再说购物。对工薪阶层来说，应根据使用价值和个人能力对比较高档的物品作一番选择。看来首先应该考虑电脑。电脑的问世带来了巨大的变革，对社会各项事业的发展日益重要，对个人的工作、学习、子女教育甚至整个家庭生活都将发挥巨大作用，很值得买。至于其它电器设备及衣物，那就看各人的兴趣和需要而定了。书刊对于开发智力、扩大眼界、增长才能大有裨益，购买书刊应该是一种不可或缺的投资。当然这也要根据自己的兴趣或需要来进行。另外，根据自己的爱好，也可作一些收藏工作，如书籍、邮票、字画、砚台、钱币等等，借以增长知识、陶冶性情、寻求乐趣，并积累财富。如果有钱又有闲，也不妨有计划地安排一些旅游，饱览天下胜迹，丰富见闻，舒畅胸怀，增强体质。对于一些比较丰足的人们来说，购买汽车、开办企业等，也都不失为可取之道，这里就不多说了。总之，应该根据各人的具体情况而定，如身体状况、资金多少、个人兴趣和能力等等，很难一概论之。譬如我吧，就目前情况而言，如果在维持日常生活、购买电脑和必要书刊之还有剩余的话，我还是要存入银行的，尽管利率很低，因为我不愿意也没有可能考虑其它的花钱途径。

施静波，女，私营企业老板

银行利率的再次下调，对于那些靠挣利息的人们来说无疑是一件坏事，但随着市场经济的不断发展，调息是必然结果。这就迫使大家对花钱要动脑筋，花出新概念，下面谈谈我对花钱是如何设想的（生活开销以外的余钱）。

首先，用三分之一购买国债；

随着经济的发展，国债的发行是必不可少的，既支援了国家建设又能挣钱（国债的利率要高于同期银行存款的利率）何乐而不为。

其次，用三分之一购买保险；

保险是最近两年在我国正在逐渐兴起，而且保险是社会发展的象征，人人都要有保险意识，购买保险虽然当时不能见效但是对将来和后代都是有益处的。

第三是用最后的三分之一去投资。

我们可以用这三分之一去进行股票、邮票、钱币、古玩、家庭养殖等其中某一方面的投资,也可以多项投资。这要根据个人的兴趣而定,这是较前两方面容易见效益的,但同时要求投资人要具有一定的专业知识和相当的才智,切不可盲目从事,不然将前功尽弃。

第三章 必然的革命

——住房观念与房改

人人都想有个自己的空间，但大多数人却又难以拥有自己的空间，这就是现实。

房改是一个跨世纪的牵动亿万人心的工程，它关系到每个人的“切身利益、最大利益、终身利益”。

房改之后，人们将变得更为个体，职工与单位的关系也将更为松散，随之而来的必然是人员大流动，社会能容纳吗？

独居，人心所向

与父母分开，另择小屋独居，这一现象已在都市的新潮年轻人中悄悄出现。

是为了躲避日趋紧张的求学谋职的快节奏压力，还是厌倦于拥挤而产生的人群中无处不在的纠葛与应酬，他们要如此急急地在都市一隅，找一个能自由安置身躯的生存空间，一块随意舒展灵魂的精神绿地？

有人说，不学会独立（包括独居）便不算成熟，也有人担忧，独居背后是否意味着家庭责任淡化和对婚姻的逃避？

生活，并不总是有圆满答案的。

找个最后的营地

樊冰，女，27岁，服装集团公司美术设计

我大学毕业进入这家公司时，心里有几分窃喜，除了这是个集团公司外，更重要的是因为这里有职工宿舍。我的家离公司不算太远，但也不近，至少每天回家是不行的。

我从大学的宿舍里将行李搬到公司宿舍时，8个床铺只有一个人住，我进去后便与她成了伴。一年来陆陆续续又住进了3、4个人，开始没觉得什么，我平时总有很多应酬，等我和朋友们分手回到宿舍她们早已熄灯休息了，我在黑暗中摸索着我的漱洗用具，但难免有时还会弄出响声来。时间一长，同住的舍友就嘟哝起来，说我回来太晚把她们吵醒什么的，我想每个人都会有自己的生活方式，我不求她们理解，依然我行我素。

可宿舍里的事却逐渐多了起来，舍友谈了男朋友，竟在宿舍的床上放下帐子肆无忌惮，这么狭窄的空间突然多了个男人，我感到很不方便。随着各自生活习惯的不同，舍友间的争吵也多了起来，平时总是不阴不阳你来一句我去一句的，还彼此趁人不在私下里咬着耳朵说别人的坏话。

我开始厌恶宿舍，但又无处可逃。我便和男友商量，我说我想有自己的空间，我想结婚。我以为我提出结婚他会激动不已，谁知他竟不置可否。几次之后，我终于明白，结婚不该是女孩子无计可施的最后归宿。

我曾经与朋友合租过一套二居室的公房，与房主讨价还价每人还得付600元，我每月2000元的工资，实在是笔不小的开支。

后来有朋友传来信息，说房产中心有市中心的亭子间要出售，大概7～8万元左右。这消息让我激动不已。我拿出我全部的积蓄，又向朋友借了一些，真的买了12平方米的亭子间。

我准备去缴款的时候，我现在的男朋友很郑重地说："你要想好，如果你真的买下来，我们结婚后就有了三处房子。”男朋友除了自己住的房子外，还有一套空着，他曾建议，暂住在他的空房子里，这样可以省去一笔无谓的支出，但我还是婉拒了。

搬进这间已完完全全属于自己的小屋后，我心里踏实很多。我不必为了生存而急于结婚，也不必有种游离城市的流浪心理，这是我的家，我会一个人在家做饭给自己吃，虽然一个人时也有孤独感，可在窗前望着四周闪耀的霓虹灯，我觉得其实我和那些陌生的人群很亲近。

也许有一天，我会嫁给现在的男朋友，但是我还是很高兴我建立了现在的家——一个人的家，它会是我可以退缩的最后的营地。

永远无需去尝试

董雁，女，36岁，广告人

我与前夫的离婚战旷日持久，这四、五年的时间里，我完全对他没有了信心，甚至根本不愿意再见到他，而他的恶作剧更是卑劣不已，向我的单位甚至我的客户处散发各种谣言，对我中伤，这当然更坚定我的离婚决心。如今婚是离了，但我已遍体鳞伤。

离婚前，我们住的房子是我的单位分配的，离婚时，他要女儿要房子，我又被迫回到母亲家。

母亲家给了我一个无人打扰，可以让我安静思考和工作的空间，但不知为什么，我觉得很不习惯，从心理上感到别扭，八年婚姻生活后，又让我回到从前。在母亲家，我只能每天体验自己的失败，这太残酷了。

我思前想后觉得也许只有买房子才能解决我目前的困境。于是我请来在房地产公司工作的朋友帮忙，在翠亭宾馆附近选择了一处一室一厅的按揭房，我按自己的想法把它装修一新，并买下了一套高档的新加坡家俱，当我在我自己的新房子里住下的时候，我才真正得到心灵上的安静。

我曾对别人无数遍地说过，这辈子我不再想结婚，一个人的生活也可以很好。但是在内心深处，我感到深深的孤独。独居的“独”字不仅指居住的一个人，还指心灵上的一个人，没有人给你慰藉，也没有人听你倾诉，有时，在深夜，无论是生理和心理都需要与人搏斗的时候，却没有对象，这是怎样的一种无奈啊。

其实有的事情永远无需去尝试，比如独居，或者其它什么。

锻炼对生活的态度

孙莉，女，26 岁，公司经理助理

我从大学毕业到大酒店工作后，就独居在市区的一处小房子里了。

我是属于比较野的女孩子。大学时，我为了一个人去旅游，就骗妈妈说是班上组织的，妈妈自然答应了。最后她还是知道了我的骗局，但她总体对我还是比较放心，相信我不会做出什么出格的事情来。要妈妈同意我一个人住确实要有前提。

我现在与另一个女孩子同住，她在一家计算机公司做，是我童年时代的朋友，比我小六岁。我们各自管理自己的生活，互不干涉，到了周末便会约好去饭馆吃一顿，很开心的。我是家中的小妹，平时宠我的时候多，如今跟小妹妹住一起，让我懂得如何关心别人，这里面其实也蛮有学问的。

我很爱交朋友，喜欢朋友聚在一起，很放松地交谈。因此我就组织了一次火锅晚会，请来了7个人，清一色的女孩子。要是没有我独居的这个场所，这种聚会就不会像现在这么容易。

我们公司是美商会的成员，上海办事处只有我一个人，除了必要的会议和应酬，从前我喜欢加班，在办公室里干到10点以后再回家，现在有一部分是要照顾小妹妹的原因，我更多的时间是在家里看书。我深感我的学历和知识都需要进一步提高，我准备今年的九月去报考复旦大学的MBA，目前正在备考，所以作为独居女孩的业余生活，其实枯燥得很。

我租别人房子住

陆梅，女，24岁，在某网络公司上班

我的家在上海市区，离我上班的地方很远，它们分布在上海的两只角上。刚上班那阵，每天天蒙蒙亮就要出家门，天黑之后还未归家，在外面的时间整整14小时。我在上海工业大学念书的时候是住校生，过惯了优哉游哉的生活，对上班的长途跋涉显得很不适应。

上班没多久，我就挤入了夜读大军中。我念的是计算机中级教程，等下课后再向老师提提问，每次回到家几乎都是子夜时分。我读夜校的地方是华师大，附近正巧有个亲戚，我开始试着每星期有两天暂借居在那里，他们家居住面积很大，待我也很热情，可我还是适应不了，住别人家的难受我总算体会了。

于是我在单位附近暗中四处找房子。说是暗中，一来要瞒着父母，二来要瞒着单位。在厂里的这些人眼中必然会认为女孩子一个人在外面租房子住，一定是在干着和男人同居的勾当，他们无法理解我这样做的一切只是为了读书。

最开始的时候我租的房子在丰庄，和大学的一个女同学同住，是市郊结合处的农民房子，没有卫生设备。等我住下后，我再一点点向母亲灌输独居的思想，等我告诉她时，她似乎已没有了太多的不安，只是有一天她事先没有关照，循着我给她的地址来侦察，结果当然让她放心而归，以后再没来过。

至今为止，我一共搬过四个地方。我是个工薪阶层，每月一千多元的收入要付一个人的全部生活，包括我再学习的学费。我大学时的专业是铸造，原有的知识根本不能适应现在的需要，知识需要更新，再说我还想出国、想跳槽，之所以没走，主要是因为厂里算是在培养我，现在一走了之好像太没良心了。如今我报考在职研究生，每学期学费就是5000元，因此我找房子主要是依靠私人关系，这样可以便宜很多，但同时也就增加了生活的不安定。比如有一次我刚住进市区一处高层，每月租金才300元，居住环境好，我兴高采烈地粉刷墙壁，买窗帘什么的花了2000多元，结果只住了两个月，房主就来告知，这套房子已被他卖出，我只得再找地方搬家。我想也许正是这样的生活磨炼了我，使我更加懂得奋斗。

除了上班和读夜校，每个星期天我就到一家公司去打工，一天55元，工资不算高，但一个月下来，可以付一半的房租，我不得不精打细算。

我租房独居已有四年，有时我很开心，自己一些小小的嗜好能由着自己得到满足。比如我每天睡觉时总喜欢把张学友的CD开得很响，然后定时关机，让学友的歌声伴我入梦，如果我住在家中这肯定是不可能的。也有寂寞孤独的时候，我很想念有家的温馨，有人关照的温暖。

相信孩子

航兵，女，研究所退休高级工程师

一年前，我那在北京工作的老同学听说我在搞家庭教育心理辅导，写来长信诉说自己刚从清华大学计算机系毕业的女儿在人才市场结识了一位自学成材、自办公司的前国民党空军机械师的儿子，十分崇拜，且关系暧昧。那位老板要比女儿大15岁，于是母女意见发生分歧，女儿一气之下在外租房独居，我的老同学为之血压骤增。

我在回信中嘱咐：对女儿的爱不能像用手电筒那样一直盯着照，要给她全方位辐射式的关怀，否则她为了躲避刺眼的灯光，会走开。春节，她打来长途告知：如今女儿虽仍独居在外，但常回家看望他们，彼此和睦相处，好像什么事情也没发生，自己在工作上已承包了重大工程课题，英语考了八级。我这位同学的血压自然也正常了，女儿也冷静多了。

我为他们高兴的同时，也生出很多的感慨来。

大学生在外租房最主要是为了获得一个属于自己的空间，市场经济也为之提供了方便。如果真有这个条件，两代人都活得轻松，何乐不为？只要父母在孩子早期注重他们生理、认知、情绪及社会行为的和谐发展，就为他们步入人生花季开始的人格成长的第二阶段奠定了基础，有了这个前提，独居、合居大可顺其自然。我们做家长的要相信孩子，其实这也是相信自己。

买房，尴尬的选择

“我想有个家”，对于时下步入社会不久的年轻人，拥有一套自己的住房是成家最重要的条件。然而挥手告别了传统的福利住房分配制度，像过去那样，找个国营单位就等于找到了安身立命之所的想法已成旧日黄花。住房改革，现在就从我们开始，有人因改革而疑虑、失望；有人却为改革而拍手叫好。改革已不可逆转，改革会触及一部分人的利益。面对房改这个牵动万人之心的话题，老百姓是怎样想的，怎样做的呢？让我们把关注的目光投向他们。

只当投资

应涛，男，25 岁，未婚，某事业单位技术干部，月收入约 2000 元

别人一听到我居然敢供楼买房都很惊讶！年轻甚至还有点孩子气的应先生笑着对我们说道。确实，在国营单位工作还是单身的他，大学毕业才三年多，今年初，竟然以按揭“供楼”形式在市郊买下一套价值十多万的房子。在我们的询问下，应先生讲述了他自己买楼的故事。

94年大学毕业工作后，他仍住在父母家，家里并不缺他的安身之处，但他却有自己的梦想，拥有一个真正属于自己的空间。住房制度的改革，使他更加坚定了供楼买房的信心。一方面，自己已长大了，不能总是猫在父母的窝里，但另一方面，支持他做出这个选择的，不仅是他的自立意识，投资也是他的根本思想动力。面对现在住房改革的新形势，若要住上房子，要么买房子，要么租房子。租人家的房子安家，生活没有安定的感觉，再说，时下在市区租套好点的房子，每月上千元的租金就如同泼出去的水，见不到积累。而银行按揭供楼，每月千余，虽然吃力，然而多年下来，终有一己物业。所以，换一种角度，把供楼看成是一项长期投资，就可以欣然接受这种消费了。另外，近年银行又开展了购房“按揭”业务，配合房改后个人购房。近期我国银行利率下调，为作“按揭”的购房者提供了好的机遇，毕竟利息负担的减轻，于置业者是一件“着数”的好事。应先生决定不再犹豫，筹集了首期向银行“按揭”分期供楼，他原住在佛山市区，但通过认真比较分析，他选择了市郊的楼房，虽然位置远点，价格却比市区便宜三四成，而且环境不错。

现在，应先生已是一名年轻的小业主，享受自己独立自由的空间已为期不远了。回想起自己购房的决策，他笑了笑说：我是房改最铁杆的支持者！

难为无米之炊

季国富，男，29岁，已婚，有一周岁女儿，某机关干部，月收入1300元左右

下班了，季先生急急忙忙赶回家，狭小的家里住着一家四口，乡下的母亲在帮忙照看刚满周岁的女儿。季先生老家是江西赣州农村，他是家里唯一的大学生。大学毕业后工作已7年了，去年生了女儿，才由单位照顾，分到这间60年代的二居室的旧房子，结束了多年的集体生活。

提起房改，季先生觉得挺为难的。按照房改精神，他可以买下现有的公有住房；也可以选择交房租，领取住房补贴。可是，现在的公房，由于是30多年前的砖木结构的旧房子，年久失修，已快到使用年限，买是不值得的。如果领取住房补贴，每个月仅400元，房租就要交100多元，还要准备供楼买新房，买房首期款至少要近10万元。对他来说这是一笔难以负担的巨款。

季先生妻子在市直一家电子企业工作，效益不佳，经常是开一天工停两天的，每月只能勉强发300多元的基本工资，说不准哪天就成了下岗职工。父母年老体弱多病。也都指望着这个城里的儿子能照顾晚年。但凭自己在机关里每月清清淡淡的千把块，仅能维持一家的生活，如何买得起房子呢？

“还是先等等看吧。”季先生轻轻地叹了一口气，带着几分无奈。

顺势而为，供楼也潇洒

赵先生，男，27 岁，今年底准备结婚，某银行职员，月收入 2500 元左右

赵先生 93 年大学毕业后到了现在这家银行工作，由于收入殷实稳定，家庭环境较好，工作才几年已稍有积蓄。当有些人还在天天企盼单位分房时，他已开始作买房的准备了。因为单位分房论资排辈，申请的人早已排了长队，而且，单位分房方法缺乏透明度，就算分到的房子也是狭小的旧房子，跟他的要求相差太远。从近年的改革趋势分析，赵先生早已隐约预感到住房商品化即将取代旧的福利分房制度。况且他和女友是大学同学，已相爱多年，感情稳定，责任心也使他尽早为筑好爱巢作准备。

或是出于职业习惯，赵先生做事善于计划且精打细算。他每月都把一半的收入存进专项帐户，当存到一定数额后，就按比例进行投资组合，一部分购买短期国债；另一部分则投入股市，购入绩优股，做中线投资。由于理财得当，把死钱变活，钱在他手上不断增值。

去年 10 月，国家推出住房商品化改革试行方案后，赵先生所在的银行也参照执行。赵先生觉得机会到了，今年 1 月，当他拿到了住房积金的小本子后，马上就买了位于城南新区某楼盘的一套二室二厅 80 多平方的

"期楼",年底就可入住。赵先生选择了分期付款,由建行提供五成八年按揭。首期10万多,月供1500元左右。根据房改精神:"在本单位工作满5年以上,可按本月标准一次性领完7年的住房补助金。"赵先生今年7月就可一次性领取3万多元的补助金,以后8年还可以逐月领取400元(每年递增10%),以赵先生的经济实力,供楼还是比较轻松的。

有了自己的房子,赵先生准备年底结婚,想着与爱人拥有了一个漂亮的新家,他已有点陶醉在即将到来的幸福之中。

不愿做没家的男人

林新民,男,30岁,已婚,某报社记者,月收入2500元左右

林先生从来没有像现在这样感觉到房子的重要性。小时候也经常听父母讨论单位分房的事,只是觉得很纳闷:房子真的那么重要吗?这个疑问直到这两年亲身经历过才痛彻地领悟到:房子真的很重要!

在两年时间里,林先生已搬过四五个地方,从郊区出租屋到招待所都住过,然而到现在还没有自己正式的家,林先生原在一个大型国有企业搞宣传工作,收入虽然不高,工作却轻松,还有一套单分的房子,但林先生不甘心沉闷的工作环境,想到外地闯一闯。两年前,自己到了一家报社应聘记者,当时报社表示暂时不能解决房子，他并没很在意，心里想单位以后总会解决的。

工作上，林先生十分得心应手，收入也不错，但居无定所，夫妻分居的状况令他难以忍受。每当他辛劳一天，回到出租屋，形单影只，总是找不到家的感觉。

从去年开始，林先生凭着记者的敏感，已感到房改是势在必行的了。对于房改，他是挺矛盾的心情，从理智上，他明白到实施货币分房代替福利分房的新房改是发展方向，是合理的；但对于未能赶上福利分房，又确实不甘心，毕竟是价值几十万的房子，关系到自己切身利益的大事。

最近，林先生的身影频频出现在各房地产公司里。房改，已成现实，供楼，也就成了他唯一的选择。有了新的目标，林先生的生活也有了改变，他变得更加忙碌，不但要完成报社原来任务，还要努力多写稿子多赚稿费，这不，最近报纸又多了林先生的大作了。

何时才能有个自己的家，林先生盼望着，那才是真正的生活！

等我们有了房子……

朱珠，女，27 岁，三资企业管理人员，购房面积 48 平方米，按揭贷款分 9 年偿还

我有一个大我八岁的哥哥，在他身上我看够了排长队等着分房子、调房子的苦衷，那真是一种漫长的心理疲劳。1988 年我哥结婚一半是因为单位要分“筒子楼”，大伙儿不管有没有感情，都毫不迟疑地去领证，因为不领证就没有资格写分房申请。至今我嫂子还耿耿于怀，说我哥哥的求婚核心竟是："你想要婚房吗？那么我们去结婚吧"，一点浪漫意境也没有。1990年我嫂子生孩子，他们千辛万苦地调到了近郊的两室一厅老房子，不用在走廊上烧菜，但卫生间还要合用。1996年，他们的孩子要上小学了，正好碰上单位的一批新房子"瓜熟蒂落"，他们好拿老前辈的接龙房，位置靠近市中心，却牺牲了13个平方米的面积，害得嫂子将家中培植情调的东西精简了又精简，连钢琴也转送了亲戚。我哥已在扳着指头算，再过四五年，也就是等他女儿要上中学时，房子的使用面积又将上升为主要矛盾，那时我哥哥已经40岁了，他不知能否如愿结束他为房子奔波的生涯。

因为有了哥哥这样的一个榜样，我真怕走上这样的漫漫长途。我哥嫂的生活总的来说是寡淡粗糙的，因为他们总把希望放在将来，他们最喜欢说的话是"等到我们有了房子……"如何如何。而我喜欢把憧憬放在当下。所以我买了房，"提前享受到40岁以后的精致生活"（我哥语）。不错，像我哥嫂要添置一些点缀情趣的东西，如比利时地毯、景德镇花瓶、油画、铜雕摆件、小壁炉时，他们都会考虑会不会成为调房调入好地段的"绊脚石"，他们有过这样的前车之鉴。这种顾虑却与我无关，我的房子是买来的，它的一砖一木渗透着我的全部付出，我怎会视它为寄居蟹的壳？我必全身心地布置它，使它成为我的精神之壳。对取消福利分房一事，我真的很赞成，这将改变年轻人敷衍当下生活的态度。我很赞成哲人的话："20 岁时你不学琴，40 岁时你会有心情学吗？20 岁时你不学画，40 岁时你会有空闲学吗？"任何拖延的借口，即便来自住房条件也是没什么道理的，生活的质量其实由细节组成，由你今天过得好不好决定。

我以才能买自由

杨时新，24 岁，电脑工程师，购房面积 42 平方米，按揭贷款分 5 年偿还

在我们这辈人当中，二十四五岁还与父母及已婚的兄姊挤住在一起的人，不在少数。我若不是买房独住，也得过这种已婚者和未婚者都无隐私的生活。我评价事物的方式，交友标准和作息时间都得向兄嫂看齐，这是一件非常难受的事情。我如果不想跟他们起冲突，就不能晚归，不能带朋友来家里听唱片，每天回来除了吃饭，就只能埋在沙发里看那些味同嚼蜡的言情剧（我嫂子喜欢看这个），我已经预料到这么下去我的精神状态会未老先衰。这种业余时间的度过方式与我的职业也格格不入，干电脑的人喜欢听摇滚、开夜车，吃微波食品，喜欢独处，不喜欢跟人解释为什么与女朋友"掰"——这种事情本来就没法解释。但有一条，如果你跟一个大家庭合住着你就必须解释，否则你就不近人情，小侄儿就会在家人的煽动下在你的门板上贴满你最讨厌的卡通。

现在我买了自己的房子，24 岁就敢于背债买房子让我的朋友对我刮目相看，我的合作伙伴一听说这个消息就认为与我合作大有前程——一个未婚小伙子，如果他不是对自己的潜能有着足够的信心，他怎么可能花近25万元买房？

对于买房这件事，我父母劝了我三天，未果，又叹了两天半的气。

现在我一个人住着，我妈妈常打电话来问我饿不饿，冷清不冷清，我耐心很好的地承受着她的关爱和唠叨。真的，去年住在一起时我可没有这许多耐心听她琐琐碎碎地关心我，房子小，一点动静谁都听得见，心里烦。现在我的心态温和得多。是的，有唱机和音响，有可视电话和电脑，我开始真切地享受一个人的自由。本来么，在我们这个时代。置身于一个大家庭也并不一定能解决你的心理问题，抚慰我们的不仅仅是人，还包括音乐和工作。有困难，一个人慢慢想清楚，让内心的风暴过去，无形中就加快了你的成熟历程。

先买下再说

钢子，男，31岁，江西人，某杂志社摄影记者，月收入3000元左右

就像我从前无法想像会到广州来工作一样，我还真没想到自己会在广州买房子。

1992年我从大学新闻摄影专业毕业，分到江西某报社，没过多久就被派到北京记者站，也许从那时起我那种漂泊的情结就给诱发出来了。在北京呆了不到一年，有一天我不知哪根神经出了问题，一门心思想来广州。报社领导不同意我到广州记者站，我二话没说就辞掉工作一个人跑到广州来了。

说实话，我真的很喜欢广州，这里的工作环境是国内其他城市无法比拟的，只要你有能力你就能挣到相应的报酬，而且很少人会干涉你的生活，但有一点，也是重要的一点，对我来说最痛苦的莫过于居无定所了。

在广州四年，我搬了九次家。从最初在石牌村租房开始，这个城市的东南西北中我都住过。去年，当我第七次搬家时，我对自己说再不能这样下去了，我要拥有自己的房子。那时，我的月收入已有3000元左右，周围有些和我差不多收入的朋友都开始在供楼。

一天，在报纸上见到一个"一万元做业主"的广告，我开始心动了，而当时我的银行存款恰好是一万元。那是一个郊外的住宅小区，开发商实力雄厚，整个小区因规模宏大管理较为完善而小有名气。它卖的是楼花，先交1万元订金，以及2万元首期，之后分60期付款，月供1500元。我在楼盘展销会上，看了楼址和设计图，一咬牙当场就交一万元订金。这之后两个月内要交齐首期及各种税款等共2万元，身无分文的我只好求爷爷告奶奶向所有能借到钱的人借钱凑齐了这笔款子，交了首期，然后开始等待银行审批按揭资格。

在没供楼之前我是挣多少就花多少；现在，花什么钱都得先想着供楼的事。交完首期后我就开始玩命地工作，不但要完成本杂志的任务，还要努力在其他报刊发照片赚多点稿费。这不，没到一年的时间我的债务已还得七七八八了。我的按揭申请过几天就能批下来了，月供1500元也不是个小数目，所以最近我又找了个收入更高的工作，不过还是老本行。以前找工作凭兴趣，现在找工作首先考虑的是钱多不多。没办法，想要有自己的房子就得这样。我来广州第一份工作工资才500元，而下一个工作的月薪却将近5000元，这都需要一个过程，就像对房子的认识一样。

你问供楼的心态是怎样的，说真的还挺矛盾：首先是兴奋和压力这一对矛盾；更矛盾的是自己的个性与现实的斗争。60期付款使我起码在5年内不能由着性子自由闯荡，我必须维持现有的收入水平，绑死在一个地方。不过回头想想，拥有了房子后，不管走到世界的哪个角落，心里都非常踏实。就算注定是株浮萍，我也不愿做无根的浮萍。

找回自我

阿眉，女，21岁，某时装专卖店售货员，月收入2000元左右。

21岁的阿眉看起来似乎比她的实际年龄要成熟些。在她工作的专卖店里，阿眉一边忙着手上的活，一边与我谈着她供楼的事。她说话的频率很快，并且一开始就直切主题，她说："从4年前参加工作起，我的第一目标就是供楼，拥有一套属于我自己的房子。"

阿眉的母亲是下放到博罗县的广州知青，阿眉读初中时，母亲带着几个孩子千方百计回到广州，但却一直没能找到一份正式的工作，甚至连她们的户口也未能迁回广州。多年来，阿眉一家靠在亲戚家借住和租房子解决“安居”问题。

说起当初回广州时一家人的窘境，阿眉的语气仍无法平静：“那时候寄住在外婆家，七八个人挤在10平方米的小屋里，每人至多只有半个床位的活动空间。而且厨房厕所走廊都是公用的，根本不用谈什么私人生活。所以，我中学毕业后出来工作，就下决心拼命挣钱攒钱，一定要让我们一家真正有自己的私人空间”。

在同事们的眼中，阿眉是个无法理解的工作狂：每星期只休一天假，而且从早到晚将近12个小时。除了身上那套工作服，阿眉几乎很少买新衣服，其他消费就更甭提了。对此，她只是淡淡地解释道：“只有这样，我才能多赚些钱，快点接近目标。”

几个月前，阿眉和大姐终于攒够了8万元的首期，她们决定买楼，她说，“我们每天抱着一堆报纸研究各种房地产广告，然后一个一个楼盘地实地考察。最后我们选择了现在入住的那套现楼60多平方米20来万，月供3500元供5年，和大姐两人合住。虽然我们俩都没有广州户口，但我们找到有固定收入和房产的广州亲戚做担保人，很顺利就通过了银行的按揭审批。”

“从买楼到拿到钥匙住进自己的房子一直都高兴得要死，可等到前两个月开始向银行缴纳月供，心情又特别沉重，有一种从没有过的压力把我压得喘不过气。说出来你可能都不相信，我一个月赚2000得有1800拿来供楼。”

望着她那清秀的脸庞，我们不由地问：“阿眉你干嘛不等以后嫁个有房的老公，何必像现在这么辛苦？”

“我有自己的房子不好吗？再说就算有了那种依靠，你又能保证一世不变吗？”她连珠炮似地反问道。“做人总得有一个目标，当你付出很多最后达到目标时，那种幸福恐怕是别人给不了的。”阿眉说这话时眼里流露出一丝激动和满足，也许她此刻正在回味每天下班回到家中母亲端上来的，那虽不丰盛却很可口的饭菜。

“福利分房”已将退出历史的舞台，而“货币分房”日渐成为了主角。

然而改革就是利益的调整，不可能人人满意。有人说，如果一开始就搞货币分房，事情就简单多了。但我们的现实却是福利分房已实行了几十年，不少人已享受到了“福利”，而其中一部分却没“福利”可享，其中绝大多数是年轻人。在采访中我们感到现在一代的年轻人是理解改革、支持改革的，尽管我们许多人正承受着改革带来的阵痛。

另外我们还清醒地看到，房改是一个跨世纪、牵动万人心的工程，它关系到每个人的“切身利益、最大利益、终身利益”，产生的影响也是全方位的。

一方面，货币分房消除了旧体制的弊端，刺激了房地产市场的发展，为经济增长提供巨大的动力，另外对家庭、个人的消费行为也将产生深远的影响。顺德是我省最早实行房改的，顺德的个人收入在全省也是比较高的，而且房价远比广州、佛山等城市低，但在我们的采访中了解到，一些年轻干部也感到购房的压力很大，若干年内家庭的开支都要以“供楼”为中心，相信在佛山广州情况也将会如此。

另一方面，房改也触及了一些深层次的矛盾，改革不是毛毛雨，利益的调整所引发的社会变动不容忽视。由于货币分房的实施，使单位和职工的关系变得更加简单了，人员的流动将变得更加频繁。在失去了福利分房的优势后，机关事业单位如何留住优秀人才以及吸引年轻的优秀人才加入公务员队伍，这是一个新问题，企业也是如此。有些人之所以奔向机关单位，说实在点就是看中机关能分房，对一个专业人才，外资企业、私营企业的薪酬更有吸引力。

改革的推行还需要全社会的配合，现行的房改方案都只是在机关事业单位实行，而企业的房改大多还没进行。现实中许多的企业现在还难以具备货币分房的条件。如果企业的房改不能推行，反过来将对现行的房改增加压力。

租房的失落与漂泊

青春给了他们一张文凭，上海给了他们一次机会。而房子，给了他们一段苦涩。

陈洁，女，25 岁，杂志社编辑

能够最终留在就读大学所在城市的外地大学生，无疑是幸运的。

陈洁，复旦大学毕业。一个腼腆而秀慧的福建姑娘。八小时内在杂志社面对枯燥的公式定义如鱼得水。八小时外在大上海感受精彩的世界而苦恼不已。无房，未婚。因为想多攒一分嫁妆而选择狭小简陋的石库门房子，租房途径：同学介绍。房租 150 元。她的男朋友也是复旦毕业的，比她高一届，毕业后分配在沪郊一个县城里教书。她在上海没有亲戚，也不可能天天在市区和郊区之间打来回。领导很同情她，破例租了一间房子给她住。

房子在老西门那儿，5 平方米，终年漏雨，要命的是还没有电！

陈洁在上海所有的资源就是班上那些赤屁股在上海长大的同学。她发出“SOS”求助信号。

信息很快传来：有一间房子，在常德路那儿，房东愿意出租。房子很差劲，是房东增配的，木板的墙壁，和邻居间没有隐私可言。不过总算有了一个可以住人的居所。一拉开关，电灯像一只小太阳一样悬在头顶上，让人倍感温暖。

几个月后的一天，房东突然告诉她，这次单位又要增配房子给他，分房小组的人要来看看房子。房主请她帮帮忙，到外面住几天，不要添麻烦。

陈洁几个月来对那间陋室建立起来的情感，在瞬间被击得粉碎。她无奈 地把钥匙交给了房东。行在街头，黄昏的光影像一头怪兽，吞噬着她弱小的身影。她拨通了电话，找到了那个帮忙介绍租房的同学，一个很有骑士风度的浪漫诗人。"骑士"非常沮丧地告诉她：实在没办法，你就到火车站的候车室去呆一晚吧！

那一个晚上，陈洁真的到了火车站的候车室。她感觉自己就像一个等候班次的乘客，在喧闹的车站孤独地捱过人生疲惫的一夜。

张文义，男，28 岁，汽车推销员

如果大学文凭可以拍卖，只要 5000 元他就做这买卖。不是没见到过钱，没钱他无法在上海生存。最喜欢的是白天，还有自己的嘴。工作着是美丽的。那怕一辆破车，都会被自己说成总统专座而令买主大掏腰包，最讨厌的是自己的身子和黑夜，到了那个时候就无地自容。换了三处房子，和朋友合租。一是为省钱。二怕孤独。喜欢看租房广告。一是信息多，可从价格、地段、房型上多作比较，二不欠朋友之情。

一天他在黑暗中打开房门时，已经是子夜了。像往常一样，他习惯地拉亮了日光灯。就在这一瞬间一个声音炸雷般地响起："不要进来！"

声音是从床上发出的。床上睡着的是陈凡，一个和他一样大学毕业后留在上海的浙江人。在陈凡的身边，竟然是一个赤裸着双臂的女孩，陈的女朋友。

这套房子是张文义和陈凡合租的。他在公司业务很忙，本来和陈凡说好不回来的，因为实在累得受不了，才打的赶回这儿。当他定睛看清一切后，他很知趣地转身出门，又打的赶回公司。这样的尴尬事儿，将来还会不会发生？张文义不知道，他现在只需一张长沙发，把自己沉重的身子彻底放平。

董俊川，男，27 岁，外企职员

董俊川，白领阶层。一米八二的高个，巴人后裔中的巨人。比他那身"登喜路"牌西装更炫目的是上海交通大学的毕业文凭。他租的房子是通过私人中介公司搞定的，月租 150 元。

董俊川的大吼是不由自主地发生的，面对着他的是他的女友，同在一家公司共事的黄。董俊川是四川人，交大毕业生，很有才干，又很有生活情调地包装自己，赢得了美丽的黄小姐的青睐。黄要求到董那儿去玩玩，但总被他支支吾吾地敷衍过去。这一天实在没有退路了，董带着黄来到了自己借住的那间破房子。这样的居住环境简直可以和街头的乞丐划等号。黄小姐"哇"地一声喊出""你怎么住在这种地方？"

董俊川感觉自己的自尊心被深深地刺痛了。他对着黄小姐大吼："叫你不要来你偏要来！"

男人有男人的虚荣，男人的虚荣就像一只漂亮的气球，雄纠纠却不堪一击。

郑丽，女，25 岁，报社记者

郑丽，好动人的名字。因为房租较贵和同学合租，房租虽然比较贵，房子挺好。月收入 2000 元，租房途径：同学介绍。

郑丽的组合十分优秀：三个女人一台戏。

她家住市郊，大学毕业后分在市区一家报社工作。她在上海有亲戚，但不愿麻烦别人，就和其他两个外地留沪的女同学一起，租了一套两室一厅的新公房。三个人还凑钱添置了冰箱、彩电、衣柜等物品，苦中作乐过起了日子。

条件虽然简陋，生活却不乏乐趣。三个女孩晚上一交流，就是一部精彩的都市青春剧。

当然她们最怕晚上 BP 机响。因为没有电话，只好从热烘烘的被窝里挪出身子，穿上衣服到公用电话亭“挂号”。

房东有了愿意出更高价钱的主，就把她们赶走。没有商量的余地，一个月后，姑娘们找了个更为合适的地方。想不到还没有搬过去，主人就传来信息：自己儿子要结婚了。姑娘们一面和房东展开有理有节的斗争，一面继续出击。房子终于找到了，来了许多男孩子，争先恐后把她们这点可怜的家具从城市的西南角搬到东南角。

新家的确好漂亮。男人多的地方，有人说是狗窝。女人多的地方呢？真有点情趣。房子虽然是白坯，但墙上被一种小花头的土布装饰着，别有乡间的野趣。布衣橱的门从不关上，透出些流行的信息。没有床架，被褥直接铺在地板上。满地的啤酒瓶，做着悲欢爱恨的证人。浪漫和现实，颓丧和兴奋，把房子每一个角落都撒满特有的信息。

这台好戏，终归有谢幕的一天。当一个女孩子走出这里走进爱巢的时候，这个快乐的组合，还会奏出愉乐的乐章吗？

吴名，男，19岁，安徽民工

吴名挣钱是为了回乡下盖房，而绝不是每月在上海花200元钱租一间“鸽棚”，200元可以买1000块红砖。

在出内环线不远，龙华路附近的一条弯弯曲曲的弄堂尽头，有一家只有两台印刷机的私营工厂。18岁的民工吴名就在此间打工。他每天干着单调得不能再单调的活儿；整理上机的纸张，然后和师傅一起，替老板把那些纸张变成花花绿绿的冥钞。吴名干这活已经三年了。三年中，他一直和厂里其他十来个外来民工一起，住在印刷机顶上搭出的小阁楼里。

阁楼的空间很小，只有十五、六个平方米，而且矮，不超过80厘米高！十几个一米七、八的大小伙子每天晚上像塞粽子般把自己塞进这么狭窄的空间，简直令人不敢想像。

吴的每月收入是700元，两餐饭吃老板的。他零花不多，一个月能省下400多元。小伙子的愿望是到22岁时挣下两万元钱，回家盖房娶个漂漂亮亮的媳妇。为了这个目标，他必须抠下每一分能够省下的钞票。对于老板免费提供的这个宿舍，他简直感到像天堂一样美好了。

陈涛，男，31岁，木工，河南人

陈涛日工资50—80元。喜欢在市郊结合部寻找空着的新公房。优点有三：房型好设施全；价廉；空气清新和老家类似。

他从河南来沪打工，凭着祖传的木工手艺，在上海从事室内装璜。和他一起闯大上海的，还有十几个同乡人。他们租下大场一间空置的新公房，每月房租是300元。一室一厅的空间，显然无法容纳这十几条雄纠纠气昂昂的河南大汉。好在陈自有妙计；能睡在工地上的，绝不回"家"。

在市郊结合部，像这样十几个人租下一套房子的外来民工很多。他们和本埠居民呈犬牙状交错生活在一起。由于生活习性、语言等诸方面的不同，他们彼此间用一种敌视的目光保持着相互间的距离。

走进这些外地人的房间，令人感到好像生活在吉普赛人的生活中；床用砖块垒起，满地的空酒瓶，扑克牌、象棋、麻将像天女散花般扔得到处都是。剽悍的男人、懦弱的男人、滑头的男人、木讷的男人、风骚的女人、端庄的女人、泼辣的女人、老实的女人，构成了一间间房间中不同的风景。

法律是讲证据的。在没有查获证据以前，曹亮显然无法对×××室的外地人采取任何强制措施。而对于楼中的本埠居民来说，紧锁铁门，然后直上嗓子骂一通物业公司，似乎是唯一泄恨的形式。

倪雯，女，40岁，报社记者

倪雯租房为了改建过渡。就像在纷繁的世界中理出一条清晰的采访思路，她自动找了房东。房租300元，是她月收入的五分之一。

倪雯租房是为了改造。她原先住的是两居室的房子，是50年代建造的工人新村。厨房是合用的，卫生间是合用的。没有厅，一切活动都在卧室内进行。区里决定投巨资改造这些建筑，不过要各家自己过渡。

倪雯很快速地在桃浦附近找了一家家舍租下。不是因为价钱特别便宜，唯一的理由是离丈夫的单位近，一出门10分钟就到。丈夫上三班，需要特别照顾。她和儿子就惨了，每天五点半就要起床，洗刷好后，打点行装，挤一个半小时的公交车去上班和上学。回家时更惨，儿子常常回到家在晚上7时左右，她更要到晚上8时才回来。儿子有时会像一个疯子似地对着住在学校边上的同学吼："你们真幸——福！"

农舍有24平方米大小，没有任何辅助设施。左右是一片农田，蛙噪蝉鸣，别有一番情趣。要倒大小便，必须走出10分钟路程，来了BP机要回电话，要在半小时的路程外。因为用液化气烧饭，为了安全起见，倪雯把它放在了门外的房檐下，用几块破木板围拢起来，算是个厨房。夏天突然来了一场暴雨，把倪雯新买的一钵食盐全部冲翻。暴雨过后马上来了烈日，又把流淌在灶台上的盐水蒸发成疑固的晶体。最倒霉的要算湿气，把倪雯的家具全部潮得变形起来。大衣橱里的衣服，也霉掉许多。三年后倪雯搬出农舍进新居时，只带走了一只彩电和一只电冰箱，其余的家具已经坏得没有再使用的价值了。

在上海，最苦涩的租房者莫过于结婚无房者。当福利分房像尔·波普慧星美丽的慧尾一样曳过天空离我们远去时，不少年轻人仍陷在这样的怪圈里：没有房子不能结婚，不结婚不能分房。

房子，击碎了多少可能美丽的爱情！

我的家在肩上

余洁，女，某报记者

26岁以前我一直是个形迹可疑的人，看过各种各样的租房广告，住过各种各样的房子，用过各种各样的房东留下来的各种各样的家具。但是谁要问我家在哪儿？我得说：家在肩上。

其实我对房子的要求不是如何宽敞豪华、舒适美丽，我唯一的渴望是安定。但除了第一次租到独住的房子时感到过暂时的安定外，我从来都没安定过，我像个搬仓鼠。有时候甚至不等我体味一下家的感觉就又要寻觅别一处栖息之地。每次迁入新居，都要留意房东是否和善，是否过分“关心”我，房价会不会涨，住所是不是安全，有没有突然让我搬走的可能，哪儿还有合适的房子要出租。也许是我没钱的缘故吧，但这也有好处，我最值钱的东西是那台电脑，然后是书，然后是一点衣服，搬起家来还不算困难。

可能和房主沾亲带故能好一些，我住的最长久的一次是住“男朋友”的房子，我和“男朋友”唯一的关系就是每个月我给他 800 块钱。但邻居的老太太一碰见我就跟我回忆“男朋友”是怎么长大的，小时候如何乖，千叮万嘱我要对他好一辈子。要是我带异性朋友进门，老太太就会用受伤害的眼光望着我，不吭声只是幽幽叹气。有一次我们一帮飘在北京的朋友聊天，有人说：“许多女人就是从没有房子起开始堕落的”，竟然惹哭好几个女孩子。

不敢有什么雄心壮志，珠海的一个朋友跟我说，他初到珠海时一套房 4 万，他攒了一年攒够 4 万，房价涨到 10 万；一年之后他果然攒到 10 万，但房子涨到 16 万；他大哭一场，依然没有灰心，又一年过去，他竟然挣到 16 万，但你可能猜到了，珠海最便宜的房子变成 25 万。他现在已有住房子，我们不属于一个阶层。

我现在住的房是转租朋友的，上个月房东跟我说他父亲要来，给我一个月时间腾出去。我辗转问明了情况，每月多付 200 元房租，于是房东表示他父亲不来了。

总得有个窝

王小刚，男，某企业职工

我不想别人把我叫做房东，挺不好听的。一年前孩子得了病，家里经济紧张，迫不得已想出这个办法。最初进来合住的是个女大学毕业生，人挺老实。咱们明白这叫租房，但孩子不懂，他才上一年级，休学在家，他不明白怎么家里住进来个陌生人。他整天和人家捣蛋——很多是我后来听那个女大学生说的，他每天早上占着卫生间不出来，大学生就没法打扮、上厕所；他没事儿老和别的小孩打电话，为的是让那个大学生接不成电话，但只要来了电话他就去接，可又没一个是找他的，都是找大学生；大学生住的是以前他住的房间，大学生有一次把钥匙丢了，只好找他要钥匙去配，后来他就总把那个原来的钥匙挂在自己脖子上，在外面转来转去。那个女大学生受不了了，把这些事儿都告诉我，我把孩子打了一顿。第二天早上孩子把卫生间门开得大大的，但女大学生不敢进，她说她怕再看见小孩的面儿。然后就退租了。

说实在的，我希望人家租个房子能当成家，但当时我觉得自己的孩子没家了。我们单位正调房，我还能分到一间平房，这回再租出去，别人爱干吗干吗，我不会像有的人那样——总得有个窝啊。

租一间房，圆一个梦

冯雅昕，女，广告公司职员

家在广州也要租房。既不要和家人挤在一起，也不想和男友同居，自己在经济条件允许的情况下租一间，可以接待成群结队的朋友，可以一个人安静地读书、做自己的事情，可以做饭吃，也可以买饭充饥，晚上出去玩也不会有家人管、男友问,真正能过上独立的生活。现在处于过渡阶段,为让家人与男友逐渐放手,正和一个女孩合租着两居室。租房也难也容易,向所有认识的人撒网,总能捕回一条鱼来,一个城市有那么多空房子呢。有个朋友爱上他的女房东,两人当真结了婚,他买了一万块钱的家具,免了800块的房租。半年以后合不来要离婚,他正托我找房子呢——想想仍要租房,只是多了一大堆家具,实在好玩儿。

租房是一个涉及面很广的现象,有出租方、承租方、中介、政府部门,可能还会有开发商参与。因此租房时的酸甜苦辣只是承租方在目前不健全的租房市场中的反应,实际上至少还有租房所带来的种种社会问题,如治安、市容、卫生、外来人口子女入学等。一个“白领”的租房问题和浙江村、河南村当中的租房问题也完全不同。当然问题在于租房已经不是一个新话题了,但对它的研究还远远不够。

笼统来谈租房问题,种种弊端的根源在于,第一,所租的是一个概念模糊的“房”。目前出租的大部分房是公房,公房私租属于违规行为;但市场使然,有人要租房,谁来提供房源?过去低工资、高福利的住房制度与现在大规模的人口流动大大脱节,十多年房改又走走停停,房屋仍然不能掌握在私人手中,公房却在私租,国有资产日以继夜地流失。反过来,高昂的房租使既得利益者想去分得更多的公房。第二,既然公房私租一方愿打一方愿挨,中介机构很多时候就像拉皮条的,替房主保密,替房客保密，本来就模糊的租房市场被人为地更加暧昧的结果是房主胆战心惊，房客委屈求全，租房协议见不得人，只是一纸空文。第三，从本质上说，租房是人口流动的产物，但这种流动目前却仍是非秩序化的，不被确认的。由于户籍制度等社会管理方式，租到某地的房子并不能进入某地的社会角色，你的户口不在那儿，你的工作不稳定，你的子女无法入学等等，形神分离，你不可能建立自己完整的生活。尽管居住的方式是要么买房要么租房，租房已是许多人必须面对的事实，但租房却始终被认为是一种过渡，一种权宜之计。在美国一个人可能租一辈子房，可能从一个城市到另外一个城市——他感觉自己在搬家，中国人却只能感到流离失所。

随着房改的进展，租房难题会有一定程度的缓解，但同时有许多问题需要解决。把租房管理和社区建设联系起来，我认为不失为一个长远之计。目前租房很大程度上靠公安部门来管理，出了问题才找，滞后性强，靠证件管理（外地人居留需要3—8个证件）也很欠缺，没有建设性，成本又高。而社区如果能作为一个管理单位，它比中介公司更了解房源、人口等信息，更直接面对居民的生活，具有引导性、建设性，无论从社会还是个人的角度，都可能使租房变得更稳定和秩序化。当然这是一个很大的话题，但方向是正确的，我们的城市应想法使自己具有一种包容性，一种弹性，否则租房市场合理化、秩序化只能是一种空谈，对待租房的观念不可能转变，租来的房子不可能是家。

第四章

残酷的风暴

——失业下岗与再就业

失业下岗，是市场经济下的一种必然现象，因为单位和国家已经负担不起。那么，谁来负担？

失业下岗按说并不可怕，不合适再换一个工作。但关键在于得有地方可换，得为他们提供再就业的机会。否则，只能成为多余的人。那么，再就业机会在哪？够不够？

失业下岗，谁之过？

失业，谁之过？

“下岗”一词在我们的口中，使用和出现频率最高。它表明一方面目前我国的失业队伍在不断扩大，另一方面，失业已成为一种严峻的现实问题，成为时代的敏感话题。

失业，我们无须回避，我们也不能回避。

然而，哪些是解决失业问题的权宜之计？哪些是长久之计？在寻找这一“诺亚方舟”之时，就必须搞清楚当前我国的失业率究竟是多少？

据统计，1997 年末全国城镇登记失业率为 3.5％，自 1986 年以来这个数字一直在 2％～3％之间徘徊。横向比较，1995 年美国的失业率为 6.3％，而欧盟各国的平均失业率为 12％。相比之下，我国的失业率在全世界是非常低的。以至于南开大学经济研究所所长陈宗胜教授据此判断，我国的失业状况远没有达到危险程度。他对我们说，美国西部的失业率为 3％～4％，东部纽约为 4％～5％，英格兰为 10％比较起来，我国的失业率是处于合理限度之内的。

8％——这是代表部分专家意见的一个数字。他们认为 3％失业率并未真实地反映中国现阶段的状况，如果把国有企业 1500～2000 万下岗、待岗人员也计算在失业人口里的话，失业率应该在7%上下。中国人民大学教授、著名劳动经济学家赵履宽提出，保持5%以下的失业率，可视为安全失业。目前，美国、英国、澳大利亚等国的失业率已超过10%。

27.8%——这是资深劳动经济学家、中国社会科学院研究员冯兰瑞最新提供的一个数字。这位现年77岁的女经济学家，是最早使用“失业”一词研究劳动就业问题的。1996年，她提出我国面临第三次失业高峰，推算出当时的失业率为21.4%，今年又把这个数字修改为27.8%。问及原因，冯兰瑞接受我们采访时说：“当时依据劳动部门发表的数字计算，‘九五’期间城镇新成长劳动力失业是1600万，农村剩余劳动力1.37亿需要就业，公开和不公开失业合计为1.53亿；若加上企业下岗职工3000万，总计失业人数1.83亿，‘九五’末期劳动力供给总量为6.586亿，两者之比，27.8%的失业率就得出来了。”

3.5%、7%、27.8%，相同的原始数据为何会算出大相径庭的结果呢？冯兰瑞分析认为，这主要是近几年公布的失业人数和失业率仅限于城镇而不包括农村上亿的剩余劳动力；城镇失业的统计又只限于公开失业，企业内部的不公开失业即隐蔽失业不统计在内；公开的失业中只统计到失业保险管理机构登记失业，而不少失业者是没有登记的，因为失业保险机构不健全；还有的人认为失业是丢脸的，不愿去登记。这样，公布的数字是合理的。

尽管失业率字面上有出入，但要解决失业问题当前所需做的是对失业成因分析，那么，当前我国失业呈现何种特点呢？

首先扩大就业不等于消灭失业。失业是一种必然现象，不要认为失业只是资本主义的产物，不要回避。失业人口的存在，有助于经济的转换与发展。

在不少人眼里，失业是改革开放以后的新事物。冯兰瑞认为，我国一直存在失业，计划经济条件下也有失业，不过失业现象被一些政策措施所掩盖，表现在过去我国有失业；改革开放以来有所变化，可以辞退，能进能出，但仍规定不许大批辞退，只能让不需要的多余人员“下岗”或厂内“待业”，以保证低失业率。其实，失业是现代经济发展、科技进步不可避免的。在一般情况下，一定程度的失业也有助于社会经济的健康发展。扩大就业不等于消灭失业，也不可能消灭失业。世界各国的经验证明，除个别国家如瑞士以外，没有哪个国家能做到零失业，但失业率控制在一定范围内却是可能的。我们现在需要转变的倒是“官”念，如果官员对失业问题的看法不根本转变，不彻底摆脱对失业的传统观念，在严酷的现实面前尽量把失业率人为“定”得低一些，以显示我们优越于西方，那就会造成失业人士丧失信心，很难重新就业。

经济学家范恒山的看法很明确：有没有失业，不是社会主义与资本主义的区别。马克思在解剖资本主义制度时讲，资本主义为了自身发展，必须保持一支大的失业大军。失业的存在对在业人员有压力。从理论上讲，社会主义条件下，为使劳动者素质不断提高，生产力不断发展，也应存在一定的下岗人员。

“事实上，在从前计划经济下，我们也在失业，只不过用行政手段把公开失业转化为隐蔽性失业”，赵履宽说，“一个人可以做的事，却让两三个甚至更多的人去做；在农村，不管增加了多少劳动力，都在那块土地上消化；城市更是如此，由政府部门把新增的劳动力强行安排给企业，不管企业是否需要。隐性失业是以降低劳动生产率为代价的，它给社会主义事业带来的消极影响显而易见。”

因此，市场经济条件下，失业是一种必然现象，不要回避，也无须回避，这是当前需要达成的共识。

另外，人口政策的失误，造成了生育高峰和失业高峰。这需要经历一个相当长的时间过渡。

20 年前的第一次失业高峰是在 1979 年，当时失业人口 1500 万，失业率为 5.8%。那一次失业率高的主要原因是，60 年代中期生育高峰，出生的人到 80 年代正好达到劳动年龄。

第二次失业高峰的 1989 年，正是 70 年代生育高峰出生的达到就业年限的时间。这一年，全国城镇要求就业的年轻人 1050 万，到年底安置 300 万，750 万没有就业。

1996 年到来的第三次失业高峰较上两次高峰的变化是，上两次高峰是青年人多，这次失业高峰是中年人多，而且大多是上山下乡的“老三届”知青，这些人现在上有老，下有小，生活压力最大。

冯兰瑞分析说，上山下乡并不能解决知青的就业问题，不能提高农村的劳动生产率；知青下放造成了千百万下乡知青涌进城镇，而回城后又不能自己找工作，却由国家统包统派。现在的多余人员就是当时知青下乡带来的恶果。

违反社会发展规律，违反生产力发展的人口政策和统包统配的就业方针，是一次次失业高峰出现的深层原因。

艰难的再就业

面临下岗，许多人退一步海阔天空，创出辉煌。也有许多人难以适应，茫茫然不知所向。技能单一和知识老化还不是主要障碍，最大的障碍是心理和观念的落伍。

长期以来我们把自己放在保险柜里已失去了抵抗能力。从小就靠父母铺好求学之路，长大靠单位铺好工作之路。“生为单位人，死为单位鬼。”单位像个大家庭里的父母，大到住房、医疗、天灾人祸、退休养老；小到生子入学、安置就业、乃至午餐、副食福利、上下班接送、夏季避暑 、直到死后火化、开追悼会，全靠“统一”解决，甚至连婚姻家庭生子也由单位来管。

单位如果真能靠得住，在这棵大树的庇护下，这口大锅的喂养下，的确倍感舒服。但近年来随着计划经济体制的瓦解，许多企业走向市场，许多单位已爱莫能助，不堪重负，“下岗”之说应运而生，即使离开单位，也需想办法为单位创造财富，再也不能躺在单位的温床上悠哉悠哉了。

根据美国学者的一项调查，美国在 50 年代创办新企业仅有 9 万家，到了 80 年代就发展到 60 万家，许多企业都是个人或合伙人创立的，三分之二的就业机会是雇佣不超过20人的小企业创造的，这些小企业表现出极高的生产效率和创新精神。

今天，我们认识到个人创业的“爆炸”时代已经来临，人人都成为自己的主宰，中国已步入了世界瞩目的高速发展期，你所面临的每一分钟都是一个崭新的世界，只要你赋予自己一个了不起的个性，在自己的天空升起自己的太阳，你的目标就近在咫尺，就能开创出自己的一份天空。

自创条件再就业

张丽，女，35岁，公司文员

从一名纺织工人到某实业公司办公室的业务骨干，现年35岁的张丽，在短短的半年时间里学会了复印、传真、打字等工作，目前还在学习电脑操作……

1997年从某棉纺厂下岗的张丽，一时茫然不知所措，于是把自己全部奉献给了家务，她家中本来就不富裕，下岗后管丈夫要钱花的滋味儿也不好受，促使她做出了重新找事作的决定。

1998年初，张丽来到大厦当上了保洁员。虽然工资、待遇都挺高，可要倒班，就不能照顾家中老小了。无奈，张丽辞职了。正赶上东城区某实业公司需要一名负责搞卫生、送报、沏茶倒水的勤杂工，张丽得到通知后马上到公司上班了。

从机声隆隆的纺纱车间来到宾馆的办公室里，身边都是学历高、素质高的职员，张丽感到和人家不协调。于是工作起来处处加倍小心，走路换上软底鞋，怕弄出响声惊动了老总们。做纺织女工时，说话都是大声嚷嚷，16年的老习惯改起来真难啊，她感到孤独、彷徨。

不久，她发现同事们都没把她当外人，办公室主任看她很勤奋，就手把手地教她学习操作复印机和发传真的技术，她很快便掌握了。她站在复印室一干就是几小时，公司领导对张丽的评价是踏实、肯干、人正派、求知欲强。她终于得到了社会的认可，成了身兼二职的业务骨干。

每天夜晚，张丽做完家务，就拿出借来的电脑书籍自学。买不起电脑，她就在纸板上画出键盘图形，模拟操作。

张丽的老母说起女儿下岗后的再就业经历，感叹道："张丽是我们一家的主心骨儿，平时她不言语就知道干活儿，走到今天这一步可不容易啊！"

张丽12岁的女儿也抢着说："我妈可能干啦，那天还跟爸爸说，赶明儿要是下岗了，就自己织毛衣、做床罩，挣多了钱还要开一家打字复印店呢！"

建厂立业

赵志毅，男，43岁，私营碱厂厂长

刚下岗时，赵志毅觉得脸上无光，终日闷在家里，偶而上厂子去，见到以前的同事心里觉得很没面子，40来岁人高马大的一条汉子怎么就不如人家。一家四口，爱人刚刚农转非，地没了，工作也没了，大女儿先天智力不足，儿子才上小学三年级，就凭每月这百把块钱，日子可怎么过！他几次想找厂长干仗，但又一想，下岗不可怕，没准倒是个施展才能的机会呢！他分析自己的特长，多次找来化工厂的朋友探讨，搞市场调查，决定根据现有条件筹建一家制碱厂。于是他拿出家里全部积蓄，再加上筹措来的共7万余元资金，租了200平方米的厂房，拉进了设备。人员是一水儿的下岗职工。厂里从基建到设备的安装，全是他带领大家干的：和泥、搬砖、当小工，就连深3.5米、容积50吨的原料坑也是他一铲铲挖出来的。产品试验生产的关键时候，他没白没黑地顶着，不敢有丝毫的马虎。但由于经验不足，碱锅裂了个大口子，直接经济损失6000元。心疼啊！对自己的选择产生了动摇，可看到与他同甘共苦的兄弟们时又打消了这一念头，又借了1万元重新生产。

终于，第一批合格产品诞生了。工人们欢呼雀跃，他激动得说不出一句话，只是一个劲地往车上装货。由于产品适销对路，几乎没有库存；他在创业的艰辛中尝到了成功的甘甜，干劲更足了，胃口也更大了。他准备过年再增加两个项目，扩大规模，使效益再提高一倍。

自助者天助

方妍，女，35岁，原造纸厂职工，下岗后自营书店

1997年，我下岗了，十年的婚姻在一夜间也结束了。我觉得自己重又成了两眼一抹黑的无助女人。三天三夜，我滴水不进。儿子抱着我，泪流满面："妈妈，我永远爱您！我从今天起是男子汉了，保护您，不让您受伤害！"8岁孩子的话震撼得我有些发抖。我得站起来，我是母亲，母亲有母亲的责任。

每个月250元的下岗补贴，除了节省，我该怎样重建我和儿子的生活？

适逢我所在单位书刊销售部改组，我毅然承包了这间小书店。

拿出仅有的积蓄2000元钱，风里来，雨里走，每天，我踩着单车去市内各批发点进书，再将书用单车一捆捆驮回来，一本本上架，我发现自己连踩单车都有一种拼命的感觉。这种感觉让我感到自己的力量。小书店资金少，底子薄，想与其他书店分一杯羹太难了。我决定先只卖卖得快的书。但为此我每天却要进三四次书。

小书店周围是政府和机关学校，我决定把小书店的服务范围对准他们。小书店渐渐以经营各种科技书、学生用书、实用及知识类书赢得了一些固定客户，渐渐地站稳了脚，并且雇了两个人，开设了电话预订上门送书服务。

一年后，我决然地接下了一间亏损的图书批发店，在别的批发店热衷于那些畅销书时，我仍将自己经营的重点放在科学类、知识类、实用类及专业书籍上。如今包括一些大专院校、培训班都定期在我这里批发书籍。

前段时间，我的第一个零售店开张了。终于靠自己种下了一片小小的绿荫，更重要的是，它让我内心踏实。

并且给下岗者中的自信者依出了完美的结局。

下岗不可怕，换一个角度，换一种活法。与其等待，不如从现在做起，依据自身条件到市场的海洋中去拼搏，寻求新发展。没有文凭同样可以再就业，没大本钱也能做合法生意。只要你真诚的付出一定会得到社会的认可和回报。

遥远的成功旅程

想开了，也就坚强了

武琼芳，女，41岁，杂货店老板

我是一个女性，自幼家境贫寒，学业未成，成人后在婚姻，家庭等问题上也是坎坷多难，孩子3岁时，我一人挑起了生活的重担，我要实现自己的价值，更要把我的孩子培养成人。我每天上班、做家务、照顾与辅导孩子学习，下岗后经营什杂商店，面对这一切，如果没有坚强的信念和乐观的人生态度，就很可能被生活所吞噬。

我也有高远的志向和理想，但命运和现实并不对我垂青，我就该消沉吗？不，有什么用呢？比我更不幸的人有的是，人活着就要经历苦难，有痛苦才是真正的人生。看开了，想开了，也就坦然了。我觉得我活得还算有意义，我是一步一个脚印地走过来的，艰难、困苦和不幸都被我踩过去了。孩子在我的养育下健康成长，学习优异，我的家也由清贫走向小康，在奔波与忙碌中我笔耕不缀，时常也有文字见报。使我能更加坦然地去面对人生中的一切苦难。

“春风得意马蹄疾，一日看尽长安花”在人生中毕竟是短暂的瞬间。痛苦的人生磨炼人的意志，在这磨炼中，人格、灵魂、境界、修养得以净化和超越，这就是人生的真谛，这就是人生的意义！

不要以为自己是世界上最不幸的人

周健强，男，42岁，出租车司机

许多人认为自己是生活在社会的最底层，想杀出“围城”却很不容易。那么，怎样才算杀出“围城”？怎样才算出人头地？难道仅仅是大富大贵，锦衣玉食前呼后拥，为什么不把自己看得平凡些呢？

我是一个农村孩子，小时候家庭生活困难，衣食无着，春天往往吃发霉的地瓜干面做的窝窝头，菜是不放油的萝卜条，穿的是补丁压补丁的衣服，下岗后我以为自己是天底下最不幸的人，于是怨天尤人，感叹命运不公，后来，我从书中，从报刊中看到了许多比我更为不幸然而却在奋争着的人，于是我重新扬起了生活的长帆，不断奋斗、进取，我终于改变了自己的处境。

每个人都有自己的社会坐标，只要你找准自己在生活中的位置，不对生活抱着不切实际的希望，不考虑个人能力的理想就是奢望，就是幻想。

奋斗就是我们的生活

戴英明，男，47 岁，某私营企业老板

在纷纭多变的社会中，许多隐蔽的丑恶开始显露出来。世风日下，命蹇时乖，人心变异，我为自己今后要走什么样的路而感到迷茫。一没背景，二没靠山，现实让我感到压抑，可是我又不愿放弃理想而与现实妥协。但是这种压抑与焦虑在当时的社会环境中使我的生活变得不顺利而充满艰险。在我几十年的生涯中，为了生存，我看过大门，当过搬运工，背过200斤重的麻袋，在都市的寒夜里要在火车站候车室和立交桥下坐着枯待天明。我在大学时曾因悲观厌世而自杀过，之后又不断地遭遇各种生存危机。我所以能残喘至今，大概还是思想的火花在闪现。

说到成功，我想，现代许多人在为不停地奋斗却离成功越来越远而痛苦时，我却认为这本身就已说明了社会的一种进步。90年代的青年感叹的是人生的路为什么越走越窄，而今天的青年痛苦的是难以成功，一个是因为缺乏条件，一个是因为无法把握。回过头看看，这正是10多年来的巨大变化。改革开放以后，对于我们每一个人来说，自我成就的机会大大地增加了，尽管许多方面仍不尽如人意，但是每个人生存与发展的环境确实宽松了许多，在很大程度上我们可以根据自己的兴趣、志向以及对自己的设计与定位来谋求最佳的兑现。随着经济的发展，在我们面前，就业、成才、致富、崛起等方面的机遇层出不穷（当然，与之对应的失业、失意、破产、败落的机遇也是如此），这时就要看我们自己了，关键在于是否能敏锐觉察充分把握合理利用之。

是的，我们是不停地奋斗了，而且我们奋斗的故事足以让听众惊讶和激动，我们的境遇足以让善良的人们同情，那么，我们是不是就有了向人们倾诉自己没有成功的委屈的理由了呢？

换个角度想一想，什么是成功？这是个见仁见智的问题。由于经历、环境、素质、性格等各种因素，每个人设定的成功标准可以大相径庭。

我们还可以把成功分解开来成为苦干片面性、阶段性的子目标，然后再寻求适当的途径去接近。其中，主要的问题可能是在自我定位。如果目标高远但不切实际，自然会产生动机与效果、理想与现实、手段与目的间的巨大差异。而这种差异的旷日持久使挫折积淀下来，失望就会更加沉重，难解命运何以独对自己如此不公，悲怨与感慨因此不断。实际上失败真的不算什么，一生没有挫折的人几乎没有，关键看你是不是能在跌倒后找到原因，及时总结才能不断进取，而重蹈覆辙往往是盲目追求的结果。我们说应以认真做事踏实做人的原则为前提，学会制造、捕捉和利用各种机会，这确实是老生常谈，可是真要是能做到，对谁来说都会是受益匪浅。再深一步想想，奋斗就一定是为了成功吗？奋斗的快乐其实就在于奋斗本身而非结果。我倒认为，如果一个人奋斗的目的性太强，就会成为一场赌博，成则喜不自胜，不成则怨天尤人。特别是当我们经过风雨见过世面之后，应该有了一颗对待结果与回报处之泰然的平常之心，毕竟我们奋斗过，而且还要奋斗。

我们奋斗，因为奋斗就是我们的生活。

明天未必更美好

在有限的人生里，要遭遇的不幸实在太多了，幸福的人感觉是相同的，不幸的人各有各的不幸。失亲之痛，失恋之苦，失业之难，失足之恨，以及得不到慰藉的漂泊和对庸庸碌碌中消磨志气的感伤。这一切都足以打垮一个人，但也可以使人站得更直，他们还顾不上舔抚创口就再次出发了。也许是无数次地再次出发，奔向成败依然未知的前路。

苦难并不可怕，可怕的是被困难所打倒。我仿佛听见那些不屈的人说："这没什么，还有明天，我不会轻易放弃的！"你也会这样不断地告诫自己吗？生命是需要激励的，但这绝非来源于外部而是发自你的本心。希望、理想是人生的支柱。1999 年，这新的一年即将到来，已经没有时间顾影自怜了。回到追寻的状态里去，你一定要相信自己。

跌倒了，再爬起来，这就是我们的选择。

苦难之河，我已趟过

陆晓芙，女，37 岁，公司经理

成功的男人背后有一个好女人。成功的女人背后有伤她心的男人。

现任一家电脑设计有限公司副经理的陆晓芙就应了这句话。几年前，20岁的晓芙是为了男朋友才从武汉来深圳的。男友在一年前来了深圳，回家探亲时带回一个深圳姑娘，声称是他的“表妹”，她凭着女人的直觉猜测“表妹”背后一定另有文章。为了弄清真相，她放弃了原来待遇，不顾惜工作，毅然南下。

到深圳发现男友已成为当地“土著”的乘龙快婿。她痛苦地质问他，他却解释说：深圳是一个很现实的世界，要在这个世界生存就得接受现实。

晓芙一滴泪也未掉，却回到宾馆大睡了一天一夜，把苦涩的初恋压在记忆底层。晓芙的表姐是一个能干而又婚姻失败的女人，她将晓芙安排入一家电脑公司搞业务，并教导她说：“你要报复一个不懂得珍惜你的男人，最佳的办法是你活得比他更好。”

晓芙振作起来，用全副精力去跑业务。一年下来，她连着做了几宗生意，提成了一笔丰厚的利润，并建立了几个长期的稳定客户。为自己的事业开了一个新局面。

年轻漂亮的女孩子身边总有不少男人包围。这时，一个叫唐林的已婚中年男人开始闯入她的生活。他是公司负责业务部的副经理，在她失意彷徨的日子里，时日久了，她变得愈来愈依赖他。

后来，她说不出是怀着一种怎样的心情跟他好了。她和他的关系似乎是纯感情的关系，没有夹杂半点功利因素，那时唐林已经调离公司，他赚的钱还要拿回家养妻育儿。有时上街吃饭，晓芙还争着买单，不时地为他买这买那。

唐林跟妻子抗争了一年多还是没法离婚，而他倾注给晓芙的爱是专注的也是自私的，将她看成是他的私人财产，对晓芙交往接触的男性，只要对方是未婚的都妒嫉憎恨。有次还为晓芙跟老同学跳舞被他撞见后将别人打一顿，吼道："老子得不到的东西，别人也不想得到，"吓得她从此不跟别的男人说话。

在迷茫的日子里，晓芙已经意识自己总有一天会打开这副枷锁，寻求可以自由呼吸的一方天空。

这时，广西的朋友邀请她到广西一家股份公司在成都的"画王电脑设计公司"协助他的工作。晓芙毫不犹豫地去了重庆，她发狂似地投入工作，凭着她的聪慧和多年商场的经验，她干得十分出色，得到公司上层的高度赏识，当董事会决定在广州再开一间"画王电脑设计公司"时，便分配她去广州负责开办分公司。

现在，晓芙全身心都系在公司，每天除了工作还是工作，总经理是成都广州两边走，他是电话遥控工作，实际的工作还是由晓芙去执行。有时接到订单需要赶制产品，她便在办公室沙发上过夜。目前晓芙事业有成，但还是一个人。她自信地说："我虽然为情所伤，但是我相信终会有一份属于自己的爱情。"

我曾流浪过

胡方，女，33 岁，大学教师

在我以前的印象里，我是在各地不停地漂泊。那时候,我喜欢一首叫《橄榄树》的歌,是三毛的。我莫名地迷恋撒哈拉滔天的黄沙,确切地说,我是迷恋漂泊的浪漫。但我想不到,在深圳,这个城市里,我曾搬过12次家,而历尽了漂泊,但是执着地停在这座城市的土地,却不知道何时能够生根,哪怕变成一株小草。

失败了再站起来,我不停地安慰自己:我还有下次。

离开故乡,亲人,还有相知的朋友,我是抱着对新生活的憧憬来到这座我根本不了解的城市的。法律专业科班出身的我先后在公司做过法律顾问;在餐厅端盘子、做领班;在街上摆摊卖面条儿;在工厂上流水线、当会计,当采购,当仓管,当经理助理;在大学当讲师;在律师事务所当律师。岁月就在这不断的尝试中悄悄地流过,生活是漂泊不定的。我几乎没办法预知明天,那种感觉可想而知。面对一次次地失败,我一次次地安慰自己:“没关系,再次出发,我得对得起我的骄傲!”

终于有一天爱情离我而去,我成了一个一无所有的人。那时我才真正感到了孤独和绝望,我过了半年没有追求、没有梦想,只为活着而活着的生活。

半年以后,我开始尝试着打开封闭已久的家门。

半年以后的某一天,在街上,我观察街上的行人。我知道我是个局外人。我看见他们步履匆匆,脸上带着自信的微笑。那一刻的情景深深地刺痛了我也感染了我。我想这样怎么行呢,于是开始尝试打开封闭的家门,往日熟悉的一切都已经蒙尘了,我花了整整一天来打扫,边忙边想,扫走过去吧,重新开始。为了摆脱昨日的阴影,为了不给自己后退的机会,为了能在这块洒下泪水和汗水的土地上重新站立起来，我离开了美丽的校园，离开了我热爱的教师岗位，在朋友的帮助下，凭着自己的努力，通过考试，终于成了一个深圳人，此时的我已经是33岁了！

新环境的陌生，吓不倒我，要在最短的时间里去熟悉自己的工作，从零开始，忘记学历、经历，心甘情愿地做一个普通的职员。我的信条是，只要是工作，无论喜欢与否都必须完成得出色，工作以外还要不断地为自己充电。我继续我的在职研究生的学习，多了一份辛苦，也多了一份收获。为了重拾我喜欢的教师工作，也为减轻经济负担，业余时间我重登讲台，以我的真诚和讲学实力，学生们再次接受了我。每当我拖着疲惫不堪的身体，夜深人静走回家中的时候，我的内心是无比充实的。

我坚信，生活是靠自己创造的，命运是要由自己来把握的。今天我拥有了一份稳定的工作，一套可以安居的住房之后，我对自己说：别在舒适中软化了自己，别放弃奋斗！

第五章
世纪隐的忧
——孩子的教育与成长

衡量孩子好坏的标准仅仅是学习成绩吗?显然不是。但对于成绩差的孩子,社会提供的发展机会有多少?

究竟是教育孩子诚实、廉虚、忍让、友爱、宽容、互助,还是教育孩子个人奋斗、适者生存,为达目的不择手段?在传统美德与现实社会极度矛盾的今天,教育该如何调整?孩子以及家长该何去何从?

失败的父母

这次调查采访发现全国家庭中绝大多数父母坦言“自己是失败的父母”，并为孩子的家庭教育感到忧虑。

今天为人父母者，大多是经历了十年“文革”的那代人，在本该是幸福温馨的青少年时代，他们却饱尝了颠沛流离之苦。这一代父母年轻时没有受到完整的教育，基本上是靠自我教育走向成熟。

当父母在抱怨现在的孩子任性、不听话的时候，从没想到过他们在领孩子过马路时，很少走人行横道；当父母在抱怨孩子不爱劳动，连简单的家务劳动也懒得动手的时候，他们却从没想到过，虽然自己家里窗明几净，可公共过道却脏乱不堪于是，当父母们抱怨与孩子交流困难，听不到孩子的知心话时，他们也决然想不到，自己又何曾向单位里的领导、往年的朋友说过知心话——这一辈父母已经认定“人心难测，在社会上处事要有防人之心……

英国哲学家洛克就曾经警告过世人们：“教育上的错误比别的错误更不可轻犯。教育上的错误正和配错了药一样，第一次弄错了，绝不能借第二次第三次去补救，它们的影响是终生洗刷不掉的。”

当年鲁迅先生曾说：救救孩子。实际上我们更应该说：救救父母——这才真正是跨世纪的隐忧。

成绩论英雄

调查采访中一位母亲沮丧地对我们说："在教育孩子上，我是个失败者。如果有来生的话，我就不要孩子了。"

这种失败感来自对教育现在的孩子没有任何把握。确切地说没有掌握必要的教育方法。近30%的家长表示他们缺少教育方法，具体表现为：不知道如何指导孩子看电视、玩游戏机等；不知道为孩子推荐什么样的儿童报刊和课外书；不知道从哪里能获得关于教育孩子的知识和方法；不知道用什么方法和自己的孩子交流等。

一部分家长感到与孩子有隔膜。主要表现为：孩子不爱听父母的话；和孩子没有什么共同语言；孩子现在有话不和父母说；不知道用什么方法和自己的孩子交流；不了解也搞不懂现在孩子感兴趣的事情等；对孩子的期望与孩子自己的追求不一致。家长选择这类的比例为18%。家长们在更详细地讲述了教育方法方面的困惑。在现代社会，到底用什么思想教育孩子呢？有的父母说："再用70年代的道德去教育他们恐怕是不行了。"但"怎么叫他们认识社会，培养适应社会的能力，我感到力不从心，无从下手。"有些家长提出了教育思想的"矛盾"：是教育孩子诚实、谦虚、忍让、友爱、懂得关心和帮助别人呢，还是强调个人奋斗，适者生存呢？尽管家长们都愿意孩子有前者的品质，但实际上，更多的家长都卷进了以成绩论优劣的旋涡，结果鼓励孩子不择手段地竞争好成绩。我们应该给孩子生存教育还是传统教育？两种教育如何得到协调呢？

众人杂说

薛浩，15岁，初中三年级学生

我的爷爷、奶奶都是教师，爸爸、妈妈是工厂里的干部。我是家中的独苗，拿现在社会上的说法是“小皇帝”，真是衣来伸手，饭来张口，可以说是长在糖罐里。在别人眼里，我幸福极了。可是有谁知道，我现在的处境，夸张一些说，简直像个“囚犯”，一点没有自主，一点没自由，痛苦极了。为什么呢？因为在我如何成材的问题上，不仅爸爸、妈妈为我设计，爷爷奶奶也在帮着设计，4个人4个主意，叫我听谁的？

而我呢，当然也有自己的想法，我个子高，喜欢体育。体育不也可以扬国威吗？当我看到唱国歌、升国旗颁奖仪式时，心里特别激动，觉得这才是报效祖国。但一提到体育，他们异口同声：不行！不行！那个苦死人了，还是一心一意读好书、考大学、才是唯一出路。看来我这一生，兴趣、爱好要被他们“枪杀”了，命运也只好由他们主宰了。

你们说我是不是同“囚犯”差不多！我要娱乐，我要唱歌，我要打球，我要看电视，也要看小说，我要全面发展，不要单一分数。我要向社会呼吁：还我们自主，还我们自由!

王凌波,29 岁,地矿工程师,6 岁孩子的母亲

在 20 多年做子女的过程中,没有什么更让人那么痛切地感受到我们的父母生硬单一的教育对我们的伤害了。父亲可能做梦都没有想到,他对女儿虔诚的教育方法至今成了我的反面教材。

父亲是个教师,他对我少年时的态度,归纳起来有这么几条:(1) 父亲将学习特别好的同学作为我的模子而不仅仅是模范,甚至于他们有衣冠不整、夜间遗尿父亲也津津乐道,说一个人精力有限,这是痴迷于学习的印证。(2) 每一次考试,即使是几分的失误,他也是非打即骂。(3) 父亲从不同我谈与学习无关的事,每次共处时父亲要么讲一些别人如何努力成材的故事,要么就绷着脸,唉声叹气。

当然,父亲也为此付出了代价。

长期以来我隐忍不发的叛逆心理,考学后得到了完全的释放。填志愿我报的是清一色的地质院校,而且离家越远越好,我如愿以偿;分配时不愿回家乡,我又如愿以偿。为此,父母的身心几乎垮了。而我,由于局限于实现,"子欲养而身不在",揪心的痛悔几乎夜夜让泪把梦打湿。

"前事不忘,后事之师",我对女儿的教育分外谨慎:(1) 对孩子的投资我量力而行,我的物质条件有限,我没给她买几件玩具,只买了些适时的书。我甚至想,至我临死,我也不会给她留下什么遗产,我只能给她一种精神。(2) 身教重于言教。我爱看书,却吝惜时间给她讲书，多数时候是她拿着书来缠着我教她。(3)我不束缚她，也不纵容她，只要不搞破坏，她是自由的。

我的教育方针是："花最少的时间和精力让孩子得到最大的发展"。由于条件局限，我不能给她全方位的发掘，这也许埋没了她某一方面的天赋，但是从天赋到成功还有毅力和机遇这么一大块距离呀。

每个人都有自己的事要做。如果女儿现在做的是玩泥巴，我也不会觉得奇怪，而她自觉地去上学，我就大喜过望了。而我，也并未因孩子而耽搁了自己的事。

倪云山，男，35岁，机关干部

"一个父亲胜过一百个校长。"这句话是英国文学家哈伯特说的。虽简炼平白，却富含哲理。同时我也想到鲁迅先生那句也很平白又富含哲理的话：我们现在应该怎样做父亲？

中外两位哲人在不同时代所做的天才的论述异曲同工，都揭示了一个极为重要的问题：父亲在家庭教育中的重要作用。

最近，我发现在一些罪恶家庭中不是没有父亲，就是父亲不仅不教育子女，而且纵容教唆子女犯罪，或者亲自参与、指挥犯罪，有的还是家庭犯罪团伙的头子，江苏的被称为"当代黄世仁"的以父亲吴加珍为首的吴家父子即是。其他如：轰动全国的辽宁芦屯的"段氏四兄弟"犯罪集团，其父早亡，其母陶桂珍便充当了纵容指使犯罪的角色；被称为"海南新南霸天"的罪犯王英汉兄弟也是早年失去父母无人管教；另有江苏的"鲁氏三凶"、辽宁的"刘氏五兄弟"、安徽被称为"蒋家王朝"的

“蒋氏兄弟”等等，均是由父亲充当了犯罪团伙主帅、首脑的角色。这倒十分准确地印证了古人的话。

看来，今天我们仍有一个应该怎样当父亲的问题。为人父者，既要以自己的道德人格影响孩子，又要以社会的发展需要严格要求孩子，更要以健康的心态与得体的方法来教育孩子。如此则孩子幸甚，国家幸甚！如此，一个父亲才能真正胜过一百个校长！

施静涵，女，40岁，心理咨询专家

1996年，日本青少年研究所调查了日本1303名高中生、美国1052名高中生、中国大陆1220名高中生。在回答“你最尊敬的人物是谁”时，美、日学生的答案第一是父亲；中国学生答案中前十位竟没有父亲，这一数据确实令许多中国父亲心寒。那么，究竟是什么使中国的孩子们不愿将父亲视为“最尊敬的人物”呢？且看下面三种颇具代表性的年轻父亲。

一种是“供需父亲”。这类父亲忘却了“养不教，父之过”的古训，往往重养轻教，忽略对儿女的感情关怀。他们忙事业、忙挣钱、忙交际、忙着为儿女提供物质生活条件，结果父亲与儿女之间的人际互动、交流次数和质量彼此都不甚满意。

二种是“专制父亲”。这些人习惯于将父爱严严实实地包裹起来，孩子们能看见的只是“冷脸、恶语加棍棒”式的父亲。由于传统观念作祟，加之本身的教育能力有限，他们总是不加思索地操纵粗劣的惩罚工具（言语的、非言语的）驱赶儿女奔向其指定的目标。专制式父亲给儿女提供的感情支持极少，而以过度惩罚、过分干涉为特点的严厉的管教方式与孩子消极的情绪和行为反应密切相关，加大了孩子的心理压力和心理挫折感。一些孩子想出对付“专制”的办法，他们试图以撒谎、涂改成绩单、借家长开会 等方式逃避责罚。显然，这样的家庭教育是失败的。

三种是“专职父亲”。这类父亲对儿女怀有很高的期望，他们为了孩子的未来浑然忘却了“自我”。在家中，他们心甘情愿地由“老子”到“仆人”，唯一条件是孩子必须做分数（或考级）的奴隶。孩子只要精心伺候“分”或“级”，父亲就精心照护孩子。一旦“分”、“级”翻脸，父亲准跟着愁眉苦脸，真可怜了孤独无援的孩子。这次调查中显示，小学生最大的烦恼是“家长照顾太多”。至于那些不顾孩子个人意愿、身心特点和兴趣爱好，一味在要孩子身上实现自己的梦想而围着孩子转的父亲，更是让孩子背上了沉重的心理包袱。

今天的中国父亲在教育子女的同时，必须加强自我教育，改变教育观念，调整角色期待，成为“人”之父。我们盼望着更多的父亲能与儿女建立起亦亲亦师亦友的父子（父女）关系，成为令儿女“最尊敬的人物”。

李碧溪，女，51 岁，儿童教育家

现在从家庭到社会，从成人到孩子，对青少年生存能力不足的问题，开始了前所未有的重视。吃苦夏令营的“火爆”从一个侧面反映了这种认识的提高。但是，很多家庭并不了解，生活自理能力的培养，往往是从家务劳动开始的。

中国的独生子女与非独生子女相比，虽然没有本质上的差异，但他们在早期发展过程中生活自理能力较弱的状况，则是不争的事实。许多研究表明：家务劳动时间与儿童的独立性显著相关，即独立儿童家务劳动时间越长，其生活自理能力越强。

独生子女不参加或少参加家务劳动的主要矛盾在家长方面。“国民心态”课题组的这次调查活动发现家长不鼓励子女做家务的理由是：“独生子女学习太紧张了，没时间做家务”（47%），“有些家务太危险，我怕独生子女会出事”（23%），“独生子女做家务太麻烦，我还得再做一遍”（20%），“独生子女太小，我不放心”（19%），以及“我们家用不着孩子做家务”（15%）。父母的溺爱与呵护，使独生子女成为“抱大”的一代人。

独生子女本身对参加家务劳动，提高生存能力的认识也有偏颇。我们在调查中询问：哪些能力与一个人在事业上的成就有关系？结果对于“思维能力、记忆力、意志力、创造力、应变能力、社交能力”重要性的评价，独生子女与非独生子女没有明显的差异，而对于“生活自理、生存能力”的评价却很不相同。认为“生活自理、生存能力”“重要”的独生子女为20%，非独生子女则高达27%。上述调查结果具有显著性差异。

正是这样，在独生子女进入青年期后，他们的生活自理能力问题日益尖锐突出。据我们的调查，表示“能”不需要父母帮助做到个人生活自理的独生子女占33%，低于非独生子女（46）；表示“不能”的独生子女为14%，高于非独生子女（7%）。

独生子女由生活自理能力薄弱而体现出来的生存

意识，实践能力、意志品格上的危机，将影响和决定中国在未来竞争中的地位和命运。

孩子是一个永恒的话题，也是当今中国众多年轻的或年老的父母喋喋不休的话题。如果推选当今中国社会生活中频率最高的字眼，“孩子”二字恐怕将首当其中。

1998年8～9月间，北京“国民心态”课题组调查公众最关注的热点问题，在问及当今你最关心的事情是什么时，子女教育被列为首位。而被调查的对象中，高达95％的人竟然回答只要子女能够上大学自己可以不惜一切代价。

毋庸讳言，教育在我们当今的社会生活中似乎正出现令人忧虑的畸形发展。

一方面，“应试教育”的巨大顽症和学校之间师资的极度不平衡，使得“择校”大战近几年来在全国愈演愈烈。

另一方面，中国年轻一代父母们对子女教育的高期望正无形地制造着子女教育的巨大“黑洞”，为了使子女能够成材，众多的家长可以不惜一切代价——这样一种可以不计成本的选择真让经济学家、社会学家乃至教育专家都难说好坏。因为唯物辩证法和中国近几十年来的历史在理智提醒我们：任何一种事情被引至极端甚至于走向极致，其后果都将不堪设想！

我们这一代年轻父母有其特殊的经历，其孩子的成长也有着特殊的时代背景。当过“知情”的父母们，他们当中多数人没机会能上大学，自认为是“被耽误的一代”，这一些人将自己年少时曾经有过的美好梦想完完全全地寄托在自己的孩子身上，希望孩子替他们续写并实现青春的梦想：而有幸上大学的“知情”父母或没当过“知情”的年轻父母，则由于子女的“独生”年代而将子女成材的全部希望完完全全寄托在自己那唯一的一个孩子身上。于是，中国“望子成龙”的传统思想，在这一代年轻父母身上得到了前所未有的凸现与强化，子女教育成了炙手可热的社会问题。在当今中国社会生活众多的热点问题中，子女教育问题如同一堆摆在公众面前的干柴，只要稍微沾上哪怕是一丁点儿的火星，便将会立刻燃成熊熊烈火！为了子女成材，众多的父母恨铁不成钢；为了子女成材，众多的父母可以不惜代价不惜成本；为了子女成材，他们可以舍弃一切乃至牺牲自己的事业、情爱……

孩子心目中的父母

当“我期望中的爸爸妈妈”这一既严肃又有趣的话题出现在一群中学生面前，让他们对自己的父母“评头论足”，会是一副什么模样？

放手的父母：我能飞翔

黄妮，女，13岁，初一学生

黄妮甩着两根细细的长辫，对我说起了前不久逛公园时发生的两年事：

那一次我们全家去公园玩，我拉着爸爸妈妈去看老虎。到了老虎山，妈妈一把拉住我，神色紧张地对我说：“老虎有什么好看的？你看那么多人，万一被人挤下去就不得了啦。”我刚想反驳，可又一想，唉，一说出来，妈妈一定又要给我讲一大堆道理，多烦人啊！于是，我只好跟着爸爸妈妈走了。路过假山，我刚往上爬，就被爸爸拦住了。他皱着眉头，带着央求的口吻对我说：“哎呀呀，我的小祖宗呀，快下来！”然后又摸着尖尖的石头，温和地说：“你看这石头多硬啊，万一摔下来，还怎么上学呢？”说着，他就小心翼翼地把我抱了下来。我想：这么大了，还用抱？假山这么矮怎么会摔下来呢？这次游园，爸爸妈妈只让我到一些“不危险”的地方活动。

显然，孩子们不喜欢大人们的“层层保护”。他们中有的说：“大人这样说，我们反感。”有的说：“我们需要独立，需要自由。”有的说：“我不希望被父母紧紧地抱在怀里。在我困难时助我一把，在我摔倒时扶我一把，这才是真正的爱。”

看来，从表面上看起来“冷漠”的父母，倒很受孩子的欢迎。这其中的意味是耐人寻味的。

体谅的父母：让我感动

杨雷，女，16岁，高二学生

一位成绩拔尖的女孩杨雷用充满感情的笔调，叙述了一次不凡的经历——

那天，我拖着沉重的脚步走出了考场，眼泪像断了线的珍珠，不断地往下掉。我知道期末数学考错了一道应用题，这就等于把年级的冠军拱手让给了别人。这对于一直拿满分的我来说是一个沉重的打击。我怕爸爸妈妈会责怪我，不敢回家。

谁知道，同学们叫来了我的妈妈。妈妈把我劝回了家。回到家，一阵随风飘来的菜香格外诱人，可我转而一想，心又凉了半截：爸爸一定以为我考得很好，才做上了好菜。我不由得紧张起来，我鼓起勇气，吞吞吐吐地说：“爸爸，我考砸了！”见爸爸不动声色，我更加害怕，连忙说：“我一定改正。”说家，我胆怯地低下了头，等待爸爸的训斥。

“瞧这孩子！”我听到爸爸略带责备的声音，我全身顿时紧张起来，突然，一只粗壮的大手轻轻地按在了我的头上，“就为这哭鼻子呀，不要哭，走，先去看看爸爸为你做的菜。要记住，也许正是这种挫折，使你变得坚强起来！”爸爸的一席话犹如一股暖流传遍了我的全身，我如释重负。

对孩子的一时过失，父母怎样对待？这其实是一份“考卷”。当孩子的过失已成事实时，作父母的应当明白，体谅才会给孩子改过的动力，尤其是对已“悔过”的孩子而言。

父母的体谅做法，实际上比责怪不知要高明多少倍。

言行示范的父母：让我佩服

卢苇，女，17岁，高三女生

人们说孩子的身上总有父母的影子，这话不假。一个不经意的动作，往往会在孩子的心里留下不可磨灭的印象。

卢苇说：“父母的行为成为我言谈举止的影子。”她说起了这样一件事：有一次，父母与他的朋友约会，那天正巧雨下得很大，家人都劝父亲不必去了，但父亲执意不肯，最终还是准时赴约了。当时我很小，到后来我逐渐明白了：父亲是用行动向我表明，他是一个言必行、行必果的人。

父亲在单位里是一个秘书，做事井井有条，十分认真，她看到父亲每天晚上在灯下工作，以严谨的态度对待每一个细节，总有些不解：何必这样认真呢？当她说出口时，父亲神情严肃地说："认真是一种美德。如果你总是随随便便地敷衍工作或别人，那么工作肯定做不好，人家也会敷衍你。到头来，你会觉得自己生活得一点不实在。"这番话，后来成为卢苇为人处世的准则，对这一点，恐怕当时连父亲也未意识到。

民主的父母：我很快乐

邵美莲，女，17岁，职高学生

父母与孩子的关系说来简单，实际上并非如此。那么，"没大没小"，会是什么样呢？

"我爸爸是一个乐观、知足且富有幽默感的人。我们一家三口一起外出，爸爸总是笑着对友人说：'这是我家的姐妹花，今年20，明年18。'说得友人哈哈大笑起来，说我们亲密无间，情同手足。"

邵美莲的家的确是这一番民主的景象：当她与父亲一块下棋时，场上是"对手"，有时为一步棋争得面红耳赤；而当走下棋坛，彼此又是无话不说的好朋友。有一次，她准备大考，一连几周被搅得精疲力尽，眼眶充满了血丝，每一根神经在分分秒秒逼近中显得格外紧张，这时爸爸走进房间，抚了抚倚在窗前沉思的她：“怎么，睡不着？”“我有点紧张，害怕面对……”这时她的父亲把手搭在她有肩上，没有说话，想不到就在这一刻，奇迹出现了：她顿时得到了一份踏实感，心情很快平静了下来。

初中毕业后，是上高中，还是进职校，父母亲把最后的“选择权”统统交给了她，她根据自己的兴趣爱好，选择了装潢美术作为深造的目标。父亲对她说，我尊重你的选择，不过在你决定时最好再衡量一下这是不是最佳的选择，如是，那么就大胆地确定下来。母亲在一旁补充说，认定了一个目标就要坚持走下去。结果，一次愉快的交流完成了“重要抉择”。她感到“民主家庭”的幸福与温馨。

有家庭观念的父母：我好幸运

张毅赋，男，14 岁，初二学生

对子女来说，家是一把大大的“保护伞”。因此，子女对父母的期望值也是很高的。

“在我看来，父母决不应该是一个整天板着面孔，看上去像动不动就要下一阵暴风雨的人；也决不应该是一个整天嘻嘻哈哈，像笑面佛似的人，更不应该是一个整天扑在事业上，而不关心家庭。上述三种形象的父母，在我看来是不及格的。”长得虎头虎脑的张毅斌说得有板有眼。

到底什么是父母的伟大形象呢？张毅斌受电视剧《成长的烦恼》的启迪，把标准定位在8个字上："严肃认真，活泼勤恳"。

"严肃认真"，张毅斌是这样认为的：对子女要严肃，对工作要认真。一旦子女犯了错误，作父母的必须严正指出，如果做不到这一点，就失去了父母的威严。父母要工作认真，因为"榜样的力量是无穷的"，如果父母具备了认真工作的态度，子女就能把这种态度吸收过来，转变为学习认真。说到"活泼勤恳"，这位男孩子对父母在家庭中作用十分看重，他认为许多家庭把"调味剂"的责任加在孩子身上是不妥的。父亲是母亲最爱的人，父亲又是子女最崇敬的人。另外，父亲在家里也应该勤恳。当然，父亲在外有许多应酬，还要面对复杂的人际关系，不可能挑起家务的全部重担，但他决不应该将家务一股脑儿推给母亲，自己做一个"日本式的大男人"，精确计算的话，父亲可担40%的家务劳动，如果一年中有270天以上能完成这个量，"勤恳"这一栏他就能拿满分。看来，张毅斌对父亲的角色规定得很具体。

僵化的中国应考教育

现行学校教育的弊端

调查中，对子女的教育问题被市民们一致认为是最关注的十大问题之首 。事实也确实如此，我国绝大部分的家庭、家长，几乎没有不为子女的教育问题而牵肠挂肚。为了子女将来能“成龙成凤”，而不惜时间、精力、金钱、物质。在对中小学生的教育问题上，无论国家、社会、学校还是每个家庭，都花费了巨大的精力、物力。但是，教育的效果却不能令人满意，社会各界对现行的教育模式、教材、教学制度、教师素质提出了严厉的批评。

僵死的模式化教育，扼杀孩子们的灵性。近年在中小学校的教学中，推行标准答案。孩子们在答题中，只要与 标准答案不符，一律视为错误。这次调查采访中，我们发现，一个六年级的学生在一次语文考试中，在填写“高兴”的同义词时，写上了“愉悦”，老师判卷时认为是错误，改填为“欢乐”，并扣去了该生这道题的分数。一位中国作家协会会员谈到这个问题时，说：中国语言素来以词汇丰富著称，一个词有几十个甚至上百个同义词，中小学生处于基础教育，就是要让他们掌握大量的词汇。而这种标准答案恰恰限制了孩子们这方面的发展，扼杀了孩子们的求知欲。

我们的教育，无论是对小学生的教育，还是对博士后的教育，其目的是通过给他们传授知识，使他们掌握分析问题、解决问题的能力，而这种僵死的模式化教育，只能使学生们的思维越来越呆板，越来越僵固，越来越成为只会死背答案的考试机器。

沉重的学习负担，摧残孩子们的身体。孩子是处在高速发育的年龄段，这个 时期的发育状况直接影响他们的一生，应该获得充足的休息、体育活动、玩耍时间。但事实恰恰相反。“国民心态”课题组调查结果表明，在目前的年龄段中，心理负担、工作负担最重的竟是中小学生。他们从早晨 6：30 起床，到晚上 11 点（一些地区的孩子到 11：30）就寝，除了吃饭、午休，每天学习、走路的实际时间达 13 个小时，星期天又要完成大量的课外作业，甚至一些家长还逼迫孩子去学钢琴、绘画、书法等。

调查采访中，一位小学生说：“我都快累死了！这个星期天，除了正常作业，老师还发了 6 张模拟考试卷子。按规定每份需要 90 分钟，要做 9 个小时，我做到晚上 12 点还没有做完，快困死了，老打瞌睡，越困越错……人活着真不如死了好！”

孩子们学习负担沉重的原因是教学大纲中让学生学习一些没有用处的课程。一位参加过全国青年作家代表大会的作家说：“现在的中小学生的语文课，砍掉一半都可以。比如，对句子的划分，只要知道主、谓语就可以了，其中状语、宾语、定语完全可以不知道。就是现在的中国作协会员，有几个能把句子成份准确地划分出来，这并不影响他们写作。语文教育的目的无非两个，一是培养孩子的理解、分析文章的能力，再一个是写文章的能力，所有和这两个目的无关的课程都应该砍掉。还有数学，不应该把一种例题搞好多道让学生做。”

沉重的学习负担所产生的后果必然是孩子们厌学，和身体健康状况下降。

教师素质低劣，孩子无奈出走、自杀。一位家长说她为了让孩子提高学习成绩，给班主任送了200元钱，班主任即让她的孩子当了一个学期的学习委员，第二学期就不让当了。原因是别的家长也给班主任送了钱……

一些教师的简单粗暴也严重地摧残着孩子们的身心健康。一个14岁的男孩刚刚因不堪老师的体罚而跳楼自杀，又有一个12岁的孩子用红领巾自缢身亡。还有那几乎大部分中小学校都发生了学生出走现象。

鲁迅曾经呐喊：救救孩子！

今天的有识之士也在呐喊：救救我们的孩子！

为什么要为分数殉葬

中国教育的警钟在这几年已经快敲破了。但最让人心悸的是那些为分数殉葬的孩子们。

五年前，9岁的夏斐之死曾在全国范围内敲了一次警钟。他是被母亲用棍子活活打死的，那原因就是“考试成绩没达到母亲的要求”。几周后，夏斐之母也自缢身亡，其遗言是：“光用分数来要求孩子，是简单，愚蠢的……”

这件事不仅使人震惊，更使人陷入痛苦的深思。果然，这次事件引发了一场全国性的大讨论，但讨论过后，仍没见情况有丝毫的改变。为分数而打死孩子的事情仍每年都发生着，且又有了孩子因不堪分数的重负和父母的重压而杀死父母的事。有两个大学教授，是夫妇俩，就是这类悲剧的牺牲品。他们的儿子没考上公费生，只好上“自费”，当时一年的学费为1500元。于是父亲逼着儿子订了一份《契约》：若考试有一门不及格，则父亲不再供应儿子下一年的学费，签约时，父亲厉声道：“如果考不好，就不要你这个儿子了！”儿子考得不错，但英语作弊，被判为0分。于是，儿子用绳子先后将母亲和父亲分别勒死在厨房和卧室内。据说今年的自费生，差个半分一分的，就要交几千几万的，我不知道中国的父子母女间有了多少份《契约》！

还有自杀。有升不了重点中学而自杀的，有没考上重点高中而自杀的，有高考落榜而自杀的。去年更邪，一个高考生本来已经考上了，但经常被“如果没考上而失望”的折磨，竟在考分下达前的一天自杀了。而一个北京某重点中学的学习委员，本人成绩优秀，但因为同学们的学习成绩“下降了”，她为了竭尽学习委员的责任，竟从11层高楼跳下，这还不算完，又出现了“集体自杀”，就是一个班上的学生有6个人成绩不好，竟相约一起吃毒药！

何等悲哀呵！分，分，分数本来是评估学生成绩、只具有相对合理性的一种手段，这些年来它的身份却扶摇直上，变得无比神圣，戴着耀眼的光环，挥着恶狠狠的鞭子，驱赶着那么多的教师、学生，家长为它拚命，甚至死亡，这究竟是为什么？

众人杂说

马志钢，男，网络工程师

毫无疑问，教育的本质是激发学生的智力，这并没有错。问题在于对智力的理解。在我们这里，智力与知识等同，所谓“知识就是力量”，直至演化为“分数就是力量”，而“学生生存”的教育认为：智力是一种理解他周围的世界，并能机智地对付周围世界挑战的能力，就是说，智力就是一种适应力。如果没有这种能力，知识虽多，面对高技术的信息时代，也终是那种固守一隅、无力应变的“现代文盲”。因此，现代教育认为：上学期间的“学习”，不是为了分数的学习，甚至不是知识的学习，而是为了“学会而学习”。因为现代教育的高速变迁，早已迫使人们必须“终生学习”。“学会学习”是“学会生存”的同义语。

“学会学习”？读到这里，我掩卷思考：难道我们竟不会学习吗？

西方哲学史上有一个著名案例：在剑桥大学，维特根斯坦是大哲学家穆尔的学生，有一天，罗素问穆尔，

“谁是你最好的学生?”穆尔毫不犹豫地说:“维特概括斯坦。”“为什么?”“因为,在我的所有学生中,只有他一个人在听我的课时,老是露着迷茫的神色,老是有一大堆问题。”罗素也是个大哲学家,后来维特根斯坦的名气超过了他。有人问:“罗素为什么落伍了?”维特根斯坦说“因为他没有问题了。”

这个故事使我想起几年前《文汇报》的一篇报道:上海一所重点中学的高材生,无论多么难的数学题,他都可以毫无困难地列出解题方程,但他有一个小缺陷,就是不喜欢繁琐的演算。因此,他的解题程序总是正确,答案却往往小错不断。考大学时,他又是因为这个特点,以几分之差落选。中国的大学拒绝演算不正确的学生入学。于是,孩子的家长把他送到了西方。一所著名大学给予他全额奖学金。在大学一年级的课堂上,任课老师被这个总是提出无穷多问题的中国学生问得瞠目结舌。在实在无法给出回答的时候,这位老师请全班同学起立,为这个中国学生鼓掌。他为有这样能把自己问倒的学生而自豪。第二年,这个学生已经成了校长助理。这样的事情会在我们中国的教室里发生吗?

有一个电视剧有这样一个情节:一个老师在黑板上画一个圆圈,问这个圆圈像什么?

幼儿园里的孩子讲出了几十种:小学学生讲出十几种;中学生讲出八、九种;大学生讲出二、三种:社会上的人们(包括局级干部)一种也讲不出,因为不敢讲。

事出夸张。但这不就是我们“通过学习”后的结局吗?越学,越不敢想象,越把自已禁锢在死的知识里,思维逐渐萎缩,终于成为不敢想不敢说的人,于是被社会赞誉为“成熟”。

胥春敏,女,儿童心理专家

在西方发达国家,“学会生存”的教育往往从幼儿园就开始了。

一位中国的教育专家提供了两个典型的“学会生存”式的课堂教育的场景。

幼儿园——

一群不安份的孩子被老师带领着,走进图书馆。孩子刚入园,这是第一课。

老师从书架上抽出一本书,读一篇著名的童话。

“这本书好不好?”读罢,老师问。

“好!”孩子们答。

“这本书是一个伟大的作家写的。你们谁也来讲一个故事?”

一个小朋友走上来,讲他创作的故事,无非是“我有一个爸爸,一个妈妈”这些。但老师铺开一张纸,很认真地记下这个故事。

“现在,谁为他的故事来插图呀?”

又一个小朋友走上前,把故事中的人物画下来,显然是“涂鸦”。

但老师却取出一个漂亮的封面,把这两页纸装订好,封面上写下两位小朋友的名字。

老师把“书”高高举起来;

“孩子们，瞧，你们也能写书！只要你们奋斗，什么事情都能干成。你们还小，只能写这种小书；当你们长大了，就能写书架上的这些名著了。你们会成为伟大的人物的……”

中学（生物课）——

上课铃响了，老师抱着一只兔子走进教室。

“这是什么？”老师问。

“小白兔”。学生喊。

“小白兔都由什么组成？”

“长耳朵，红嘴唇……”这是在幼儿园里就已经知道的嘛！

“不，不仅仅是这些，”老师说，“你们还应该知道它的生理构造。”

老师开始讲。简单讲过，把兔子举起来。

“我讲的这些，前天我还不知道。我是通过观察，又从书本上查到的，其实，老师能掌握的这些，你们也能懂，甚至懂得更多。下面我留作业。”

老师留的作业是：每个同学放学后，都可以去动物园，观察一个你最喜欢的动物，记下它的外貌，动作，喜欢和不喜欢的东西，然后到最近的一家图书馆去查阅有关这个动物的资料——属于什么科，生理构造等等。能记多少就记多少，愿意画画的，可以画下来。下堂课，就是每个人讲述自己的“伟大的发现”。

可以想象，在下一堂课，会出现多么妙趣横生的情景。就在这种“情景教学”中，每个同学都将掌握不止一种动物的知识，而且是，一边玩着，一边自己发现知识。他们在玩中学会学习。

查瑞林，男，中学老师

我在美国听了一节小学生的自然常识课，课题是“蚯蚓”。假如在我们国内的上法，一般不外乎，老师先板书“蚯蚓”，然后出示蚯蚓的图片或投影，再是介绍它身体的特征，最后讲讲它对人类的益处。美国的老师怎样上的呢？

一上课，老师说这节课上“蚯蚓”，请同学准备一张纸，上来取蚯蚓。许多蚯蚓从纸片上滑落下来，学生们推桌子挪椅子地弯腰抓蚯蚓，整个教室顿时乱成一团，老师却一言不发，站在讲台旁冷眼旁观。课后老师对我说，上了一节“蚯蚓”课后，假如连蚯蚓也抓不住，那么这节课还有什么意义。

同学们抓住了蚯蚓回到座位后，老师开始了第二个教学环节：请同学们仔细观察，蚯蚓的外形等有什么特征，看谁能把它的特点最后补充完整。经过片刻的观察，学生们踊跃举手。

生：虽然看不见蚯蚓有足，但它会爬动。

生：不对，蚯蚓不是爬动而是蠕动。

师：对。

生：蚯蚓是环节动物，身上一圈一圈的。

师：对

生：它身体贴着地面的部分是毛茸茸的。

师：对，你观察得很仔细。

生：老师，我刚才把蚯蚓放在嘴里尝了尝，有咸味。

师：对。我很佩服你。

生：老师，我用线把蚯蚓扎好后吞进了喉咙，过一会我把它拉出来，它还在蠕动，说明它生命力很强。

此时老师的神情变得庄重起来，激昂地说：

“完全正确！同时我还要赞扬你在求知过程中所表现出的这种勇敢的行为和为科学献身的精神。我远不如你！”

整堂课结束了。如果就这堂课把我国和美国老师的教法作一个比较，哪种方法学生学得有趣、生动，对蚯蚓的体验更深，答案是显而易见的。

我们的课堂教学，一再强调老师为主导，学生为主体，课堂中老师尽可能讲得少一点，启发学生多思考、多观察、多讲讲。教师怎样少讲，怎样启发、不妨就看看美国教师教的这堂“蚯蚓”课。

甘楠，男，机关干部

到东京访问的时候，也像现在一样，正是冬天。有一天大雪纷飞，看到日本的孩子们去上学，没有汽车接送，没有家长陪同，而且，每个孩子的腿都光光的，没穿长裤，冻得通红，却个个雀跃着，欢欢乐乐走在路上。我很惊奇，以为是偶然的“锻炼”，后来才知道是人家的磨难教育，从小把孩子投入艰苦恶劣的环境，让孩子学会为生存而挣扎。这事儿给我很大的震撼，想到咱们的城市孩子，含在嘴里怕化了，揣在怀里怕捂了，捧在手里怕捏了，扛在肩上怕摔了，给宠得好金贵。当时就下了个决心：再不能这样下去了，要从我做起，从自己的孩子做起，进行挫折教育。

回国后，我对正上小学3年级的女儿说：“从现在开始，你要自己去上学，不能让家长送了。”不料，话刚出口，女儿便“哇”地一声哭了，泪珠滚滚地问我：“爸，你不喜欢我了吗？”“……”我不禁语塞，在孩子那里，“爱”是无法和“折磨”划等号的。这能怪他们？

我的教育试验由此失败，此后女儿上学，只好继续恭送如仪，并渐渐总结出一个道理：咱们的家长和孩子的关系是，孩子是主人，家长是仆人，一切都顺着孩子，交换条件是，孩子必须门门功课拿到好分数。

一天，夜很深了，见女儿还在写作业，便问：“今天作业这么多？”女儿的眼泪又滚下来，原来，她的作业出现了错字和错题，老师要惩罚她，方法是错一个字抄100遍，错一道题做20遍。

我问：“你觉得老师这样惩罚你，对吗？”

女儿说：“对。”

我的脑袋“嗡”的一下子，刚刚看过的一个电视专题节目出现在眼前。是发生在东北的事情，一个小学生考了92分却被老师殴打，打的是头部，昏迷了4个月，险些成为植物人。后来被送到北京的大医院抢救，才苏醒过来。中央电视台记者追踪到东北的那所小学采访。

记者问那个班上的的学生：“老师打你们了吗？”

学生们同声回答：“打啦”。

记者问：“你们认为该打吗？”

学生们又同声回答：“该打。”

甚至不少家长也这样回答。这真让人悲哀。

谢天谢地，我的女儿还只是挨罚，没有挨打。我对女儿说：“别写了。分数是重要的，但你能不能成长为一个健全的人，分数并不重要。”

女儿似懂非懂地看了我一眼，睡觉去了。

第二天，老师的电话便打到我家，隔着话筒，还能听出她的愤怒：“你这个做家长的，怎么能这样教育你的孩子？！”

大概是我的教育真的错了，刚刚过去的期中考试，女儿考得不好。老师的电话又来了：“你现在看到了吧！”跟你说，你的孩子考不上重点中学，别怨我！

老师要对我敲警钟了。但这警钟究竟应该对谁敲呜？

当代青少年犯罪调查

据公安部门统计，1998 年全国查获的 18 岁以下的少年作案人员为 28.1 万人，比 1984 年 8.3 万人增加了 3 倍多。同年全国各级法院共判处未成年案犯 5 万多人。建国初期，未成年犯在全国罪犯中的比例仅为 1%，而进入 90 年代，这个比例已经增至 7%左右。

从未成年人犯罪的年龄结构来看，已满 14 岁不满 16 岁的约占 23%；已满 16 岁不满 18 岁的约占 77%。据调查，目前青少年初次违法的高发年龄段为 12～15 岁，初次犯罪的高发年龄段为 14～17 岁，均比 80 年代初提前了 1～2 岁。

在我国，未满 18 岁的未成年人共有 4 亿多，占全国人口的 1/3；而越来越严重的少年犯罪无疑为他们的健康成长蒙上了阴影。

少年犯罪的盲目性

盲目性首先表现为对人生的模糊认识。如“国民心态”课题组对违法犯罪少年的人生观进行了调查，结果回答人生就是吃喝玩乐、就是享受的竟占 60%以上。

其次表现在对事物的美丑、善恶、是非缺乏鲜明的标准与界限，认识上模糊不清，甚至是非颠倒。如“潇洒风度”，在他们的理解中就是穿时髦服装，挥金如土，吃喝玩乐，叼烟卷等。有些少女则认为被许多男子包围着、追求着是一种很幸福、很风光的事。

第三，盲目性表现在少年的冒险欲和极强的模仿性上。他们看到别人抽烟，觉得“好玩”，看到别人喝酒，觉得“好玩”；看到暴力行为、什么奇侠、大盗等更觉得“过瘾”。

由于这些认知上的误区和不良的人生倾向，加之法制观念淡薄，就常常使少年糊糊涂涂地违了法，犯了罪。

下面对243名违法犯罪青少年思想意识的调查

少年犯罪的突发性

少年犯罪在事先往往没有明显的动机或明确的作案目标，常常是在某种偶然事件的诱发和特定情境的刺激下，突发犯罪念头并立即实施，一句话、一件小事都可能导致少年犯罪的发生。所谓头脑一热，感情一冲动，说干说干，根本不考虑行为的后果。

郑州市一个少年，偶然在僻静处遇到一位80多岁的老太太，戴着一块看上去不错的手表；便突然起了抢夺之心，竟残忍地用石头将老人砸死。

北京有一个少年，一次携带利刃参加团伙斗殴未遂，路遇一位不相识的行人；竟抽出凶器向该人腹部连捅几刀致死。当被问及行凶杀人的原因时，他的回答简直令人难以置信："我本来心理不痛快，看见这人觉得特不顺眼，脑门一热，控制不住自己，就想捅了他。"

少年犯罪的团伙性质

少年大多数活泼、好动、充满好奇心，希望被人关心和理解。一旦这些需求不能在家庭、学校等环境中得到满足，他们就会到社会上寻求。与此同时，他们的心理、生理均不成熟，缺乏生活的独立性和充分的自信力。于是很容易由于年龄相近、志趣爱好以及价值观的相同或相近走到一起，拉帮结派。而一旦犯罪，就往往成为团伙犯罪。

从 80 年代以来，青少年团伙犯罪一直是我国青少年犯罪中的主要形态。对重庆市 30 起少年犯罪案件的调查表明，结伙犯罪案件有 21 起，占了 70%。从 14 岁到 17 岁，结伙作案的比例与年龄的增长成反比，其中 14 岁的少年作案结伙率达 100%。

武汉市曾破获一个名为"飞虎队"的 18 人盗窃团伙，团伙成员平均年龄仅 15 岁，而且绝大多数人是在校学生。

少年犯罪的主要类型

侵犯财产犯罪仍是我国当前青少年犯罪的主要类型，其中盗窃犯罪约占青少年犯罪的80%。未成年人盗窃犯罪在1985年查获的数目不足万人；到了1993年，全国查获的18岁以下的少年盗窃人数将近12万。

占少年犯罪第二位的是性犯罪，反映出处于青春期的少年好奇心强，富有冒险欲望、模仿性强以及自制力弱等特点。在少年性犯罪中，与其体力、心理相适应，其侵害对象多为少女、幼女和老年妇女，而且多表现为突发性。

少年犯罪的人员构成

辍学学生是少年犯的主体，他们大都走过这样一个轨迹：厌学——逃学——游荡——犯罪。据10个城市青少年违法犯罪情况的抽样调查，近2000名违法犯罪人员中，有程度不同辍学或逃学经历的占90%以上。逃学的年龄从11岁开始增多，到14—16岁时达到高峰；这三个年龄段占全部逃学人数的72%。这些孩子辍学后干什么呢？多数人的回答是闲玩，玩游戏机、玩麻将、打台球、打扑克、看录像、唱卡拉OK、吃喝等，实在没有事就在马路、集市、村街里处处游荡。辍学的原因主要是厌学；其次是家庭发生变故，心理受到刺激；真正因为贫困失学的人只占很小的比例。

问题家庭子女的犯罪率高。家庭是子女教育的第一课堂，家庭成员的道德情操、性格特征对子女影响颇大。一般来说，不和谐的家庭关系、破碎型的家庭环境和父母不科学的教养方法都很容易导致少年犯罪的发生。在2000名青少年违法犯罪人员的调查中，父母分居的占4％；父母离异的占6％；父母再婚的占6％；父母丧偶的占9％；以上合计为25％。此外，家庭成员或近亲属中有犯罪纪录的占21％。问题家庭的增多，无疑将对少年的成长发生不良影响。

少年犯罪手段的智能化、成人化

近年来，少年犯罪的手段出现了由低级向高级；由简单化、随意性、突发性向智能化、成人化、预谋性方向和犯罪种类多样化发展的趋势。犯罪已经不再局限于一般的扒窃、见财起意、见色起意等，而是出现了蒙面抢劫、撬门盗窃、跨地区流窜作案等成人化犯罪行径。

郑州市某区1998年审判了三起跨地区少年团伙犯罪，成员涉及到内蒙古、山东、河北数省。作案地区涉及山东、河南、河北的十多个市县。而另外一个五人盗窃团伙，则有预谋、有分工，形成了盗窃、窝赃、销赃的一条龙。

在少年犯罪中，近年还出现了以往极少出现的像贪污、诈骗等经济犯罪行为。在计划经济向市场经济转换的过程中，一些扭曲的价值观严重影响了一些涉世不深的青少年。他们往往放弃了求学的大好机会，自动辍学，加入到生意人的行列。在经济交往中，由于受到一些不正当经营活动方式的影响，便学会了坑蒙拐骗和贪污受贿等违法犯罪手段。

中小学生的性现状

90年代初期，曾一度讨论过中学生早恋的问题，引起过社会各界的广泛重视。几年过去，由于经济大潮的冲击，使物质、精神文化生活及整个社会环境产生了很大变化，社会某些方面的结构和秩序处于重组前的混乱，近年来中小学生性违法行为有所增加，并逐渐低龄化，已成为一大社会问题。

“国民心态”课题组的调查结果显示，中小学生性违法行为中，高中生占25%，初中生占65%，小学高年级学生占10%。其中，几乎没有起因于生活贫苦的。他们的动机何在呢？据了解，他们多是一时贪欢或因好奇或因爱慕虚荣或因贪图钱物而失足的。其中，因好奇而失足的占70%左右，贪图金钱占15%左右，盲目爱慕占5%。

一时贪欢终身恨

中小学生尤其是初中生，普遍认识能力差而好奇心特强，他们对外界事物非常敏感，什么事都急欲一试，所以，中小学生性违法行为中，好奇类占的比例最大。他们完全受好奇心的驱驶，其实，他们对性和性行为知之甚少，所以他们根本不去理会也不懂得性行为的后果。

周末或节假日，在公园、海滩，会看见一对对男女中小学生同骑一辆单车飞驰而来，他们扔下书包后或同骑石凳或匍伏草地，嘻戏打闹，卿卿我我，男孩为女孩理理发、搂紧腰，女孩为男孩擦擦汗吊住肩……俨然一对对恩爱小夫妻。其实，就是在校内他们也在自行配对，有的还互相攀比谁的异性朋友多，谁的异性朋友潇洒漂亮。某工厂小学中学初一（4）个班新生入学，不到一个月就已全部配成对，剩下几个打单的很快就有热心的同学介绍到别的班去。初一（3）个班的男同学小华个子矮小，没有分配到，一个女同学给他介绍初一（4）班的女同学小红。当天晚上在电影院门口见面后，两人就一前一后走进电影院，介绍人自觉走开找她的那一位去了。开始，这些同学确属好奇心而导致的“过家家”，可时间一长，他们就自觉不自觉地向性行为滑去。

某中学初二学生阿曦，父母做生意有钱，她平时出手大方，经常请同学吃小吃或送同学东西，加上她个子高大，跟她在一起有安全感，所以她在班上有一定号召力。周末，父母双双去外地进货，三房两厅立即成了她的天下。当天，她就邀“要好”的几位男女同学来家里度周末。他们猜拳喝酒、打赌抽烟、跳贴面舞、看黄色录像，最后三对男女同学各占一间关门休息，亲亲热热，行夫妻之事。后半夜，一女同学“不勇敢”哭了，被别的同学耻笑，另几位觉得刺激好玩，相约再来。他们在暗地里男女双方还互称“老公”、“老婆”。

某中学高一女学生小丁，16 岁，父母皆为某国有大企业工程师。她是父母的掌上明珠，能歌善舞会画，小学时成绩优异。三年级时一幅画还获得国家级优秀作品奖，任班长，后来又任少先队大队长。上初中后与男女同学外出玩耍，偷偷去小书摊看黄色书刊，学习成绩明显下降。初中毕业免强考上高中，父母指望她高中努力争回以前的荣誉，歹不知她高一上学期还没有结束，就和社会上不三不四的人鬼混。父母知道后骂了她一顿，这下她可受不了啦，因从小从未被打骂过，一直被父疼母爱惯了。她死活要到宾馆当服务员，说要自食其力。小丁在宾馆多次与顾客发生性关系，宾馆负责人找她谈话，她干脆辞掉工作与一有妇之夫同居了。一年后她吃尽了苦头受尽了凌辱才重新回到父母身边，一家人哭了整整一夜泪还没有流完。

因好奇导致性违法行为的中小学生，只图一时贪欢却终身悔恨。

香饵之下自吞钩

因贪图金钱导致性违法行为的中小学生并非缺吃缺穿缺用所迫，而是因为强烈的虚荣心而被物欲吞噬，他们常常和别人比吃得潇洒穿得漂亮用得大方。因此孕育滋长了他们的贪欲和享乐思想，从而，他们也就走上了这条不该走的路。

16 岁的小娜是某中学初三学生，成绩中上等，人长得俊俏秀丽。小娜家里开私人旅店，随着旅店生意的兴隆和家里收入的迅速增多，她逐渐明白了一个道理，她知道了她家旅店生意兴隆的秘密了。16 岁的大姑娘，模仿能力特强，学什么像什么。她学着母亲的言行举止，讲究穿着打扮，涂口红，描眉毛，染金发，很快就学会了怎样在异性面前卖弄风骚。她很快与旅客及当地多人发生性关系。后来她干脆缀学与母亲一起照料旅店的生意，很快她就有了一个五位数的个人存折。

某镇 14 岁的阿花，身材高挑，虽然还没有完全发育成熟，但一看就是个美人坯子。她父母是个体批发店的老板，生意搞得红红火火。阿花正好小学毕业，成绩不错。赚到钱的父母自己没有读多少书但已认识到读书的重要性，决心在女儿身上投点资。父母满怀希望送她到县中学就读，并在校外租了一个单间为她创造良好的学习环境。时隔不久，隔壁钟表修理店老板以好吃的、漂亮衣服和一把一把的零花钱把阿花弄上了床。而阿花也乐得自在，无心读书，整天在同学面前炫耀衣服亮丽、炫耀出手大方、炫耀自己的成熟。初中三年，阿花和钟表匠同居三年，人流两次。三年期满，阿花连初中毕业证也没有拿到，父母的一腔热情满怀希望全成了泡影。

贪图金钱早食禁果的中小学生很大程度上是受环境的影响，他们的对象都是具有一定社会经验和经济基础的成年猎色者，成年猎色者们有办法使认识判断能力低而又爱慕虚荣的中小学生自愿上钩。

盲目爱慕坠深渊

盲目爱慕在中小学生性违法行为中占比例较少，他们往往为“爱”而爱，从不考虑对方的年龄、地域、物质基础和文化水准的差异。他们这种爱是极为幼稚极不成熟的，带有很强的盲目性。爱的对象，多为自己的老师、高年级的老大哥或社会上的成熟男性，因此，这种爱一般很难有结果，获得的仅是感情的磨难，给自己带来无穷后患。

阿媛是某中学初二学生，暑假过后她就将上初三。阿媛盼望着与男朋友阿鑫高考后在一起好好玩一玩，哪怕是说说话也行。谁想到阿鑫高考因为头疼有一科没能参加考试，阿鑫一点玩的心思也没有，只给阿媛递了张纸条就回乡下老家了，阿媛替他耽着一百个心。阿媛放暑假后立即按图索骥去乡下找到阿鑫。酷热的夏夜，他俩在阿鑫家后山上乘凉。一阵山风吹来，加上阿媛的劝慰，阿鑫的心情好多了，两人拥抱着细语绵绵。阿鑫扳倒阿媛，阿媛没有表示反对。此后，他们是一发而不可收。

某中学初二学生小琴，是班里的文娱委员，能歌善舞。一次，在校内和高三学生、校学生会副主席小清同台演出，于是她偷偷地爱上了小清 。小清高考成绩优秀，被录取到北方某重点院校。开学了，小清明天就要起程去大学报到。好友邀他去喝酒饯行。他多喝了几杯晚上回到家里吐了一地，躺在床上昏昏沉沉地睡去了。小琴趁着天黑，到商店挑了一条非常满意的领带，把她仅有的80元钱花得只剩下6元了。她哼着歌欢喜去了小清家。小琴把地上的秽物打扫干净后，然后坐下来守着小清。一直守到下半夜，小清才醒来。小琴端水给他漱口，给他擦脸，把珍贵的礼物送给他，把深埋在心底的爱全部倾泻出来。小清被感动得全身发抖，两个年轻人都激动得双泪直流。天快亮了，两个人一起收行李。车站送行的场面十分感人，小清的亲戚、同学、朋友20多人站成长长的队伍，车开走了，送行的人也走了，小琴久久地站着，目光凝望着列车开走的方向。小清走后，她两天一封信两天一封信地给小清写信。一个学期就要结束了，结果没有只言片语回到她的手里，小琴认为这个无情无义的人肯定背叛了自己。一个漆墨的冬夜，小琴顶风冒雪，于城南河桥上跳下十多米深的冰水里。

盲目爱慕是极少成功的，相反，只能留给自己无法追悔的痛苦。

内因和外因

中小学生性违法行为的出现并逐渐呈蔓延之势，是有其内因和外因的。第二性特征提早出现成熟是中小学生早食禁果的内因，其外因主要是社会上“黄患”严重。随着社会经济的迅速发展，物质生活水平也大大提高，各种饮料及成品食物铺天盖地而来，特别是进口饮料食物中大量激素类化学物质促使人体早熟，现在9岁少女早潮已不是什么希奇的事了。性腺分泌的性激素带来第二性特征的出现，较早地完成性的成熟。在心理上，他们也面临着青春期人格的重建及其自我意识加重，对道德规范表现得漫不经心，对成人的态度的批判性，认识判断能力低而又什么事都好奇并急欲一试，因而，初中生最容易跌入性违法行为的陷阱。社会环境的“黄患”分为“显型”和“隐型”两大类。黄色书刊音像影碟等出版物属于“显型”黄色物品，国家采取了很多法律行政措施，然而却是屡禁不绝。一些录像点、小书摊只顾渔利而乐于接待小观众，甚至有的家长图一时之快将录像带或港台黄刊带回家中，直接污染了孩子的耳目及心灵，被孩子看到后产生严重后果。其实，危害更大的是那些“隐型”黄色物品，因其隐型，所以无孔不入无处不在，它们很容易被人们忽视而堂堂正正地合法化地走向街头走上社会。如赤裸裸的“医药广告”、肮脏的“厕所文化”、大人给小孩当汽球玩的“避孕套”、一些旅店发廊的“热情服务”、一些歌舞厅白天晚上都震荡着歇斯底里的“让你亲过够！”……现在的三岁小孩子也会唱“让你亲过够！”五岁男孩和大人逗乐，“哈哈”两声，拳脚相加，然后大喝一声：“我金枪不倒！”年轻的父母经常面对孩子们有关人体、生育和性方面的提问，出现措手不及面红耳赤的尴尬局面。小朋友们在一起，也极其趣地讨论、交流，这是与孩子们长期耳濡目染隐型黄色物品有直接联系的。

科学地关心、教育孩子

要真正重视子女教育，懂得身教重于言教。父母的言行举止都严重地影响着孩子。现在的独生子女多数都是和父母生活在一起，同房同床。有的年轻父母，平时生活有失检点，会给孩子造成不良影响。广州某大型企业一对年轻夫妻夜宿，细语良久，夫妻以为5岁小儿睡着了，即行其事。孩子猛然坐起："嗨嗨，我没有睡着！"父母难堪至极。某幼儿园老师反映说："大班有几个男孩常趁老师不注意，强拉女孩压在自己身下，坏得很。"幼儿园的孩子知道此事渠道有两条：一是从父母那里学来；二是从电视镜头中学会。

重视子女教育要从关心、理解入手，不光是关心其物质生活，还要关心学习和品质教育。有的家长尤其是一些经商个体户，他们以为教育和经商一样，有更多的投入就会有更多的回收，殊不知过多的金钱财物只能滋长孩子们的自私和享乐。自私是产生各种欲望的基因，享乐是腐化堕落的开始。有的学校特别是贵族学校里，一部分学生花钱请同学扫地、做作业、洗衣服，甚至代考。

家长要和孩子交心，真正理解孩子的生理变化和心理缺陷、理解孩子的失误和弱点而不姑息迁就，帮助他们把握人生航船的方向。一位与丈夫离异带着正上初一的女儿的女士，因工作不顺心，心情不好，女儿在外面遇到为难的事回来给她说，她简单粗暴地要孩子自己学会处理自己的事。初一下学期，她领着13岁的孩子去医院做人流。此后，她整天以泪和饭，后悔不迭。

望子成龙，父母之心也。父母爱子女，不能停留在嘴上和钱物上，要用“心”去爱孩子，理解和帮助孩子走出生理和心理上的误区，全力配合学校教育好孩子，帮助孩子树立正确的人生观。

今天，社会经济文化突飞猛进，学校在各方面的调整改革都滞后于新的发展形势，所以，面对中小学生性违法行为，学校表现出对世风日下的无奈情绪。有的学校似管非管，认为只要不出大事，升学率上去就行了。其实，学校应该积极调整改革以适应新的发展需要。加强道德教育和性知识的教育，使学生了解和遵守有关的道德法规，并通过德育考核和操行评比激发学生树立良好风尚和积极进取的学习热情；让学生掌握性知识懂得性行为的性质和后果，消除对性行为的盲目好奇。另一方面学校要积极创造条件开辟第二课堂，丰富文娱体育活动的内容，以健康的文化知识和文体活动占领孩子们的思想阵地。

学校教育者是学生的表率，教师一定要注意为人师表，不仅在学识方面是学生的老师，更重要的是教学生如何做人，以具体行动为学生做好榜样。教师中有教学水平和为人品德上不合格者，坚决予以清除。像某小学教师诱奸女学生的事件，不能重演。教师在处理中小学生性违法行为的过程中，要讲究方法技巧。有的教师在处理此类事件时方法简单，态度粗暴，造成严重后果。某中学高一学生小惠，与高三学生小林发生关系被人当场抓获。小惠回到班里，班主任小陈老师非但不给予帮助，反而在班上羞辱挖苦。当天晚上，小惠在本宿舍高低床架上用尼龙绳吊死。

似管非管和横加指责都是不负责任的错误做法。就是出了事，也不必视为洪水猛兽，应该认真分析情况，对失足者给予深切的同情和理解，然后开导和教育，使其回归人生正道。

给孩子一个健康的环境

中小学生是祖国的未来，中小学生性违法行为全社会都应引起高度重视，采取积极措施，教育关心他们，使其积极向上，健康成长。我们应该给孩子们创造一个健康的环境，一片澄净的天。

扫黄打非工作应该深入持久地开展下去，扫黄不仅针对“显型”黄色物品，还要深入到那些带着迷幻色彩的“隐型”黄色物品。对儿童不宜的影视音像书刊，经营者必须严格查验身份证方可准许入场，文化市场稽查队应该经常到经营场所检查。学生好奇心强，什么不能看的片子书刊他们都想看，越是不让看的越想看，并且会严守秘密，因为他们害怕暴露被学校家长指责批评。对大街小巷的性病性花广告及厕所文化、市容办公室和城市监察大队应采取措施定期检查清除干净。对现在的流行音乐和影视作品，有关管理部门应该落实具体的管理规定。音乐可以定级别限定市场范围，影视作品中床上戏和亲昵动作的镜头应该有具体规定，并严格执行。城市少年宫和儿童公园，对少年儿童的身心发展都有积极作用，遗憾的是现在的城市少年宫和儿童公园开设的项目都一味追求经济效益，根本不考虑社会效益。有的城市对少年宫和儿童公园的设施建设不够重视。

因此，全社会都应积极行动起来，采取有效措施，齐抓共管，净化社会环境，为孩子们创造一个健康成长的环境，使其成为有用人才，担负起21世纪赋予他们的历史使命！

怀孕，第一次玩得心跳

以前一直以为，怀孕与中学生的距离遥不可测，怀孕的中学生更是踏破铁鞋无觅处。然而我错了。在近来短短几个月的时间里，我的一个朋友还在上初中的妹妹怀孕了。报纸上说一个高中女生自己堕胎死去了……我震惊，我痛心，我感慨，但我真的很想为那些已经和以后怀孕的女孩子们做点什么，于是有了我下面的采访。

性的诱惑

王亚琳，女，大学教授，电视台青年年热线主持

（注：□代表采访者，●代表受访者）

□　早孕现象在当今这个社会很多吗？

●　女孩子早孕的问题在世界上正多起来，在中国也正多起来。

在美国，有100多万未婚妈妈。100多万，什么概念？就是说，假如北京市中小学所有女生都是未婚妈妈还不足100万呢！美国有相当一部分未婚妈妈都是少女，这已经成为美国一个很严重的社会问题。

在中国，虽然还没有很具体的数字表明少女早孕的数量，但从我们的现实生活中可以看到，早孕问题是时有发生的。

□ 您认为造成早孕现象增多的原因有哪些呢？

● 早孕是个很复杂的问题，原因也很多。

首先是传媒方面，我们经常可以在画报、电视、小说中看到有关情爱的内容，最典型的是在卡拉OK录像带中，女青年能露的都露了，这些就使得我们的这个社会充满了性的诱惑。

其次在生理方面，由于生活水平的提高，现在少男少女们营养很好，发育得早，加之观念的开放，使贞洁观念日渐淡漠。

在香港、台湾及上海，都曾做过关于性观念的调查，在中学生当中，认为两人相爱就可以发生性关系的比例相当高。

当然，出现早孕增多的问题，还有中国性教育不完善的原因。

□ 应该如何正确对待早孕问题呢？

● 一般说来，怀孕的女孩子是不成熟的，造成怀孕这个结果并不完全是女孩子的个人行为，与其他很多因素有关。

从生理发展的规律看，人对异性的感情要经过这样几个阶段：小学低年级以前，属于两小无猜；小学中年级就到了“异性疏远期”；小学高年级到初中低年级，正是青春期开始时期，心理和生理都在急剧变化，面对异性，会有慌乱之感；初三以后，少女的魅力和少男的吸引力逐渐显示出来，于是就可能产生想“尝试一下”的感觉。但是从少女心理方面讲，她是充满矛盾的，她们在客观上有性的需要，但精神上还有一条处在松驰状态的戒备线。而少男呢，在17岁左右正是性能量最强的时候，控制力又低，所以在某种环境里，少男少女就会像干柴一样，一点就着。

从这个角度来看，把谴责和冷眼都抛向怀孕的少女就如同向盲人头上扔石子一样，是极不道德的。相反，人们应当对她们给予充分的理解和宽容。

□ 如果少女真的怀孕了该怎么办呢？

● 真的怀了孕最好通过手术解决。

在中国，由于种种原因，作为一个少女怀了孕，一般不能把小孩生下来。可真怀了孕又包不住藏不住，时间拖得越久，麻烦越多，所以还是去医院解决为上策。

可以自己单独去或找一位值得信任的朋友或长者陪同，以帮助处理一下手术后的事情。另外，还有四点值得注意：

1. 一定要保密。

俗话说人言可畏。怀孕之事一旦传出，对女孩来讲伤害很大，心理压力还可以慢慢缓解，若因此走上绝路就悔之晚矣。

2. 一定要到好的医院把手术做好。

不要因为自己羞愧就草草解决，手术做得好与否是很重要的，不要为将来的生活留下遗憾和麻烦。

3. 过一段平静的生活。

手术后一定要休息好，然后过一段平静的生活，如专心学习，做些有益的事情，使生理和心理的创伤慢慢恢复好。

4. 要有顽强的心理。

不要自暴自弃，不要过于自责，不要把问题想得太严重。从某种意义上讲，在人生的很多难题中，这个问题只是个小问题、一件小事情。

□ 心理障碍可能是怀孕少女的主要障碍，您能否把这方面说得更详细些？

● 的确是这样。

其实从发展的观点看这个问题，没什么大不了的，但女孩子往往夸大了问题的严重性。

首先，不要认为自己怀过孕就很脏、很丑。自己先要战胜自己，怀过孕未必就不是好女孩了。

其次，不要因为自己受到损害就去找男孩子算账，这不是上策，也不要因此认为男人都很坏、不可理喻，这会对将来的婚姻造成不良影响，得不偿失。

最好能向自己的父母说明情况，谈谈心。但如果父母素质低，对此非常不理解，认为此事不可原谅，那就只好找其他值得信赖的人寻求帮助了。

作为女孩子，可以这样想：

“我做了一件荒唐的事，但是并不意味着我人生的失败，我只不过在这件事上做得草率、冲动了一些，但并不说明我在人生其他事上也如此。”

另外，在这里，我还想对所有经历过怀孕的少女们说一句话：

平静、顽强地渡过这一关，天空依然蔚蓝，小鸟还在飞翔，人生照样可以辉煌灿烂！

女儿早恋之后

林格，报社记者，14 岁女孩的母亲

女儿上了两年初中后，身高突然像拉面条似地拉长，原来只有一米三的身高，转眼间蹿上一米六。那黄不拉叽的小脸蛋白里透着红，稚气消失了，少女俊俏的神韵不知什么时候悄悄地飞上她的脸庞，昔日那个小鸟依人般的娇娇女长成了亭亭玉立的少女。

女儿的学习不算出类拔萃，但在年级组里向来排在五名之内，课余时间也爱写些小情小调的诗歌、散文，一些大报小报的编辑时不时高抬贵手，让她的名字风光一回。女儿爱学习，有时会为一篇文章的构思或是一道计算题而茶不饮，饭不思。但是最近她突然变了，变得爱唱爱跳，还时常在我的梳妆台前留连，并关心起自己的穿着打扮。学习成绩也从 90 分以上一下子滑到六七十分左右。要不是在她抽屉里偶尔发现一个叫涛的小男孩赠给她的一首情诗，我怎么也猜不透她兴趣的变化和学习成绩一落千丈出自何因。“我渴望走进你的生活里/这不是为了破译秘密/面对变化无穷的季节/谁能奢望/一览无余/我将用整个生命爱你。”这是汪国真的《生命之爱》。我看了半天，头像被捅破了的蜂巢嗡嗡作响。我以前是教师，我带的那个班上一个女生早恋，且恋得死去活来。在我和其他任课老师百劝无效之后只好自动辍学了。这件事给我的印象极深，我至今还记得她怨恨的目光。我没想到，这样的事竟然落到了自己女儿身上。女儿只有十四岁呀！从来视女儿为掌上明珠的丈夫气得拳头攥出水，说女儿一回来非把她揍扁不可。

楼下传来脚步声，女儿回来了。不知怎的，我的心紧张得呼呼直跳，全然不顾丈夫的拦阻，赶忙出去为女儿拉路灯、接书包、脱外套……可女儿对我近乎拍马屁的举动和她父亲那愤怒的神态视若无睹，径自走到我房里的梳妆台前。鲜红的毛衣和雪白的丝巾裹着一股青春的气息，她的表情陶醉于镜中的自己，这更激怒了丈夫，他的脸色气得由红转白，正要发作时，却被我制止了。此时，在女儿的身上，我看到了自己的影子，女儿正沉浸在梦中——那是青春的梦，多么瑰丽，多么美好。我们没有理由去摧毁她，损害她，只有用爱去呵护她。

星期六中午，女儿正接着电话，我从房里出来，她语气很不自然起来，向对方吼了句“什么”，马上把电话挂断了。“是那个叫涛的同学打来的吧。”女儿正要回房躲避，听见我的话，一下子诚惶诚恐，语无伦次：“妈妈……你……你都知道了……”我点点头，说了声：“我相信你。”就出门去了。

接下来的日子，女儿变得不唱不跳，更没心思照镜子，一副惶惶度日的可怜样，甚至和我们聚餐的机会也尽可能避开。碰到一块进餐，她也总是把头埋得深深的，很专心地扒着碗里的米饭，偶尔抬头和我斜过去的目光对视，便马上甩下满头秀发遮住半边脸。有时，她又大胆地站在我面前，等候发落。可我们装着什么事也没发生。

又是一个月圆之夜，我难以入睡，走上阳台看城市夜景。女儿来到身旁，欲言又止，脸颊因激动而绯红。我心中掠过一阵淡淡的喜悦，但仍然仰着头，装着看天上的星星。

时间一分一秒地过去，女儿终于按捺不住了，她突然暴发性地大喊起来："妈妈，既然你都知道了我和涛的事，为什么不像教育你的学生一样教育我，或像其他家长那样又打又骂呢？"她浑身不停地颤抖着。这时我才觉得自己的方法太残忍，一把拉过女儿，拥在怀里，动情地说："好女儿，我说过我相信你。"过了好长时间，她用袖子擦了擦脸上的泪水："妈，谢谢你对我的信任，我会好好地读书的。"

女儿真的转变过来了，她像颗调皮的行星，又回到了正确的轨道。

在花季中走向深渊

女孩如花。

当女孩走进了花季年龄后便有了许多做不完的好梦。有梦的女孩给我们的生活增添了无尽美丽和生机。

然而，邪恶时时向她们袭来，在她们的四周晃来荡去，甚至走进她们的梦里。于是就有了迷惘的女孩，堕落的女孩，就有了恶梦中挣扎的女孩。

1998 年 8 月应"国民心态"课题组的邀请我专程采访了一些少年管教所，他们的故事记满了我的采访本。

我们在指责那些男人利用少女的无知和弱点进行诱骗的同时，还要批评那些少女不会自我保护，太轻信他人了，实在是太易上当受骗！

如何度过少女的危险期?是每个少女及家长应该引起重视的问题。

我认为，首先，少女要加强自身修养：自尊、自爱、自强。因为，女性只有自尊，才能得到社会的尊重；只有自爱，才能抑制不良诱惑，洁身自好；只有自强，通过自身的努力，才能展示自己的价值。其次，要树立正确的人生观和远大的理想，这是激发人们前进的动力。再则，要懂得少女时期的生理发育特点，健康地度过青春期。由于众所周知的原因，我在叙述这些少年的故事时不得不对人名、地名以及一些不该坦露的细节作些适当的技术处理，但这丝毫不影响故事本身的真实与完整。

在逆境中彷徨的女孩把人生押上赌台，走进快乐的陷阱，于是邪恶开始燃烧……

肖黎，女，17岁，河南桐柏人，初中

我见到这个叫肖黎的女孩时，她已经是一名少年犯。当她提着只小木凳跟着管教干部来到我面前时，我发现她有着姣好的脸庞，但却已没有了青春少女那种充满憧憬的目光。提起她的迷惘青春，她说，她到现在还没想明白，自己怎么会堕落到这一步。“仅仅只有一年时间，一年，你知道吗，就变成了这样……”她边说边悲伤地直摇晃脑袋。

她说，一年前的那个暑假，她曾经代表学校报名参加了“青春美评选大奖赛”。经过文化测试、面试答辩，以及容貌体态的评比，她在众多青春少女的激烈竞争中脱颖而出，不仅为学校赢得了荣誉，也为她自己赢得了掌声和赞语。

她很激动，她一口气跑回家后，就把自己人生中第一次获得的奖金交给了母亲。她期待着母亲的称赞。然而，她万万没有想到，母亲在兴奋中按过红纸包后就坐上了三缺一的麻将桌。母亲输了。母亲把她的奖金拿出来随意地撕去红纸包后交了出去，然后被塞进了别人母亲的口袋里。……

从此，她稚嫩的心灵上便留下了隐隐作痛的伤痕。

她说，她从那时开始常常思念自己的父亲，一个任劳任怨的装卸工。有一天，父亲在繁华的十字路口，他想急速地过马路，结果撞在一辆巨型客车的后轮上，后车轮缓缓地从他身上滑了过去……

她说，那时她只有五、六岁，对身边所发生的事情还似懂非懂，朦朦胧胧，但现在回忆起来，那一幕幕竟是如此的清晰和生动，使她留有伤痕的心灵会忍不住一阵阵颤栗。她决定离开这个家，离开把麻将看得比自己的女儿更重要的母亲。

这是一个炎热的夏天，她从麻将声中走出来，走进热灼灼的阳光里。她原先想去五台山玩几天，散散心，然后再去上海，因为在那个城市里有无数令少女心动的故事。然而，在五台山上，她却被两个男子紧紧地盯上了。那两个别有用心的男子用甜言蜜语诱惑着这个孤独而天真的少女，使她完全丧失了戒备的心理，最后竟鬼使神差般地跟着他们去了海南，成了他们陷阱里美丽的猎物……

她是在一家车站旅馆卖淫时被抓获的。冰冷的手铐锁住了她的手腕时，她突然想起了母亲，一个嗜赌的女人；想起了自己的没有芬芳的花季故事。她哭了，悔恨的泪洒在这个雪花飘飞的冬季里。

当女孩与男孩偷偷翻开那本神秘的人生“大书”时，缠绵和爱的背后正悄悄蠕动着背叛……

胡小宣，女，18岁，四川绵阳人，高中，肄业

这是一个因早恋而逐渐走向犯罪的女孩。

花季年龄的女孩有自己喜欢的男孩爱慕总是很兴奋的。胡小宣也不例外。那天放学回家，她又惊喜地发现了相同的纸条。胡小宣按捺不住狂跳的心，花了一个晚上的时间给那个小男孩写了一封信，字里行间透溢着爱和激情。

他们就这样开始了自己天真而浪漫的爱情故事。

几个月过去了，他们在相互的爱慕中常常有一种奇妙的躁动。于是，他们偷偷地品尝了“禁果”的滋味。

那个夜晚发生的一幕，他俩大概是终身不会忘却的。他们在朦胧中认为自己已不再是孩子。他们紧紧拥抱。相互发誓：他们觉得自己在这一夜里不仅真正得到了“爱情”，而且还得到了人生的所有一切。他们把自己认定是世界上最幸福的人。然而，他们其实并没有读懂人生的那一部艰涩的爱与被爱的大书。过早地偷吃“禁果”将会给双方的亮丽青春镂上一道怎样永恒的血泪创伤。

一个多月以后，少女有了妊娠反应。这一下，两个孩子都开始惊慌失措了，冲突也就由此展开。他们在冲突中相互责怪对方。女孩更是失去了往日的活泼和自信，每每走进教室时，总觉得别人都在看着自己，好像知道了自己的秘密。因此，她总是把头低得很低，上课时无精打采，思想难以集中，学习成绩直线下降。

那天下着如烟似雾的细雨，放学后男孩撑着伞在校门外等她。

男孩说：“我请人帮忙，明天放学后去把你肚子里的……东西拿掉。”

胡小宣说：“不，我怕。万一有危险，怎么办？”

男孩说：“他帮人打掉过，有把握的。”

只能这样了。第二天放学后，她瞒着人，跟着男孩去堕胎了。

这一次，男孩差点把女孩交给了“死神”。做完手术，女孩子刚迈出那“老军医”的家门没几步，便倒地昏了过去。幸亏路过的好心人及时将她送往医院抢救，才使她脱离危险，死里逃生。

这样，他们浪漫而又不幸的故事便在校园里传开了。男孩与女孩都受到了行政处分。双方的家长因此而争吵不休，男孩在他们的争吵中悄悄离家出走了。而女孩则觉得实在无脸见人，偷偷地吞下了数十粒安眠药……

女孩再一次被救活后，她的父母对她已彻底失望了，就把她送往乡下的祖母家中，从此就很少关心她。女孩在祖母家经过一段日子的休养生息后，对祖母说想回家看看。祖母信以为真，给了她路费后让她回家。谁知，她一走便无音讯了。

直到8个月后，当地警署通知她的父母送棉被和日用生活品时，他们才恍然大悟，自己的女儿已堕落成为一个少年流氓团伙的成员了。

吴殿芳，女，18岁，广东梅州人，初中

在一个充满阳光的日子里，我来到一个"工读班"，探望一个濒于绝望的少女吴殿芳。

吴殿芳是某学校的初三学生，自从父母离异，芳芳便感到很孤独。父亲有了续弦，母亲也有了归宿，自己却被人遗忘和冷落。"每逢佳节倍思亲"，可芳芳每到佳节更痛恨父母。

在这种精神状态下，她开始结交社会上的待业青年，从中得到些友情和温暖，学习慢慢变得无关重要了。

1996年元旦，父亲和继母叫了一群男女在家打麻将，唱卡拉OK，吵闹声不断，临近考试正紧张复习的芳芳实在忍不住了，她冲出房门"啪"地一声关掉影碟机，惹来继母铁青着脸和父亲盛怒的两记巴掌。芳芳感到十分委屈，她含着泪离开了家，扑向待业青年阿荣的怀抱，倾诉自己的不幸。失落的芳芳感到自己有了精神寄托，不知不觉中陷入了情网，爱得如醉如痴。

在阿荣的怂恿下，芳芳不再上学，跟着阿荣到一家合资厂打工，闲时与社会上不三不四的青年混在一起，被派出所扣留过。

干这些事时，芳芳糊里糊涂的，她只想一门心思跟着阿荣，阿荣做什么她也做什么。幼稚的芳芳误入歧途，派出所通知她的家人来领她，亲妈怎么都不肯来，父亲来了不是打就是骂。

从那时起，芳芳与阿荣就开始同居，她将自己看作是阿荣的“老婆”。

半年后，他们到一间私营电子厂打工。阿荣迷上了赌博，由小赌到大赌，赌输了就回家砸东西，对芳芳不是打就是骂。到后来，竟把芳芳作为赌注，以2000元输给一个陌生男人淫乐一次。就在那次，芳芳染上了性病。

如果当时芳芳能当机立断离开阿荣，恐怕不至于越陷越深。但芳芳放不下那份“情”，仍对一个出卖自己的流氓抱有幻想。她对阿荣责骂过，规劝过，但阿荣不听，甚至越赌越大。

赌债越积越多。为了还钱，阿荣要芳芳去火车站炒卖火车票，以假票骗取顾客的钱，并以色相勾引“大款”。芳芳不愿意，阿荣就大声骂道：“你吃我的，住我的，就得受我支配。你又不是我的老婆！”

根本就不懂爱情和婚姻为何物的芳芳，逆来顺受，过着一种阴暗屈辱的生活。

1998年4月的一天，芳芳的深圳火车站跟着一名大款到广州，把大款装有2万元人民币的提包抢了。正当他们为自己发财而高兴的时候，便衣警察出现在他们面前……

第六章 狼藉的圣地

——大学生的爱情与择业

大学校园，曾经被誉为圣地和净土，那是因为它是做学问和读书的地方，与喧闹的社会隔着一堵墙。

然而，今天这堵墙无疑已经坍塌了，它不能阻拦进进出出的阳光、空气、风沙以及污浊。

利弊得失暂且不论，问题是我们的大学管理该如何跟上，莘莘学子们又该持何种心态？

大学校园里的爱情

当代大学生对于校园内的爱情，已经不再讳莫如深，而是以一种坦然的心情予以接受。据调查，现在的校园中每五个大学生中就有两到三个有过恋爱经历或正在谈恋爱。

在青年男女汇集的地方，爱情是一篇永恒的乐章，大学生谈变爱已从“地下”转到“地上”。几乎所有的高校都曾有过“在校学生不准谈恋爱”的禁令，但如今，只是“不提倡谈恋爱”。

大学生如何寻求爱情

如水的月光下，一对对相依相偎的情侣绕操场一圈又一圈地漫步；午后的草坪上，或坐或卧的学生中常有成双成对的喁喁而语；河边的垂柳旁，倚树而立的总是形影不离的一对；课间的校园小道上，相携而行的不乏其人。老先生们或目不斜视，见怪不怪，或骑车揿铃怒目而过。可是正徜徉在爱河中的他和她又哪顾得上理会他人的想法与目光……

爱情，在大学生的眼中究竟是什么呢？

一晃数十年过去了，时代变了。社会变了，大学生的爱情观自然也变了。改革后的社会，经济热胀了，人情冷却了，种种假、丑、恶在重利轻义的社会氛围中逐渐显现。利己主义的思潮越来越强烈地侵蚀着现代人尤其是青年一代的心灵。这在很大程度上影响了大学生的恋爱动机和对爱情的看法 。

人毕竟不是一种孤独的动物，需要旁人来认同，来交流，来彼此温暖，相互支撑，才能有一份感情的慰藉。现实的冷漠使他们不得不寄情于异性之中。一个离家三年在外地求学的男生忧伤地说："客观条件不允许我回家，有时有些话想对父母讲又不能直吐、与同班同学的交往也很淡，所以我一定要找一个女朋友……"可见，一些大学生虽然过起了相对独立的生活，但情感的依赖心理却没有彻底改变，离开家庭的关怀后便产生一种难言的失落情绪。另一些大学生，在寒窗数年潜心苦读终于圆了大学梦后，却发现大学生活"不甚丰富"或"实在单调"，每天重复着寝室——教室——食堂的三点一线活动模式。于是，恋爱便迈出临时填补精神空虚的兴奋剂。

处于青春期的大学生们，对异性的追求已经由朦胧渐趋清晰。在属于大学生个人天地的寝室的墙壁上，总可以看到他们各自崇拜的异性偶像的张贴画。田某更是在自己的帐子顶上和周围贴满了袒胸露背后的女星画片，似乎少了她们便无法安然入睡。"课桌文学"中，爱情文学更是一大流派，已由早先的"唯我独徘徊，心里憋得慌"的"彷徨"，走向了"×××真漂亮！"的"呐喊"。同时，由于西方现代生活方式通过影视文化等渠道的影响，客观上也加强了对男女大学生青春骚动的刺激。由此，我们也可以理解在调查问卷中选择“追求时尚”、“逢场作戏”的那部分答案了。

但是，绝大多数的大学生还是持有“神圣美丽”、“轻松快乐”的观点，或出于“寻找真情”的动机涉足爱河的。这使大学生的爱情具有一种浪漫主义的倾向。

熄灯后寝室的“卧谈会”往往是谈论异性、真情流露的良辰美时。在一个女生寝室的“卧谈会”上，谈话的焦点落到选择恋爱对象的标准上时，8 名女生不约而同地将“性情相投”作为首选条件。“春也无所求，冬也无所求……”憧憬着浪漫爱情的大学生对自己的爱侣的首项要求是“性情”。正如一位留校任教的“老三届”大学毕业生不无感慨地说道：“我们非常看重的是‘志同道合’，而他们则十分在意‘情投意合’。”“爱情是一种纯粹的情感交流，只要你懂得我的世界，我已别无所求。”这些话无不折射出 90 年代大学生心灵寻求真爱的那一份执著。两代人的差异竟是如此之大！

同样的差异还在于：80 年代中期的一次大学生恋爱观调查中，“才华”占压倒多数“一举夺魁”，而如今才华”早已衰微了。传统的“美满姻缘”，崇尚郎才无疑是需要用“郎财”来衡量一下了。虽然在上述这道问题中，择偶首先考虑选择“外貌”、“经济实力”、“家庭背景”三者的并不占多数，但在调查之外，关于这个问题，大学生却有着一些更为现实的考虑。一些女大学生直言：“没钱怎么去泡咖啡厅，怎么去舞厅，怎么享受现代生活？”三个“怎么”问得理直气壮。是，金钱悦耳的撞击声毕竟在大学生的世界里激起了难平的波澜，它正以不可小觑的力量潜移默化地影响着大学生的恋爱观，尤其左右着女大学生选择男友的标准。同样，满心营造出浪漫的气氛，这一切都深深困感着男大学生们。

那么“爱要怎么说出口”呢？人说“追爱”，无论是语言上还是行动上，我们都已承认了爱是“追”来的，之所以“追”字能被人们认同，是因为它微妙的功用——代表恋爱过程中，主动与被动双方的心理状态。我们已经得到答案，大多数人还是赞同男性主动，那么大沉重是如何行动的呢？“当你对一个异性有好感”时，“直接对他（她）表露”的9.4%，“写信告诉他（她），等时机成熟后再说”的占57.4%，“通过别人转告”的占1.0%，“把感情藏在心里，不对任何人吐露”的占29.1%，（选最后一项的多为女生）。在“你比较欣赏的表达爱情的方式”中，有70.9%人选择“东方人的含蓄型”，29.1%的人选择了“西方人的直露型”，总的看来，大学生中追爱者多数还是含蓄型的，但西方直露式的也不在少数。而且一切中西合壁式的新手法也创造出来，如“贺卡攻势”、“集体联谊”、“舞友”、“笔友”等浪漫的追求方式都应运而生。

学业与情感的矛盾冲突

许多大学生在一道问题中作出的回答是：爱情是需要为之付出一切的。那么学业呢？大学生最本位的任务，在恋爱的男女中又被放在了一个什么位置呢?大学生能否恋爱学习两不误,将其“扁担两头挑”呢?

也许社会注意到了这一点,觉得大学生恋爱也未必就是堕落,于是就不再对此大加指责了。

其实,社会因素对于追求情感至上的大学生恋爱,还是有着不容忽视的制约、影响力的。一名女大学生痴情地爱上了自己的导师,最终因父母的反对、社会的压力而含泪告别了她的所爱。她在日记中写道:“爱情之花常开吗?爱情之路狰狞得能让人死亡一百次!”年龄差异、地域差异、家庭背景、学历等社会因素无不对大学生的爱情起着很强的制约力,最终导致棒打鸳鸯散,劳燕两分飞。

同时,大学生本身在的理想与现实的矛盾冲突,也是导致大学生恋爱成功率较低的一个因素。大学时代是一个最富幻想、最具美妙构思的年龄。几乎每个人都对现实和他人要求得尽善尽美。她们想象中的他不是偏狭、冷漠的怪物,也不是一味奉承迎合的“娘娘腔”,他应该是一团带来光明与温暖的火,像一棵永不屈服的松,刚毅而不乏柔情。他们想象中的她应像一首轻快、聪慧的诗,不食人间烟火,纯洁、美丽、善良,对爱情大胆追求又忠贞不二。正是这种标准的不现实性,大学生就面临这样一个问题:即要找朋友,现实中又缺少“理想”的人选。于是,便又引出了一个“缘份”问题。他们就像赌钱押宝一样,把爱情押在“缘份”二字上。于是,一次极其偶然的邂逅,一次意外的交谈,甚至一次对视,一个冒犯,一个不经意的举动,都被一言以蔽之:

“缘份”,并以此作为想入非非的铺垫、一个恋爱的开端。而一旦双方相识相知之后,便会开始为鸡毛蒜皮的小事进行喋喋不休的争斗,产生猜疑与摩擦,终于有一天各走各的路,称之为“缘份已尽”。从这个角度看缘份,缘份已有点自欺欺人的成分了。从追求一切美好的事物出发,到这种“庸俗不堪”的现实结局中,可以看见大学生性格特征中明显的矛盾性:既希望获得理想的无比纯洁高尚的情感,又恐惧落入俗套的生活中。

“弃人者,终为人弃。”有一位男同学说:“一个完美的人追求爱情也就如追求自己的事业,忠于爱情及是忠于自己的灵魂。”他的话是能够反映当代大学生的心声的。所以大学生认为恋爱还是神圣而真挚的。他们把对待爱情的方式作为评价自身道德水准的一个标准。对不同的女孩说同样的话,做同样的事已令人厌倦,当代大学生渴望的是拥有真情。

但是,光凭“专一”与热情。大学生的爱情就一帆风顺了吗?一位诗人说,“如果这个世界/还有净地/那就是校园/如果/还有唯一不被玷污的/那定是朦胧的情感。”大学校园中的爱情趋真的还一如往昔,还一尘不染吗?

当然,很多同学还是认为“钱不是万能的”,但同时他们更吹:“没有钱是万万不能的”。有趣的是,在“有钱对男孩子是否很重要”中,男孩子说:“是”的比例远远超过女孩子。男孩子为什么会自觉地认为自己有钱是“很重要”的 呢?是不是要经常付出,偏又囊中羞涩?还晨爱情市场上,钱已成了自身的价码,从而决定自己的受欢迎程度？或者是由于没钱就没有底气，少些派头和气度，多些自卑与穷酸？这些都不得而知。女孩子可能认为漂亮对自己很重要，同时又认为有钱对男孩子并不十分重要，这是不是因为理论上应追求有才气、有性格的男友，而面对现实时则又“几度浮云遮望眼”呢？

正由于种种因素的存在，校园里的恋情分合聚散也如同梅雨季节的天气一样多而自然。面临无奈的分手时，大学生是否也能表现超出一般的豁达气度呢？在“当你爱一个人而得不到接受时，你会——”问题中，57.4%的人会“等待时机，但不采取过激行为”，35%的人会“断然放弃”，只有7.6%的人要“追求直到成功为止”。看来大学生多数认为“不能吊死在一棵树上”。有位女大学生说：“不能为一棵树而舍弃整个森林。”大学生们是不愿把美妙的青春消耗在自艾自怜与凄苦的相思中，不愿辜负了美好的时光。与之呼应的是，当代大学生对待爱情“中途崩殂”的理智已今非昔比。死缠烂打，阴魂不散，甚至以死相胁已被大多数人们摈弃了。“当你所爱的人离你而去时——”有40.8%的同学能够“坦然接受”，53.4%的人“难以接受，但无可奈何”，这是主流。“伺机报复”与“苦苦挽留”者为极少数。

大学生的爱情旅途，有时因为不知何去何从而迷失，有时因为盲从而迷惑，有时又受环境制约，不得不做出痛苦无奈的取舍……

爱情之外的问题

爱与被爱，追逐与被追逐，当这些问题发生在我们中间，上演在彼此周围的时候，一些问题便相应而生，在浪漫、朦胧的爱情憧憬与理想之外，大学生不得不停下脚步来，认真地思考一下这些发生在生活中的性问题。

性是恋爱中的敏感话题，那么大学生中间，又是怎么看这个问题的呢？校园中的真实情形又如何？通过此次调查显示：对于“婚前性行为是否道德”的问题，有68.2％的学生认为不存在的道德问题，余下的32％同学认为不道德。

在问及“你对性行为（尤其是没有明确婚姻意愿的大学生之间）持有的态度”中，有69.5％的大学生表示不反对，这其中还包括两类意见，一种认为这是他们个人之间的事，“别人管不着”，另一种甚至认为这是社会进步的正常现象。

大学生对于恋爱中的性行为，对己和对人的态度是有着微妙的差异的，似乎可以说是“宽于待人，严于律己”。

而这种微妙差异，也体现在其他一些方面。比如在校园，恋人们之间的亲昵 行为日益的公开化，食堂、教室、图书馆或马路边、草坪上都不难看见往往在电影中才有的镜头。

改革开放十几年，造就了人数不在少数的大款族，这部分“先富起来的人”,对社会方方面面的冲击影响巨大，包括对向来平静的校园。金钱作为评价一个人的事业成功与否的首要条件的观念，已为大多数人默认了。“读书还有什么用？有钱才是真理”，这种看法同样作用到了大学生的恋爱观中，并催生出这样的结果来：一些女大学生,凭天生丽质等自身条件,委身于一些大款,做金丝雀或充当第三者，追求有妇之夫。大多数的大学生并不明确表示意见，还处在观望之中。是不是因为考虑到这些现象中可能也有真情的存在？调查还表明，绝大多数的大学生都已承认社会上一些中年人在财力、修养、成熟感上比大学生更具吸引力，而且认为年龄差异对恋爱已不是重要问题，这些说明了一个什么样的趋势？大款、金丝雀、第三者……我们说不出孰是孰非，但是其中真有那么多真情可寻么？爱途坎坷，处在性情多变、多思善想的岁月中的年轻大学生们，当不可避免地面对失恋又会怎样？在我们的调查采访中发现几例真实的事件：某高校一男学生，在女友“变心”之后，刺死了他的女友，然后自杀。某高校有一女生宿舍楼，因多次发生女生为情上吊自杀，闹得人心惶惶，甚至传言“楼中有鬼”……

校园爱情将走向何方

在大学这个伊甸园中，爱情有如开在高高树上果实，不同时代的学子来到树上作通用性的攀树尝试。

老三届大龄青年走出校园后，到了80年代中期，便由小龄大学生唱起了校园主题曲。自然，他们比前一代多了许多激情，从内心来说并不顾忌异性交往。但爱情还只是一种潜意识，他们并兴支“明目张胆”地寻找爱情，恋爱的发生往往是“意外”的结果。

“哪个少男不钟情，哪个少女不怀春？”象牙塔里的男孩女孩们谁不是心中藏着一张“爱之图”，在人群中寻他（她）千百度呢？

但大学生终究还未走上社会，在书本堆里生活，每每是梦幻编织未来。没有接受现实的考验，没有经历心灵的撞击与磨砺，爱情是稚嫩脆弱而不堪一击的。

婚姻是一种契约，对男女双方来说又是爱的联盟。那为什么大部分同学认为恋爱不一定要走向婚姻？再看看现实中的大学生，过了大四，要么好聚好散，大家另觅新枝；要么一方留守一方单飞。因为随着大环境的改变，双方的社会关系经济实力也在改变，只要一方的感情有了质变，爱情基础也就不再稳固。除非双方及时地调整，否则直视现实，这Lovestory也许只能成为一段记忆中的罗曼史了。正在经受风风雨雨，水到渠成，最后挽着爱人踏上红地毯的，在同辈人中实在有限。

这是发生在上海一所名牌大学的事，屡见不鲜却很典型。她在读大四的时候，他已在北京工作一年了，两年稳定的恋情使旁人已计算吃喜糖的日子了。那年国庆，她还专程去见面。可是到她写毕业论文时他们便分手了。究竟是因为父母舍不得独生女儿呢？还是女孩不想花五万元买个北京户口，到一个陌生的环境奋斗？还是男孩不愿放弃一个颇有前程的工作呢？无法知道。

大学生谈恋爱不能说没有真情，结果却未必真走向婚姻。是大学生自以为难以承担责任？还是面对现实的一种行为？是仅仅为了体验追寻想象中美好而令人愉悦的爱情？还是只是将这一阶段的情感找个寄托？对此似乎难下定论。这一方面说明大学生恋爱虽不求结果，但仍对自己所付出的真情不悔，另一方面说明其中也有部分人可能对恋爱抱着一种无所谓的游戏态度。

如果爱情不能天长地久，那它又将走向何方？小部分认为恋爱中一方要求结束，另一方虽然也接受但是会努力地去“遗忘”爱情，也许两人连见面都是要回避的，友情自然不复存在；而大部分趋向于这样一种考虑：轻轻松松地分手。有这样一对，男孩很有文艺才华，女孩也很出众。原本是两情相悦。只是她才刚度过大一的生活，男孩便毕业去广州发展他的广告事业了。半年之后的现在，两人常通长途，聊聊自己的生活，彼此开开心心的。其实，虽然爱情不再发展，但是两个人彼此了解熟知，如果能保持一种和谐持久的友情，互谅互助，不失为一种良好社会关系的延续。

大学生恋爱一方面在避免婚姻的结果，另一方面对婚姻也没有贬低的看法。大学生或许未能真正理解“柴米油盐酱醋茶”的繁琐平淡的生活，以恋爱的甜蜜美好来揣测未来婚姻的美满。而卢梭早就说过：“我常常想，如果我们在婚姻后仍能保持爱情的甜蜜，我们在地上也等于进了天堂。这一点迄今还没有人做到过。”而且，爱也有它内在的发展规律：从抽象的模式（理想）到对象的实现（热恋），进而是相互占有（婚姻），直至平静的友谊（偕老）。不可否认，一些人对“相互占有”的理解更趋向开放。那么，婚姻作为一种现实，更加远离大学生对爱情的理想。

大学生的爱情走向成功还是失败，似乎不是一两句话说得清的。也许，三毛说得妙：“爱情有若佛有家禅——不可说，不可说，一说就是错。”

校园爱情故事

夏葳，女，大学二年级学生

认识他，是个偶然。他是军校的学生，因而我们每个月只能见几次面，通常是在周六、周日。渐渐的，痴痴等他来校的心情使我明白了自己对他的感情，而每周一封的来信里，他的心意早已清清楚楚了。我多么陶醉于和他在一起的时光啊！我们总是有说不完的话题，有时候一整天在街上，不知道累，每次分别的时候都难舍难分。在每周等待的日子里，我的充实与快乐是从不曾有过的，可是我们在相处过程中双方都尽量回避一个问题，那就是将来的去向。再过两个月，他就要去外地实习了，毕业后分配到黑龙江。我家在江苏，从小就极依恋父母，而且决意长大后首要的事便是报答父母，我怎么可能不回家照顾父母而随他去黑龙江呢？我也马上就要去吉林实习，如果就此分别，我连最后送送他的机会都没有，而且，恐怕这一辈子再也不会见面了……

去年放假回家，我曾和家里人说起过这件事，姐姐问："想过以后吗？"我答："想过。不可能。"姐姐立刻就说："回去跟他分手！"这是长这么大以来，姐姐向我说得最坚决的一句话。我想，也许姐姐是对的。开学后的第一个周六，正是我们相识一周年的日子，我买了条领带送给他，他特别高兴。当我们并肩坐在街头时，我说："你看，以后都不可能了，我们现在还在一起，不是很无聊，很没意思么？好像在浪费感情。"他火了，立即问道："是不是在相处的一年当中，你一直觉得这是很无聊的一段感情？"我马上就后悔了，连说不是。可再怎么解释他都不相信了，于是，我也生气地吼道："是不是你一直想分手，才借助我刚才所说的那句话作理由？"他说："不是，我不会演戏。"他本意是说他不会骗我而假装和我好的，但我当时在气头上，误认为他暗指我在演戏，于是，我做了这一生中最后悔的一件事情：我打了他！我打了他一巴掌。随即后悔了。他定定地望着我。一字一顿地说："我一生中只挨过三次巴掌，每一次是爸爸打我，从此以后我们父子间有了隔膜；第二次是班长打我，因为违犯纪律走路时吃东西，嘴角被打出了血；第三次就是今天，没想到你打了我！为了我们俩的事，我对父母作了许多工作。我之所以从不承诺什么，是因为我比你大 6 岁，比你成熟，我必须对你、对我们的将来负责，我从不强迫你什么，因为你还小，我怕你后悔……"我哭了，真诚的向他道歉。他说他不怪我，他理解我的，可是我的心中却一遍遍重复着一个念头：他不会原谅我了。最后分开的时候，他吻了我。从前，我们之间极少有这样亲昵的动作，就在他吻我那一下的时候，我想我是永远失去他了……

仿佛过了许久，他来信了——没想到他还会来信。他说，希望我过得比他好。我没有回信。他再来信时，说，过几天去看你。我现在很矛盾，我不想见他了。虽然打了他以后，我才发现自己有多么地爱他、在乎他、不愿失去他！我甚至想，什么都不要了，甘心情愿地跟他走！但是一冷静下来，我就明白，自己不可能那么做的……他来信说，仿佛丢失了一件极珍爱的东西，每天心里特别烦，特别空……我能理解他的心情，因为自己也正在体味着同样的失落。

距离分别的日子越来越近了，我不知道自己的决定有没有确定下来，有没有错。在19岁的最后一个日子里，我只希望自己有勇气承担自己的抉择。

米琪，24岁，生物系研究生

米琪的导师正好长她30岁。在研究生的第一年里，两个人由师生而朋友，由朋友而相恋，志趣一致，情投意合。在经过几番思考琢磨后，导师决定与妻子离婚，随后送米琪出国，最后一同到国外去生活。

导师是个有心计的人，他偷偷地，甚至没让米琪参与和共谋，仅仅半年时间，便完成了第一步计划，在那年5月份与妻子办好了协议离婚手续。导师满以为从此高枕无忧，便和米琪暗中同居起来。不料风声刮到前妻耳边，前妻自觉受骗，便疯狂地向导师进行反扑。她联合校卫队做了一次成功的“捉奸”，以致闹得满校风雨，二人声名狼藉，米琪受到了纪律处分。在这种境遇下，米琪显得十分镇静，不仅没有退缩，反而顶着舆论，继续与导师往来，同居成了公开化，因为她知道，她与导师的所为虽不合法，但也不违法。尽管形势干扰了他们的理想的进程，但从长远来看，他们的向往还不是没有实现的可能。米琪一方面要慰藉导师，一方面还要调整自己的情绪。采访中，她希望从我们这里得到一些理解和支持。说实话，米琪这类女性，从文化和社会背景，从潮流和风尚趋势来看都并非稀罕。但我们仍对她泼了一瓢冷水，望她慎重决定婚姻大事，对爱情不要出现错觉。她对我们说：导师的妻子是个只顾追求生活的人，在10年动乱中，导师蒙冤入狱3年，而他的妻子在下放中有与人鬼混的经历。这些隔阂在导师平反后并未构成婚姻危机，导师只是认为，在改革开放的年代，妻子应更多地关心丈夫的事业，帮助丈夫补回那失去的宝贵光阴，在学术研究上有所成就。可是他的妻子没有这样做，反而加倍去追求生活的享受和安逸。于是，他们夫妻之间的感情距离拉开了。离婚，自然也是基于这一背景因素之上的。

米琪说，她需要像导师这样的先生，既是师长，又是父兄，她相信自己也能成为他的妻子和助手。在谈到爱情时，米琪则坦率地承认：在没有这场风波之前，爱是对导师的尊敬和依赖，在风波发生之后，爱是对他的同情和怜悯。她不能离开他，因为当他们被人们孤立时，需要的是更加紧密的团结。

米琪研究生毕业后，她没有被留校任教，导师为她找到了一个不错的岗位，在一家合资药厂里从事药品研制工作。不久，她和导师结了婚。

有些导师之所以爱上自己培养的学生，大多都有内在心理背景，如果说仅是因为她们年轻而喜新厌旧那是片面的看法，说玩弄感情更不合实际，因为他们的志趣是做学问，不可能有那么多的闲情雅兴。如果在他们身边没有相应的对象，他们不会像有些大款老板那样去风流放荡。一句话，爱情对他们而言永远赶不上学问重要，这似乎是知识男性的特点——先事业后爱情。在这点上，女性不同，女性的特点是只要为了爱，事业可以是次要的。

为什么女研究生容易爱上导师？这是一个校园热门话题，也是心理学家们所关注的社会现象之一。首先，我们说，女研究生毕竟是相当成熟的女孩，随着她们学识和年龄的增长，她们中有的人在择偶婚恋上不愿恪守陈规而想别具一格。她们追求的不是少男少女式的浪漫风流，而是更深更绵的情愫。如果从分析心理学的角度说，她们投入的爱，颇具动力学的内涵。处于中年以上的（尤指高知）男性，他们的感情深沉而有力度，他们会爱且爱得得当得法，对这一代女性，他们有着强烈的吸引力，更不用提他们的社会地位和经济实力了。但女研究生们爱导师，较少是出于上述明显的外在因素，对她们的行为动机要从心理动力学关系中去寻求理解。这就是通常人们习惯说的："我也不知道为什么要这样做，总之就是想做、想爱，执着得连自己都说不清无从解释，也不需要解释。"为什么年轻的姑娘要爱上"老头子"，其中的动力学奥秘就在于，导师具有父亲般的爱力、能力和魅力，他具有她在儿时所熟悉的权威性、尊严性和依赖性 。因此，可以说是恋父情结在起潜在作用。

校园打工族

当80年代的大学生在象牙塔中备受尊宠时，伸手向家里要钱几乎是他们共同的唯一的经济来源；而进入90年代，受到市场经济大潮的冲击，学子们似乎少了许多矜持，走出校园打工，自食其力已是普遍现象，校园打工族更是成为大学校园生活中一道亮丽的风景。

每次打工，都是一次成熟

王宏韬，男，19岁，大学一年级学生

对王宏韬来说，打工并不是一个新奇而陌生的字眼。在上高中时，他就利用假期参加过类似的社会实践活动。暑假采访时，他正参加飞利浦电器的促销活动。

王宏韬的工作地点是一繁华地段的电器专营店，店里虽然并不大，但里面却尽可能地利用空间摆满了各种型号的电器，频繁跃动的彩色画面，低沉而富于动感的音响效果交织在一起，令人应接不暇，眼花缭乱。

在飞利浦专柜前，我见到了身穿工作制服的王宏韬，因为预先约好了，再加上王宏韬爽朗的性格，他没有丝毫的不好意思，而是大方地与我攀谈起来。

“对我们的要求跟这儿的正式职员一样，要早上8点准时到岗，换工作服，佩带胸卡，清洁展柜，还要整理散发给顾客的宣传材料，没有一点特殊。”

他一边整理宣传材料，一边又对我说：“导购很辛苦，站一天下来，浑身酸疼，连骑车回家的劲儿都没有了。我现在特别体谅为什么有售货员不爱搭理人。……”

正说着有位顾客朝这边走来，王宏韬连忙热情地询问对方想了解飞利浦的哪一种电器。当得知顾客是想更换一台大屏幕彩电时，王宏韬便开始详细地介绍飞利浦相应的电器及各自的特点和功能情况。顾客询问了几个相当专业的问题，王宏韬也都一一作了回答，并把相关资料递给顾客，这位顾客赞许地点点头说：“听你介绍的是挺不错，我回去跟家人商量商量。”望着顾客远去的背影，王宏韬的脸上仍带着笑容。

“你怎么对电器知识懂得这么专业？”我不解地问。

“上岗前，公司对我们进行专业培训，再加上现在有些顾客档次很高，问得问题专业，不会的就去请教行家，一来二去懂了好多东西，这也是我打工的一个重要收获吧，噢，对了，我们还要求英语口语有一定水平呢，现在我还能用英语简单介绍这些产品呢，这可是从英语书里学不到的。”

打工近一个月来王宏韬认为自己有很大收获：使他更快地成熟，磨炼了意志，学到了很多实际的知识，当然，关键是他下一年的学费有着落了。

如果说大学生做促销员比比皆是的话，那么在一些需要专业水平的岗位中，大学生就显得凤毛麟角了。而一些学有所长的学生对于能扩充本专业知识的实践工作似乎更是情有独钟。调查采访中发现在科技含量高的电子公司里，不乏有在校大学生做兼职，从事计算机软件开发和应用。展一技之长，谋求发展空间，成了这些大学生们打工的共同目标。

我的未来不是梦

李琦，女，21 岁，服装学院三年级学生

曾几何时，服装学院的服装设计专业成为炙手可热的热门专业，依靠实力跻身于其中的学子们，又是何等的雄心勃勃。在这群对于未来理想的青年中，我采访了漂亮的李琦。她从大学二年级起，就为一家私人服装公司做设计，据她说，她的同学很多是这样的。“服装设计不能只是学，要有自己的东西，不然学也白学。”当我们问及她的收入时，她讳莫如深地说，与她投入的金钱和心血成正比。她不是每天都去那家公司上班，只是隔一段时间去送一次设计图纸，于是，我们提前约好一起去一次。

如果说生活中的李琦是热烈而好动的话，工作中的她就是另外一个沉静的她了。李琦这次带了四张图纸去，一推开设计室的门，就赶忙毕恭毕敬地铺好图纸给总设计师看，眼睛不安地观察着对方脸上的任何一个细小的表情。终于总设计师抬起头，满意地对她说："这两款还不错，不过最好把领部设计再处理一下，现在就改吧。"虽然被否定两张，另外两张还要返工，但她仍很高兴。"这次不错啦，一半通过了，有次我带七张来，一张都没通过。慢慢来吧！"说完，又埋头在大设计桌上画了起来，神情是那么专注、认真。

每做一次改动，李琦都要先征求总设计师的意见，双方经过认真研究后，她才落实在图纸上。一粒纽扣的取舍，领口处小的变动都让她费尽心机。

李琦中午没有吃饭，一直在忙。等到终于改好并获准通过后，也已是别人结束一天工作的时间了。她高兴地背起画夹跑了出去，一头冲进附近的巴黎大磨坊，买了两份火腿比萨大口吃了起来，看着她狼吞虎咽的样子，全然没有了刚才的沉稳，生活中的她又回来了。

一边吃，李琦一边欣慰地说："毕竟是打工嘛，得按人家的要求做，这很正常。再说人家比我有经验，有很多建议是非常有价值的，对我的提高帮助很大。"打工只是一时的，我把它看作是能力储备期。今后我要争取在服装设计比赛中取得好名次。毕业后，我一定要自己开家服装公司，让我的设计走向世界。当然，现在我还有很多东西要学，但我相信，我的未来不是梦。

自食其力就是光荣

尹艳芬，女，师范大学三年级学生

大学生是天之骄子，是国家的栋梁，在打工过程中会不会因此身份而受到些照顾呢？一位餐厅的老板说"既然来打工，就是打工仔，凭什么要照顾。"尹艳芬就在餐厅做服务员。

尹艳芬的学校位于西三环，而她工作的餐厅在新街口，每天她单程骑车需要近半个多小时。当她一早出门到达餐厅时，已近九点。还没来得及擦擦额头的汗，她就赶忙换好工作服，擦桌子、拖地板，开始了一天紧张的工作。餐厅10点开始营业，由于刚开门，还没有客人，经老板同意，我们与小尹进行了30分钟的谈话。

尹艳花的家在黑龙江一个偏远的山村里，淳朴的民风造就了一个朴实、勤劳的她。虽然已经上大学三年级，但假期没回家留在城市打工还是头一次。初次打工的经历从一开始就不很顺利。别的同学做家教很轻松，但因她有口音试了几家都没能持续下来，她也参加过一次兼职文秘的应聘，因为外在条件的原因而没有成功，但父母遗传给她倔强要强、不怕苦累的个性使她更下决心一定要自食其力。她自己说是为了给自己争口气才来的。她打工的目的就是挣钱，以减轻父母的负担。

谈到辛苦，小尹颇有感触地说："我每天工作将近13个小时，可工资还不如我同学干3小时，还比人家辛苦多了。最开始那几天，回宿舍上楼时腿直打软，跪在楼梯上好几回，我硬是含着眼泪往上走。"说着，她的眼圈又红了。"不过，苦和累我不怕，也不怕人家笑我干这粗活，只要是自食其力，就是光荣。"

临近中午，客人陆续多了起来。小尹便忙前忙后地布置桌面，她折叠餐巾造型时熟练的程度，令人难以相信她才干了20天。一盘热气腾腾的菜由她端了上来，靠窗一张桌子客人刚走，还没等老板示意，小尹主动走过去麻利地收拾一桌狼藉的杯盘。给这位客人换双筷子，给那位客人擦去查在桌上的汤，给她拿几张餐巾纸，给她结账，小尹忙得不亦乐乎。

离下午饭还有一段时间，可以稍松口气，可小尹却又拿起拖布擦起地板，连老板都劝她歇歇再干，可她却满不在乎地说："我看不惯这儿脏。"就这样，重复着又忙到了晚上。

已是晚上10点，到了关门时间，可小尹却还忙着做收尾的清扫。直到10点半，她才终于真正结束了一天的工作，同事们走得差不多了。她同老板打了招呼带着疲倦而轻松的笑容走出了那家餐馆。

上"夜大"的女大学生

麦琳，21岁，外语学院三年级学生

每当夜幕降临的时候，一些高等院校门口仿佛是举行名车博览会一样，令人望尘莫及的高级轿车从四面八方纷纷开到校门口。

小麦袅袅婷婷地从校园翩迁而来。她走近一辆黑色的奔驰400，那位小腹微凸的先生满面春风地为她打开车门，拥她上车。

车子开了，很快就绕上了宽阔的中山大道。目标是名噪一时的海龙王美食大世界。

时下的交际场流行“学生妹”。有些场面，如果请那些浓妆艳抹的“三陪小姐”作陪，显得档次太次；如果请本公司的office小姐应酬，又有点缺乏情趣——因为大多在写字楼混上两年的office小姐，基本上已呈中性化了。在这种情况下，老板们便把目光投向了芳草青青的大学校园，物色女大学生们做“夜班office小姐。”

一位老板对“夜班office小姐”是这样评价的：“学生妹清纯、乖巧，富有诗情画意，容易讨客户喜欢。”

小麦就是这样一位“夜班office小姐”，她受聘于一家工程公司，那位小腹微凸的老板每月给她的薪水是1500元。小麦的工作是：当公司有应酬的时候，请她陪客人吃吃饭。

小麦把她的这份工作称之为“上夜大”。她说：“那是一所社会大学，我在酒楼里学到的东西比教室里学到的更有实用价值，而且还能结识各界人士。”

这个时候，那辆黑色的奔驰400已经穿过大半个城市，徐徐停泊在海龙王美食大世界的停车场。

小麦随那位小腹微凸的老板，款款步入早已订好的樱花厅。已经在这里等候他们的不外乎以下人等：本公司的几位财务、行政人员、老板的两三位老乡及以一位时报或导报的记者。直到小麦喝了差不多半盅菊花茶的时候，今天的客人才会在身着和服的迎宾小姐的引领下姗姗而来。

坐在小麦左边的一般是那位小腹微凸的老板，安排在她右边的往往是今天的客户……

小麦的职责是劝酒，虽然她通常只捧一罐椰奶——

至多也不过是一杯浅浅的波尔多，但那些客人们在这位如歌如梦的学生妹面前，哪敢好意思不喝？——“喝，喝，小麦让我喝，我不能不喝！”于是，又是一杯。

有时候为了助兴，小麦还会穿插几首卡拉OK；或者含泪带梦地独唱一首“冬季到台北来看雨”；或者含情脉脉地和那位客人合唱一首“相思风雨中”，如果客人是湖南人，她也许还会倍感亲切地唱一首“浏阳河……”

小麦的下班时间是午夜11∶30分。到了这个时候，她就会十分抱歉地向客人们告辞：“对不起，学校要关门了。”然后由那位小腹微凸的老板驾着那辆黑色的奔驰400送她回学校。至于客人们在分别以后还有什么活动，那是桑拿小组和KTV房中小组们的事了。

学校规定晚上10点以后就锁大门。但小麦经常给门卫一小恩小惠，比如一只手袋，一本杂志，一张舞厅的门票，一打打包回来的比萨饼……所以这道大门对她来说畅通无阻。

现在，她宿舍的同学早已进入甜蜜的梦乡。小麦轻手轻脚地冲个凉，然后在同学们均匀而稚气（她觉得稚气）的酣声中，渐渐进入梦乡。

众人杂说

尚锋，男，化学系，21岁

每周一、三、五的夜晚，是我固定的家教时间。每一次急匆匆走出校园，我的心中装满莫名其妙的使命，看到学生们求知的眼睛，我觉得每小时15元讲课费沉甸甸的。我是师范大学学生，毕业后也将直接走进校园去“传道授业解惑”，今天的社会实践，是我未来生存资本……

张玉杰，男，数学系，20岁

我是从陕北农村考进大学的，我的学费是父母亲卖掉半间土坯房一头老牛换来的。我一个月开销不少，父母只能寄给我100元，余下的需要我自己赚。我今年大三了，从未回过老家，从未给自己添过一件衣裳……寒暑假做家教赚的钱大部分用来买书了。说心理话，我不愿出校打工，更不愿看见学生家长递给我钱时的那种神态，我现在只能卧薪尝胆，将来混个出人头地，报效父母。

傅君君，女，机械工程系，22岁

第一次接过工程设计费2千元钱时，我的手心全是汗，心也跳脸也红，真是应了那句话：“小偷没脸红，抓贼的倒脸红了。”2千元钱呐，足够我一年的生活费。我当即跑到邮局给父母致电：不要再寄钱给我，我可以自给自足！奇怪的是父母接到电报星夜兼程赶到学校，老妈眼泪涟涟追问我的班主任老师：老师呵，我女儿是不是学坏啦！老爸知道这钱是我花10天时间帮一家濒临倒闭的小厂子搞的工程设计所得费用时，竟勃然大怒：上大学是为了让你好好学习，挣的什么鬼钱？

天呐，我这是怎么了？他们又是怎么了？

择业误区：重报酬而忽视发展与前途

当我们开始讨论起做一个关于大学生择业就业的专题时，我的思绪就不禁飘回到一年前的这个时候。那时我也是个即将走出校园的毕业生，那时我前所未有地陷入了迷茫、心急如焚的状态，以及那没完没了的患得患失之中。饭碗，这个还没来得及仔细认真研究过的名词，突然间变得异常沉重和艰涩起来。饭碗在哪里？谁来给我饭碗？站在学校和社会的分水岭上，我不知所措地反复问道。

说实话，工作真的很难找。心急如焚、患得患失都是毕业生最正常的心理状态。在遇到哪怕一点点挫折的时候，我们都会开始抱怨，抱怨我们的教育体制，抱怨自己学了冷门专业，抱怨社会不公平，抱怨自己的父母不争气……似乎，每一届的毕业生都在抱怨。然而，抱怨完了以后，我们又该怎么办？教育体制不会因为你的抱怨立马就变个样，你手上拿着依然是冷门专业的毕业证，而你不是还得硬着头皮去找一个养活自己的饭碗吗？

这是个老生常谈的话题了，也许 1999 年的形势更加严峻些，其实，我们绝大多数的毕业生，都是在抱怨找不到好的工作，而不是找不到工作。形势严峻并非发发牢骚就可以改变的，但就业有危机感也并不是一件可怕的事，有危机才有转机，有转机才有生机，有生机才有活路。抛掉抱怨吧，直面现实，记住自己是个受过高等教育的人，而不是白痴废物。

努力了，为何不能成功

杨晓，男，24岁，湖南冷水滩市人，广东某大学设计专业毕业

和许多到外省读大学的学生一样，他希望毕业后能留在广州。小杨的要求并不高："我只希望在广告公司找份工作就行了，不在乎有没有户口……"9月份，小杨带着希望找到一位正在一家广告公司打工的同学，与他一起住在外来人口聚集的出租屋。从此，小杨开始了他的求职。

本来他想叫同学介绍进那间广告公司，但主管一看小杨的学历便摇头；问他会否操作电脑，有否工作经验时，又轮到杨晓摇头了。虽然他一再表示自己会很快上手，但主管还是婉拒了杨晓。同学告诉他去买几份报纸来看，上面的"求职广场"可能会有许多公司招人。

杨晓又开始了在报纸广告上"寻觅"的生涯，在一大片招聘专栏上果然有很多广告和设计公司招人，但无一例外的是都有一个要求：须有工作经验，会操作电脑。杨晓开始懊悔不已，为什么当初在学校里不好好掌握好电脑，不多找机会实习呢……他觉得，广州的机会实在多，但自己却无法将它把握住。

朋友鼓励他：尽管去试，可能会有人要呢。于是，他开始寄出一封封求职信、去一个个公司面试。可是，求职的人多得是，有时在公司门口排的面试人龙足有10多米长，谁又会对他这个刚出校门又技艺不精的小子垂青呢？

半个月过去了，身上的钱越来越少，但杨晓还是没找到工作。终于，一家刚开业的广告公司经理是杨晓同乡，不知是否要提携一下“自己人”，经理决定录用杨晓。小杨得知这一消息时，顿时松了一口大气。

可上班不到三天杨晓便被“炒了鱿鱼”，老板实在无法容忍他在电脑面前如盲人摸象般不知所措，于是，对他直言：“我们虽是同乡，但我劝你学好电脑后再回我们公司……”机会就这样与杨晓失之交臂，他的信心也在这次挫折下被击得粉碎。

小杨终于认识到凭自己的资历要想找专业“对口”的职位的难度，但他还不想放弃。朋友劝他可以先找不是设计类的职位，而另找相关的诸如业务代理甚至是拉广告也好，等稳定下来再去进修电脑犹未迟。但他觉得拉不下面子，还是不想扔掉幻想：“再碰碰运气吧！”于是又是一次次面试、一次次被拒绝，时间和金钱都慢慢逝去，唯一不变的是杨晓仍没有工作……

广州不相信眼泪，只相信实力，对杨晓来说是这样，对其他人又何尝不是如此？

杨晓找工作的出发点是很低的，比起那些又要户口又要薪水高的同学来说他应该具有优势。但是最重要的一点——实际能力，他却没有。其实这也是不少毕业生的弱项，相对于那些毕业前就积极介入社会的同学，他们由于实践少、操作能力弱，对就业环境不很熟悉容易处处碰壁。令人担心的是，他们往往“一条道走到黑”，不懂得“曲线救国”。就如小杨，如果他肯低就一些，相信会“退一步海阔天空”。从杨晓这个比较极端的例子，我们可以发现许多对就业困惑的毕业生都有一个共同点：“被动地寻找工作，而不是去主动创造工作。”他们最急需的，应该是改变一下自己的择业心态。

换一个思路

李舜，女，湖北红安县人，大学环保专业毕业

李舜坐在她那间宽大的办公室里，忙碌地处理着一大堆商业卷宗。她那专注的眼神和往电脑里输入数据时的有条不紊，使人感到她绝对是一个对自己和生活充满信心的人。

李舜现在是某合资企业的专职会计师，每天早上6时她会准时从自己花500块租的房子里走到大路旁，然后乘上公司的交通车花上一个钟头（如果不塞车的话）直奔上班。李舜这份工作月薪在5000元以上，是许多人羡慕的好差事。但谁又知道，为了这份工作，她付出过多少努力。

1996年，李舜大学毕业时，由于专业是较为冷门的，制冷环保，又是属于“鬼见愁”的工科女生，因此找工作成为吊在她心头的一块大石。寻寻觅觅，直到当年5月份她还是没能找到接收单位。当时“凄凄惨惨”的李舜决定到广州来，只为了一个简单的理由：“广州机会一定比湖北多！”

来到广州，奔波于各种人才供需会，她为自己定了一条底线：“只要能留在广州，再差的工作也干！”她的鲜明定位使得自己在许多瞻前顾后的毕业生中占了某种“先手”，终于，在一般同学认为“成功率只有1%”的人才交流会上李舜抓住了机会。一家国营中型企业当场拍板要了李舜。“有时人真得靠运气，可能与当时没什么人愿去工厂有关。”李舜回忆起当年时的“惊心动魄”还是有点害怕。这是一家生产电饭锅的国营厂，安排李舜去做了一个与她专业风马牛不相及的“质检员”的职务，而且月薪只有600元，李舜笑言：“当时我属于在温饱线上徘徊的那一层……”

李舜出身于一个经济不太宽裕的家庭，在大学期间她就努力开始养活自己，家教持续做了两年，大三那年暑假还帮一家企业做了一个月的推销员。李舜认为不单是解决了生活问题，更重要的是培养了校内学不到的“对社会、对生活的适应能力”。刚到工厂，由于是新人，她只能先做倒茶扫地等工作。对于一位刚出校门的大学生来说，这种心理落差的确需要一段时间来适应。

下了班回到6个人挤一间的集体宿舍，面对工友们好奇的询问或议论，李舜也曾极端迷茫和痛苦。不过一次次还是自己安慰自己：“慢慢干吧，面包会有的！”她决心“从低做起”，为自己打造一个向上的阶梯。

渐渐地，李舜开始跟着老质检员工作，她适应能力强的特点开始显露出来。她虚心向工人们请教，跟技术员学习质检要点，很快李舜就成为一个领导认为“信得过”的质检员。虽然这份工作跟她的专业毫不相关，但李舜认为：“做好本职就是对自己能力的最好锻炼和体现。”

1997年，李舜终于又抓住了一次机遇。根据生产线上一些工序的存在问题，她起草了一份提高生产效率的“合理化”建议并交给厂方。这次厂长对李舜极为赞赏：“不愧是大学生！”决定采纳她的建议。厂方赏识李舜对工作的细心和严谨，不久后，她被调到了购销部担任业务员。这次，李舜又为自己的成功阶梯搭上了厚实的基础，她说：“机会总是有的，不过需要自己去创造。”

到了购销部，相比起质检的工作，李舜有了更多出外勤的机会：“自己的眼界开阔了许多。在各种工作接触中，她发现会计制度改革后，许多企业都急需新型的人才，而且收入颇丰。这时她第一次萌生了“跳槽”的念头：“没办法，厂子效益不好，每个月拿1000多元，我觉得凭自己能力应该会更好。”李舜毫不掩饰自己的想法。

有些人只是想想而已，但李舜立即付诸行动，她开始从紧巴巴的工资里挤出钱到夜大学习会计。每个夜晚，当同事们在一天的工作后去看电影、跳舞时，李舜却挤着半个多钟头的公共汽车去上课，节假日也有大半数时间是图书馆的自修室里度过。

1998年，李舜拿到了夜大颁发的会计上岗证，她也摔掉了自己的“铁饭碗”，辞职成了一个“自由人”。谈到自己为什么冒这么大风险时，李舜说：“其实我也可以在外面兼职，但我觉得这样会很对不起厂里，干脆辞职算了。而且，给自己谋生的压力可能会更好。”李舜将自己的人事档案挂靠在人才交流中心，又开始在自己一手打造的“阶梯”上迈进。

这次冒险对李舜来说又是一次“从低开始”，铁饭碗没了，一切需要自己去努力。她在一家只有四个人的会计事务所起步，做一些简单的查帐、核对工作。“自己的那张证并不太管用，它只是下一步的开始。我只有用不断的工作来积累经验，没实力谁会请你。”就这样，李舜开始了自己人生路的另一次奋斗，由于资历浅，她的底薪很低，还要负担自己租房的费用。

换了3次工作后，积累了较丰富的经验，李舜终于找到了现在这份月收入5000元的工作。其中的艰辛与汗水只有她自己知道。“我打算在开发区附近的小区供楼，这样就不用每天奔波这么远了，我还打算去考注册会计师。”看来李舜似乎挺满足自己的现状，开始想稳定下来了。“还会‘跳槽’吗?”李舜挺“狡猾”地一笑：“人生有无数的机会，难道你忍心让它随风而逝吗?”

“天下无处没工作”这句话用在李舜身上真合适，她对于工作没有那种急功近利的“一步到位”想法，她是一个很现实或用她自己的话来说“适应能力很强”的女孩。她相信自己，即使从最基层的工作做起她也不会放弃自己。李舜为自己一步步创造了机会，她的成功也就水到渠成了。在这个竞争的时代，还有什么比相信自己更重要的呢？

创业等于就业

江四海，男，河北保定人，某大学金融专业毕业

阿江在大学读金融专业时，连他自己也没想过日后的工作会跟清洁沾上边。他清楚地记得几年前当他看到报纸上有关大学生去当清洁工的报道时，他是多么的不屑和不解："大学生去扫大街掏粪坑，这不是人才大浪费吗？"

90 年代初，金融专业还是个大热门，然而就在两年前，阿江却毅然放弃了去银行工作的机会，和几个志同道合的学友一手一脚地办起清洁公司来。

"创业就等于就业。"这是阿江的就业观。阿江的几个搭档都是大学毕业生，他们有学机械、有学环保的，总的来说都算不上什么热门专业，好工作难找，差些的又不想去。哥几个经常凑到一块儿为自己的前途发发牢骚，发着发着就群情激昂起来："凭咱这几颗聪明的大脑袋，就不信干不出一番事业来！"终于，在一次群情激昂过后，阿江郑重其事向伙伴们提出他的宏伟蓝图："既然工作不好找，找到的又不尽如人意，我们不如就自己创业。反正现在的政策也鼓励私营企业，我们可以先办一个不需要太多钱的小公司。"

选择做清洁公司，并不是他们一时头脑发热的结果。他们冷静客观地分析了各种要素，最后根据自己的实际状况得出两个先决条件：一是公司的启动资金一定要少；二是要干新兴的行业。为此，他们做了大量的市场调查，预选了几种行业，其中就有专门承接清洗高楼玻璃幕墙等业务的新型专业清洁公司这一项。这时，他们碰巧通过某种渠道得知，一家合资的大型清洁公司正准备在中国拓展市场，阿江认为创业的时机到了。他马上召集同伴们利用一切渠道，全力收集有关这种清洁公司的所有资料，包括它在国外的发展历史、在国内的发展现状，以及如何具体运作的各种管理和技术细节。结果，这场有准备的仗，阿江他们赢得很漂亮。那家公司的老总与他们攀谈了一个下午，竟然同意让他们以总公司的名义在广州成立分公司。总公司给予他们业务和技术上的支持，而他们每年只要需以承包的形式向总公司交纳管理费，经济上完全独立核算、自负盈亏。就这样，阿江他们的事业迈出了坚实的第一步。

当然，“创业就等于就业”并不是一句停留在嘴上的口号那么简单，对于这群初出茅庐的“拓荒牛”来说，困难比想象中的要多得多。但他们也有他们的优势，初生牛犊不怕虎的拼劲以及受过高等教育熏陶的头脑，使他们能够把这句口号演绎得精彩和富有成效。“我上大学时就已意识到，现在的大学教育不再是单纯的职业培训，它更注重的是一种素质的培养。”阿江确实很有先见之明，他所学的金融专业在近两年似乎热不起来了，“但我学金融时也要学金融管理，再加上我对经济学方面的敏感和喜好，使我在经营和管理公司时很容易触类旁通、融会贯通。所以我觉得大学对我来说是很重要的，因为它给予我的不只是一份可以谋生的职业，更可贵的是一个能发展的头脑。”

这些“发展的头脑们”考虑起事情来还真是更周全，更透彻。公司一挂起牌就马上招募了一批下岗工人，专程送往深圳总公司进行业务培训，要求达到专业水准后才准予上岗；他们还制定了一套严密的管理制度，每次接到业务都要亲自督阵，严格考核每一个工人的工作，保证做到让客户无可挑剔。很快，公司树立起良好的口碑，在众多的清洁公司中异军突起，令那些老同行们刮目相看。

一年多过去了，阿江更加没有怀疑当初的选择，他们的公司已步入正轨，员工由几个人发展到30多人，管理人员和技术人员各司其职、各尽所能，硬件装备更加完善，客户如滚雪球般不断增多……阿江说：“在现在就业形势如此严峻的时刻，能找一个金饭碗固然不错，但用自己一手捏出来烧出来的土饭碗盛的饭，我吃起来觉得更有味道。”

能喊出“创业就等于就业”这句口号，其实并不是件简单的事，它不仅需要一定的魄力，更需要一定的资本。这资本，不仅包括钱，更重要的还要有一个“能发展的头脑”。诚然，并非每位毕业生都拥有这些资本，并非每个人都可以像阿江们那样做自己的老板。“大学教育给予我们的不只是一份可以谋生的职业，而更可贵的是一个能够发展的头脑。”当我们的毕业生们在抱怨找不到工作时，我们是不是太在意那份“谋生的职业”，而忽略了那个“能发展的头脑”;而我们那些还躲在校园中老老实实啃课本的“骄子”们，不知有没有问过自己：“我有没有一个能发展的头脑?”

第七章

迷茫与缺失

——世纪末的男人和女人

男人和女人，是构成这个世界主体的最基本单位。上帝将我们创造出来并加以区别，同时也就给了我们不同的属性和定位。

这是最简单而又浅显的道理，然而又是最难把握和区分的现实。

除了尊重上帝的意志别无选择。愿我们的男人更刚强，愿我们的女人更贤惠。

男子汉的概念

女性心目中的男子汉

就在社会各界为现代男人缺乏阳刚之气疾首蹙额、忧心忡忡的时候，我们在北京某所大学的调查却透露着另外的信息。

在人们的心目中，真正男子汉是什么样的？要具备哪些素质？

调查结果显示——

一、勇敢正直。

253名女生认为真正的男子汉应该有“正义感”、“敢作敢为”、“勇于牺牲”、“不畏惧恶势力”；从而使勇敢正直成为男子汉的最重要标志。

陈说：“如果男女两人在路上一块走，路上遇到流氓，那么男人就应该勇敢地冲上去，保护女人。这样的男人才有男子汉风度。”

李薇说：“我最佩服的就是那种在别人遭遇危险时把生死置之度外，挺身而出的人。”

兰丽丽的看法很有意思，她觉得最体现男子汉风度的行为是“一个人去外地，再平安地回来”。

二、宽容豁达。

231名女生把“心胸开阔”、“大度”、“坦荡”、“有气量”、“不斤斤计较”等视为男子汉应该具备的品质，从而使宽容豁达成为评判男子汉的第二大标准。

俞雯雯说：“生活中人与人之间难免要有摩擦和矛盾，但一定不要耿耿于怀。可能别人得罪过你，然而在他需要帮助的时候，真正的男子汉肯定会不计前嫌，伸出援助之手的。”

李苏苏干脆借用半幅对联表达她的观点：“大肚能容天下难容之事”，虽然不是特别准确。

三、充满爱心。

16名女生将“善良”、“有爱心”、“乐于助人”、“关怀体贴”视为评判男子汉的重要标准。

李亭认为：“如果有人在路上遭遇车祸受了伤，作为一个男子汉，他就应该主动站出来，把伤者送到医院”。

金艳发表了意见，她说：“真正的男子汉除了像雷锋那样热情帮助别人，还应该热爱小动物。”

四、坚强执著。

141名女生认为真正的男子汉应该“坚强”、“有毅力”、“不软弱”、“不服输”、“能承受各种打击和挫折”。

唐英说：“我瞧不起那些受到一点打击就郁郁寡欢的人。一点打击都经受不起，怎么能成为男子汉呢？”

付琳的观点有点极端：“无论吃过多少苦都埋在心里，都默默去承受，从来不流泪，不表现自己的痛苦和悲伤，那才叫男子汉风度。”

五、责任感。

113 名女生倾向于把“责任感”作为评判男子汉的重要标准。他们理解的责任感包括“热爱祖国”、“奉献社会”、“关心历史”、“承担家庭重担”等内容。

张若兰说:“承担家庭重担不是一句空话,比如做一些家务就是最起码的表现。大一点儿说，一屋不扫，何以扫天下?”

六、礼貌教养。

108 名女生把“虚心”、“谦让”、“尊重女性”、“不说脏话”、“文明”看得很重要，认为是男子汉必须具备的标准。就男女比例来看，对礼貌教养的强调，女生要远远高于男生。

于辰曦认为:“具有男子汉品格的人,即使与别人发生了冲突和矛盾，也不会动粗，而是心平气和解决。尤其对女性，更应该尊重和礼让。”

刘琳忿忿不平地说“那些抽烟渴酒，爱出风头的男生自以为很有风度，其实最讨厌了。”

七、学识才华。

96 名女生认为男子汉要“知识渊博”、“有才华”、“学业有成”、“胸怀大志”、“有事业心”。

方丽媚同学说:“那些靠自己的能力开拓出一片属于自己的天空的成功人士最有男子汉风度。”

孙雯补充说:“不甘心平庸是正确的,但敬业精神同样重要。先扎扎实实做好每一件事，不能有不切实际的想法。”

八、真诚坦率。

73 名女生把“诚实”、“直率”、“不虚伪”、“不虚荣”、“信守诺言”等视为评判男子汉的标准。

关晓华说：“我身边的男人一般很虚伪，光说不练，关键时刻不顶用，特没男子汉气概。”诚实很重要，“在犯了错误的时候，不管会得到什么样的惩罚，都要敢于承认。”

九、幽默风趣。

67名女生觉得“幽默感”对男子汉很重要。女孩子们尤其要求这一点，支持者有50人；而持相同观点的男生只有17人。

杨阳说：“有幽默感的人能给大家带来快乐，易于交流和接近。”

鲁晓林说：“幽默风趣的人还能活跃气氛，化解许多尴尬的境况与场面，这才最有魅力。”

十、成熟稳重。

59名女生把“冷静”、“理智”、“有头脑”、“明辨是非”当做男子汉应该具备的素质。

鲁航说：“当遇到突发事件时，比如有人受伤、火灾、抢劫等，男子汉应该不慌不忙、沉着冷静的面对，作出处理。”

谭小凡则举电影《泰坦尼克号》为例子，他说：“‘泰坦尼克号’出事后，男士们把生的机会让给妇女和儿童；而他们自己却在渐渐下沉的船上谈笑，十分冷静，直到与船同沉。我觉得这时的男人才最有风度。”

十一、体魄强健。

57名女生认为男子汉应该“强健”、“高大”、“健康”、“热爱运动”。这一评价标准排在第11位，可见中学生更强调男子汉的内在素质。

王晴说:“我们中学生都喜欢罗马里奥、巴乔这样的体育明星，正是因为他们给人一种健康的有活力的感觉。一个人文文弱弱,甚至病殃殃的,怎么能叫男子汉?”

十二、机智果敢。

48 名女生把“果断”、“干脆”、“有魄力”、“干净利落”、“不婆婆妈妈”当做评价男子汉的标准。

董燕燕说:“有些男人遇到事情总拿不定主意,要么唯唯诺诺，要么犹豫不决，一点阳刚之气也没有。”

十三、英俊潇洒。

44 名女生把“酷”、“漂亮”、“英俊”、“帅气”、“外表好”、“穿着整齐”等外在条件当做评价男子汉的标准。持该观点的同学，女生明显多于男生，再一次显示出性别的差异。这也从一定程度上解释了偶像派明星在少女心目中拥有重要地位的原因。

十四、乐观开朗。

许多人认为,“热情开朗”、“有活力”、“处事大方”等是评价男子汉的标准。持这种意见者有 42 人。

王冰冰说:“虽然不少女性喜欢深沉、不苟言笑的男人,但那些热情开朗的男人更可爱。为什么搞得那么沉重呢?再说，乐观开朗正是男子汉应该具有的性格素质。”

除上面列举的 14 个标准外,勤奋务实、交际组织能力、有个性等也被视为男子汉应该具备的素质。

不过“人无完人，金无足金”。男子汉的标准有了，又有谁能达到呢?所以最重要的是时时以这些标准要求自己、鞭策自己，如果能具备其中最主要的几项素质，也就称得上是男子汉。

众人杂说

王纪维，46岁，工程师

我有个大学同学，是篮球运动员。他个子不高，但球技很高超，能对付对方凶猛的碰撞却从没负过伤。我感到奇怪，就问他是怎么回事。他说："我小时候是非常羞怯的，但我在打球时却发现有时事情会走向反面。在一次比赛中，我突然觉得自己的个头与别的队员相比非常渺小，因而特别紧张。为了比赛，我只好硬着头皮紧紧缠住对方一个队员，没想到居然成功了。打那以后我懂得了一个道理：你越是努力去进攻和防卫，所受的伤害就会越少。道理很简单——自信比个头更重要。"

同学的话给我很多启示。我想：勇敢并不能保证事事成功，但谨小慎微肯定会让你错过许多机会。真正的男子汉永远不要临阵逃脱，要尽力去超越自己，那么你会发现自己的能力要大大超过你的想象。

杨荣昌，43岁，公安干警

我这个人平时爱看点儿传记。据说拿破仑一上战场，士兵的力量可增强一倍。军队的战斗力，往往来源于对将帅的信仰中。拿破仑的军队绝不会爬过阿尔卑斯山，假使拿破仑自己认为此事太难的话。

同样，人的精神能力，有时正像军队一样，也依赖其主帅——意志。有坚强的意志和自信，往往使平凡的男女也能成就大事业。自信是比金钱、势力、家世等更为有用的条件和资本。如果我们研究一下有成就的人的奋斗史，我们就可以看到，他们在起步时，一定是具有充分信任自己能力的自信心。他们的意志如此坚强以至于任何困难都不足以使他们怀疑、恐惧。

如果你也拥有坚强的意志，你也就同样所向无敌了，也就真正成为了一个男子汉。

田辰，45岁，医生

作为一名医生，我觉得对一个男子汉而言，最重要的是爱心。我们科里的一位老医生，就是这样的人。他看病非常仔细，也非常热情。记得有一次，他的老伴因病去世了。处理完丧事，刚一上班接触病人，就又笑容满面了，让我们这些年轻人特别钦佩。

他有一次告诉我："许多时候，你什么都不能做，但有一点除外，要多说些同情的话。"一刹那间，我忽然明白了他的苦心，那些被病痛折磨的患者，比健康的人更需要温暖和爱。

我希望现在的男人都能像我这位老同事那样。当别人偶尔提起他的时候会由衷地说："那是一位很好的医生，一位好人。"

朱小涵，48岁，男，新闻记者

我是个爱好广泛的人。繁忙的采访活动之余，经常打打球、游游泳，或者去看看电影，听一场音乐会。这些放松身心的活动常常会使我精力更加充沛。

我感觉男子汉应该是充满活力、热爱生活的。因为生命的意义正在于生活本身。要说学业重或工作忙，根本抽不出时间体验生活的乐趣，那纯粹是无稽之谈。邱吉尔忙吧？但他也有自己的爱好。争执不休的议会会议结束后，忧虑重重的邱吉尔就会出去挥笔作画，松驰一下。

曾经担任过美国海军少将的拉蒙特·皮尤说："两个地方是我从未听说过会发作神经衰竭症的。一个是使人舒展肌肉的游泳池，另一个是令人别有一翻心境的壁炉旁。"而我要说：男人，从书本里抬起你的头来，去球场上痛痛快快踢一场球吧！

黄正则，43岁，舞台技师

我的儿子15岁，正读初中。有一次，他气急败坏地回到家，把书包一摔，就坐在那里抹起眼泪，拳头握得紧紧的。后来他告诉我，班里有几个男孩合伙欺负他，说他不是好学生，爱捣蛋，讲话声太大，还自命清高。

我静静听完儿子的话，然后问道："他们讲的是否都正确？"

儿子却不以为然："正确，但我想知道怎么回击！这与正确有什么关系？"

"知道自己实际上是怎么样还不好吗？"我于是让儿子把那些欺负他的男孩子的话都写下来。在正确的地方面上标记。不一会儿，他把单子递给了我，脸上红红的，愤怒也消失了。他说："爸爸，他们讲的一半以上都是正确的。但我会改正这些缺点！再不让他们笑话！"

我欣慰地笑了。我想说："孩子，宽容对人是有好处的。如果有人攻击你，指责你，就一定有他的理由。真正的男子汉要大度，不能小肚鸡肠地专想着报复别人，而要籍此认清自身的缺点。”

什么样的男人算成功?

多少年来，成功一直是男人们的理想。作为一个男人，不想成功的恐怕不多。那么，什么样的男人才是成功的男人呢?官大的男人?挣钱多的男人?有名望的男人?付出了一定努力的男人?在这个问题上，每个人都会有自己的标准。

众人杂说

刘思，男，大学教师

多少个世纪以来，这一直是男人们经久不衰的话题，为什么总谈它呢?因为成功太难了，太不容易了。男人在这个世界上眼界是很宽的，需求也很多，什么事业、爱情、家庭呀，可以说，男人是很贪婪的。需求多，成功也就不易达到。成功的标准也很难界定。我是这样总结的：如果有一天，我们不工作了，该干的事干完了，回首往事，不说风景这边独好吧，至少还比较丰富，没有大的遗憾，这就是人生的一种成功。不遗憾就是一种成功。艺无止境，能够登峰造极、鹤立鸡群的人毕竟是少数。对于大部分人来说，只要做出了自己的努力，不管达到什么程度，都是一种成功。鞋子合适不合适，只有脚最清楚。自己做得怎么样，也只有自己清楚。所以，成功的标准还是自己给自己确定为好。如果强求自己长到2.4米，既不可能，也没什么必要，只会给自己增添烦恼。

尤其在现阶段，社会分工越来越细，知识大爆炸，你想在各个方面都登峰造极，根本不可能。

石洪，男，电台节目主持

要做个合格的男人就已经很不容易了，做成功的男人，那就更难了。什么样的男人算成功男人呢？这是相对而言的，相对于一个历史时期，相对于具体的环境。比如，商人们心目中的成功就是赚钱，记者、主持人的成功就是成名、获奖。成功对不同的人有不同的标准。

我觉得，作为一个成功的男人，除了你在事业上应该是一个佼佼者以外，家庭幸福也是很重要的。我在主持"石洪夜话"等节目的时候，经常向听众宣传我的这样一个观点：只要觉得你的家庭幸福就行了，事业是第二位的。一个人一生的大部分时间都是在家庭和单位中度过的，这两个地方关系很密切。家庭幸福了，你的事业肯定会成功；但事业成功了，你的家庭不一定会幸福。成功的男人应该更注重家庭。常言说：清官难断家务事。能处理好家庭，那么他在事业上也会游刃有余的。古人说：修身齐家治国平天下。你必须先"修身齐家"，其次才能去"治国平天下"。

巩国荃，男，律师

有的人认为成功在于一种终极的结果，有的认为成功在于一种渐进的过程，有的认为成功是一种实实在在的功成名就，有的认为成功是自己内心世界的一种充实和满足。

具体到今天这个话题，我觉得可以用以下三句话来概括：成功的男人是苦尽甘来的男人；成功的男人是能够科学地支配人生或者科学地被人生所支配的男人；成功的男人是被高尚的女人所爱，同时也能够产生深刻共鸣的男人。

第一句话：成功的男人是苦尽甘来的男人，直正的强者不是压倒一切困难的人，而是不被一切困难所压倒的人。一个男人，如果是靠父辈的荫泽或者外力的帮助而青云直上，赢得了一些功名，我觉得不能算是他本人的成功。他必须吃过苦，受过挫折（我觉得一个人的魅力主要来自于苦难，苦难使人成熟），但又能超越苦难，战胜苦难，从苦难中走出来，取得一定的成绩，这才是一个男人的成功。这样的成功令人信服，也会使他自己感到欣慰。这就是我所说的“苦尽甘来的男人”。

再说第二句话：成功的男人是能够科学地支配人生或者科学地被人生所支配的男人。一个人能够全心全意地干自己所热爱的事业，干出成就来了，那么这样的人很值得尊敬；有的人由于受社会条件的制约，必须全心全意地去干自己并不热爱的工作，他也干出成就来了，那么他也同样值得我们尊敬。

我有两个朋友，他们所扮演的社会角色几乎是相同的，分别是两个性质相同的单位的领导。其中一个，从一开始他就很喜欢这项事业，干得有声有色，生龙活虎，他能够科学地支配人生，是一个成功的男人；另一个，他本来所学专业就不是那个行当，但是命运把他放到了那个位置上，他也干得不错，实际上他就是能够科学地被人生所支配的男人，他也应该是成功的男人。

第三句话：被高尚的女人所爱同时也能产生深刻共鸣的男人。按世俗的标准来看，现在社会上成功的男人也不少，有权的、有钱的、事业成功的、有名望的，像平常我们所说的大款、大腕。也有不少女性去追逐他们，所谓“傍大款”、“傍大腕”。但这些都产生不了真正的爱情，现在社会上真正值得爱的好男人不多。

在女性的生命中，爱无论是量或质都要强于男性，女性在爱情方面更执著一些。女性在这个社会上，总是在寻找“另一半”，但是这样“另一半”太少了。也许是世风的变化，现在的男人好像都已经不屑于、不善于或者是不耐烦于爱情这种游戏了。男女之间能够产生很高尚、很深刻的恋情，已经是很古典的事了，现在是越来越少。

刘振，男，医生

荆轲是胜利者，当时荆轲刺秦王是“壮士一去兮不复还”，他明知要死在秦国，但他仍然要去，“知其不可为而为之”。其实，荆轲的理想就是要“尽忠报国”、“士为知己者死”，行刺的成与败只是一个结果，都无损于他完成理想的行动。荆轲所想要的只是行刺的过程。最后他被秦人乱刃分尸，正是“求仁得仁”。荆轲实现了自己的理想，所以他是一个胜利者。可以说，荆轲也是一个成功的男人。

阮铁民，男，作家

我记得有这样一句话：姑娘们把手放在心口上，梦想着海盗。换句话是不是也可以这么说：男人们把手放在脑门上，梦想着成功。我认为成功在很大意义上是一种结果，当然它也有过程。不管成功的标准多么不好定，有一点大家还是可以认同的，那就是成功的男人在他所从事的行业中，起码要超出一般人，社会承认他，大家羡慕他，这样他才能谈得上成功。比如体育运动会，你如果说所有的运动员，只要参加了，即使没拿到名次，也算成功，那就太理想主义了，显然是说不通的，仅仅注意过程，不注意结果也不行，但是这个结果也不是世俗的那种说法——权力有多大，钱有多少或地位有多高。所以我觉得成功的男人还是有个标准的，那就是：你在自己所从事的行业能得到社会承认，做出了比一般更大的成绩，或者说，就是你能够较一般人更多地支配自己的命运。成功的男人一定是幸福的，但幸福的男人不一定成功。

另一方面，成功的男人都具备比较突出的个性。比如成功的男人都是快乐的男人，乐观、开朗，在身处逆境时，他不悲观。另一点，成功的男人一般都好斗。人生就是一场竞争，所谓“爱拼才会赢”，不竞争，就不可能成功。还有，成功的男人必须是特别能适应环境。无论在什么环境下，他都能生存下去，困难都不能压倒他。

高钢，男，机关干部

因为成功有两个界定：一方面要得到社会的承认，被他人所羡慕；另一方面还要自己感觉到自己是成功的，能更大限度地支配自己的命运。这样的人如果还不幸福，什么样的人才幸福？一个男人，在自然科学上取得了很大成就，获得了诺贝尔奖，家庭也很幸福，但他想当总统，竞选了好几年，也没有成功。他是不是成功的男人？说他是吧，他理想没有实现；说他不是呢，他又成就巨大，家庭幸福。

在社会看来，这个人已经成功了；但他自己可能会认为自己不成功。人心不足蛇吞象嘛。

蒲枫，男，中学老师

我认为成功是有阶段性的。首先是少年得志，考了一个好学校，毕业时能找到一个适合自己的好工作，这就是第一步的成功。青年人的成功包括两方面：一方面是工作上能得心应手；更重要的一方面是爱情成功，有情人终成眷属。中年人的成功就是事业有成，在自己的领域做出一定的成绩，获得相应的地位。老年的成功是老来有伴，像MTV《牵手》中那样：白发苍苍的两个老人相携相扶，牵手共度。

成功重在个人的感受。人格的完善、内心的充实就是成功；人生的每个阶段都能达到自己的目标，对朋友、家人和社会问心无愧，这就是成功。

沈家勋，男，报社记者

成功的男人，同时也是失败的男人。对于绝大多数成功者来说，他不可能在事业、家庭、财富等各个方面都获得成功。在其中一个方面成功了，另外几个方面可能就失去了。得到的越多，失去的也越多。另一点，成功确实是有阶段性的，不仅仅是指人生阶段。比如一个足球教练，1997年率队从甲B打入了甲A，他就是一个成功者；1998年他又下来了，就成了失败者；1999年又上去了，他就又成为成功者。还有，成功是相对的，艺无止境，全省冠军相对于市冠军是成功者，但相对全国冠军很可能就是失败者。成功是很难保持的，今天的成功者，明天可能就成为失败者。谁也不可能永远是成功者。从一定意义上说，走向成功之路也就是走向失败之路。达到了巅峰之后，无可挽回地要走下坡路。

袁晓东，男，职业股民

我是个老股民了，就从股票开始说成功吧。在股市上，什么是成功？挣到钱就是成功。根据这几年做股票的感受，我觉得做股票的成功还不仅仅在于挣到钱。每一次赔了，赔在什么地方？赔在个性上的不足之处。赚了，赚在什么地方？赚在克服自己的弱点。“挣到钱”是一种外在的成功，“克服自己的弱点”则是一种内在的成功。我更看重这种内在的成功。所以，我对于成功是这样认识的，一个人对自己应该有种正确的认识，在此基础上确定合理的目标，然后在实现目标的过程中不断地克服自己的种种弱点，这就是成功。

有一个心理测验：设置了三个蓝筐，让人们去投球。第一个很近，人们不费力每投必中，大家觉得没啥意思，后来就没人投入；第二个很远人们怎么投也投不进，后来也没人去投了；第三个不远不近，人们需做出努力才可能投进，于是大家觉得挺有意思，都愿意来投。这“第三个篮筐”就是一个合理的目标。在投篮的过程中不断地纠正自己的动作、力度，最终把球投进去，这就是成功。

顾杰，男，外企雇员

按照通常的说法，现在的人们认为成功的男人应该义无反顾地承担各种责任，而且无怨无悔，同时还应该有山一样的胸怀。这样的话，成功的男人就活得很累，而失败的男人却活得很逍遥。这种要求实际上是有违人的本性的。其实，如果一个人的身体心理很健康，那么这个人就活得很成功了。一个成功的人能够很自由、很从容地承担各种责任和享受各项权利。他不会把各种责任看作负担，事实上这些责任也从来不会成为他的负担。

岳浩然，男，心理咨询专家

对于男人是否成功应该辩证地看。不但要具体到每一个人，还要具体到一个人一生的每一个阶段来考察。

一个人统领千军万马，领导改革大业，取得了成绩，他是成功的；另一个人没有那么大的志向，他只爱收集邮票收集古董，或者用手指画画，也做出了成绩，那么他也是成功的。一个人成功与否，不在于他做的是大事还是小事。

一个人一生的各个阶段也是不一样的。比如牛顿，他在前半生，发现了万有引力定律；后半生，他却投身神学，要证明神的存在。最终也证明不了。显然，牛顿的前半生是成功的，后半生是失败的。再一点，一个人是有很多侧面的，各个侧面也不一样，比如我们经常听到有人说："某某的事业是成功的，家庭是失败的。"

那么，究竟如何区分一个人的成功与否呢？那要看他一生的主流、主要方面。还说牛顿，他发现万有引力定律等力学定律对人类的历史产生了重大影响,这是主要方面,至于他后期投身神学,那是他一生中的次要方面。所以就整个人来说,牛顿仍然是成功的。

每个人的一生中都有成功之处,也有失败之处,问题的关键是哪方面是主要的。

什么样的男人算成熟

关于男人的成熟是本次调查采访中的又一个话题。到底何为成熟，成熟的标志是什么，众说纷纭，但大体可以认为：这个“成熟”决不单单等同于平时的“不幼稚”、“稳重”、“老到”等词的含义，而是一个包容量很大的概念，如果找一个可以替换的词，大约只有“完美”。

完美的男人如完美的女人一样让人爱，让人崇敬，让人称道。然而男人的完美都是相对的，足赤之金难觅。

男人可以成熟起来，也完全可以日趋完美起来。这个过程要靠男人自己的奋斗锻炼，乃至挫折和磨难，也要靠外界的引导、刺激和激励。这其中就有相当大的比重来自女人。妈妈、奶奶、姥姥、姐姐、嫂子……当然更主要的是恋人、妻子。

这些女性的关心、启迪、感化、暗示、激励（包括打击），对一个男人的成长有着至关重要的作用，也可以说很大程度上是她们使男人完美起来。

一个浪子因爱而回头，一个囚犯因爱而获新生的也屡见不鲜，何况暂时没有成熟起来的男人呢？

因此，客观地说，女人不要苛求男人成熟，即不能用十全十美的标准来评价一个男人的好坏，只要他在渐渐成熟，在不断努力完善自己，就是好的。尤其在寻找白马王子时，只要他是上进的，将来就会成熟而完美，而一定要找那种业已完美的，似乎就太天真、太不实际了。当然有些女孩子愿意找年龄偏大的成功者为伴侣也无可厚非。正如有的女孩说，成熟的男人可敬而不可爱，也是有其道理的。

女人认为

田莉静，职业模特

都说女人是一道风景，其实，在女人眼里男人也是一道风景，不同的好男人，是不同的景致。那魁梧伟岸的，有如高山一般雄奇壮丽；那志存高远的，好似无边的林海郁郁葱葱；那历尽沧桑终有建树的，犹如透过云雾看悬崖峭壁的朦胧险峻；还有那刚中带柔、超凡脱俗的，又令人联想到大瀑布，于飞流直下中蕴含着点点温情……一万个男人是一万种风景。而在女孩子的直觉中，最容易想到的异性之美大都是这两个字：成熟。成熟是男人区别于女人的性别差异，是男人们万千风景的魅力之源。当上帝造人时，或许给男人和女人分别赋予了这样的气质：成熟和可爱。这两种气质让男女两性之间“优势互补”。因此，天性浪漫单纯的女孩子天生喜欢成熟的男性。

余安安，外企业文秘

女人们从心里喜欢成熟的男人是自然而然的事。当然，不同时期女孩子心目中的成熟男人的标准也大不一样。以往女孩子大都喜欢被权力证明属于成熟的男人，如今商品社会，更多的则喜欢被货币证明属于成熟的男人。

林翊君，幼儿园教师

军人历来是女孩子们羡慕的对象，因为军队是把“生铁”炼成“好钢”的地方，军人们有着坚毅成熟的共性。其实，何止军人，从人类学的意义上说，正是这种成熟的向往，让人类摆脱了蒙昧，走向了文明。

龚晓琪，大学生

茫茫人海中成熟的男人是独特的一个，你一眼就能认出来，而且使你为之一振。其实他并不完美，细细看来还有这样那样的毛病，但瑕不掩瑜，他的底蕴和内涵，他的人格和品德，他的智力和才华，形成了他不灭的光辉和永恒的魅力。

金瑛，售货员

女人们看男人的方法大都具有女性的特点，她们的方法看似不科学，却屡试不爽：能看透女孩子心思的男人大都是一个成熟的男人喽！女人的直觉是最了不起的武器。

钟秀玲，报社编辑

尽管现在大家都知道男人很柔顺、脆弱，也像女人一样需要时不时地大哭一下，社会（尤其是女人），包括男人自己仍然期望男人具有某些东西。比如，比女友精明能干，能挣钱，会花钱；懂得国事家事天下事；要健壮勇敢，要有不怕牺牲精神，敢于舍命救美；待人接物潇洒得体，大体上得像个外交官；另外，要懂得体贴女性，在生活上也要有情趣，包括性……现在许多女人都在用这把隐形的标尺衡量着男人。

曹慧敏，导游

一个成熟的男人他应知道自己肩上的担子有多重；他的意志是钢铁般的，自己就是把牙咬得流血也不肯喊一声；即使被外力折磨得体无完肤也不向妻子儿子吐露半点愁苦和伤痛。男人这种真正意义上的成熟可以说是哲学品位上的一次升华，一种脱俗。

肖敏，OFFICE 小姐

就像人类生活离不开空气、阳光和水一样，成熟的男人也是这个社会和女人们需要的。我只青睐于成熟的男人。

杨秀琴，公共汽车售票员

当今社会，我们——女人和男人都不好过，急剧多变的生活，往往让女人们难以招架，她们指望成熟的男人或可成为一把遮风挡雨的保护伞。只可惜，现在能充当女人保护伞的男人实在少得可怜。许多男人的“成熟”只是一种假象而已，男人们连自己都保护不了，还能指望他们去保护我们女人吗？算了吧，我对所谓“成熟的男人”一点也不“感冒”。

彭卉，电视台记者

我接触到这样一些“成熟的男人”：表情木讷、城府极深。他们“成熟”得整天耷拉着一个灌子铅似的脑袋，在办公室里若有所思地踱来踱去；愁眉紧锁，求稳不求进，一锥子扎不出血。他们自以为这是一种“成熟”，我看他们是患了严重的“办公室职业病”！还有一种“成熟”得过了头的男人，最善于“造假”，也最具欺骗性和危险性。这些人大都在仕途和商界小有成绩，满脸的道貌岸然，可转到没人处就会变得寡廉鲜耻！这些所谓“成熟的男人”还是少有或没有更好！

冯军，大学生

成熟有什么好？成熟是一种定式，是不再有青春活力的同义词。什么东西一成熟就要循规蹈矩没有生机了。我不喜欢年纪轻轻的男人就那么成熟，多烦人！

李丽菇，保险推销员

男人不成熟哪行？男人要承担起社会和家庭的担子，一般经过“再教育”的男人都会成熟起来的。

刘昕，银行工作人员

在《怜悯与自然》一书中。西奥多·艾萨克·鲁宾博士说过这样的话：“绝大多数男人……不可避免地跳不出男性神化的框框，被有关男子气的那种混乱不清的观念压得透不过气来。因此他们许多人性特征和宝贵的东西被禁锢得如此之深以至那么不可缺少的‘人’的感情已寥寥无几。”看到这儿，我不禁手心出汗头皮发麻。中国男人不也恰恰如此吗！他们迫于一些社会规范的要求，自己把自己折磨得够呛了，我决不给我的男友再加一些无谓的枷锁了！

郑秀，护士

男人像一本书。我不喜欢那些让我一览无余的男人，但我也同样不喜欢让我怎么读也读不懂的男人。男人成熟一点好，但成熟得过了头的男人同样可怕。

男人认为

周文亮，机关干部

联合国教科文组织公布的数字是，年满40的人为中年人。也许成熟对于男人是一种年龄的累加，40岁，应该是一个成熟的年龄界线吧。

李斌，报社编辑

在我眼里，大多数的男人都具有双重的性格特征，内在和外表的对立统一，在绝大多数男人那里表现得淋漓尽致。有的男人思想上很成熟，但做事却很幼稚；有的则恰恰相反。但这些或许正是男人们的“缺憾美”。有的文友曾经这样问我：感觉你挺成熟的一个人，为什么总写少男少女题材的诗歌——言下之意，我不成熟。我说：成熟的人也做幼稚的事；成熟的思想也可写出幼稚的诗。

刘振峰，出租车司机

成熟是一种气质，一种男人气，深沉，是要素。成熟也是一种过程，一种生命的过程，从不完美到完美，

谢平，自由撰稿人

成熟对中国男人而言，它表现在诸如诚实、稳定、成功、重感情等诸多方面，对外国男人或许表现在博学、幽默、会生活等等，不同的人文环境下，造就着不同形态的成熟男人。

周实，广告策划员

人们从心理上可能要喜欢冷艳凄美的林黛玉，但现实生活中肯定会更接近成熟圆润的薛宝钗。为什么？因为这是一种存在的需求。女人看男人更是如此。时下，成熟已经成了男人们的一种时尚，简直到了不成熟不行的地步，试问：哪个小子敢不成熟？

雷宇峰，大学生

成熟不是一个好东西，有时它可能是生命的杀手；成熟和浪漫结合的男人，或许才是一个完美的男人。

孙景祥，作家

我曾写过一篇文章叫做《拒绝成熟》。我认为成功的男人不一定成熟，而成熟的男人不一定成功。克林顿怎样？有人评价他是一个“不成熟的大男孩”，但这并不妨碍他当总统。成熟对于男人，如同果实对于植物，是终结的前奏．是死亡的征兆。

张荣久，酒店保安

随着年龄的增长，男人们注定要处理各种各样的事，解决各种各样的问题，这无疑需要他们的洞明世事，练达人生的能力，也就是他们的成熟。成熟有时是一个不由自主的过程。

黄群，军官

“英雄识英雄”。有了一些成熟的朋友或同事，是男人们的一件幸事。和成熟的男人在一起，有如置身于一个巨大的向上的磁场，对自己的人生是一种激励。

洪水，自由职业者

在社会和女人的夹击下，催化出很多半生不熟的中国男人。这些被异化男人是很可悲的。

安东，社科院研究员

既然成熟的男人大都是那些有责任心、有事业心、有所追求的男人，成熟是一件挺不错的事。不过我这有这样一些并不让人乐观的数字：在发达的西方中国家，男人的平均寿命要比女性短六七岁。哈佛大学的一项研究更显示，65 岁以上人口的男女比率为 100：145；谈到自杀，美国的一项统计是，24 岁以上的成年人，男人是女人的 3 倍，65 岁以上则增为 5 倍，当面对失业时，男人的自杀率更是女人的 12 倍！在日本，对男人们而言，“工作狂”和“过劳死”正困绕着他们。此外还有几个有趣的数字。台湾一家机构最新调查显示，男人尽管比女人会赚钱，但女人用钱远比男人要多得多。还有一件你可能感到意外的数据，婚前变心的比例女性 32％，男人则不到女人的一半，只有 15％！，看到这些数据，我只剩下为男人的性别悲哀的份儿了，哪里还有什么心思去想自己成熟不成熟呢！

季海，个体户

如果有人说我是一个成熟的男人，那我会直言不讳地告诉他：“你看走了眼。”我认为自由才是男人天性中最可宝贵的东西，用自由换成熟，这正是诸多“现代文明病”的基因，我不干！

麦迪，报社记者

有人说，男人是永远长不大的孩子，或许女人的调教会有所裨益？好女人是男人的一所学校。

文泓，外企雇员

男人自有男人的天性。女人们或许对男人会有一定的影响，但男人终究会长成什么样的德行，女人左右不了。

齐明阳，机关干部

好女人对于男人来说，如同如来佛对于孙悟空：纵使你有千般本事，焉能逃脱出如来佛的手心。男人成熟与否，就看女人们如何打造了！

成熟只是女人悬在男人面前一枚可望不可及的果子，别刻意为它死去活来，该咋活就咋活得了。

金泽健，大学老师

男人，都想人模狗样的，尤其愿意让女人用“成熟”来形容，好象女人一将这两个字扣在自己的头上，就“男人”了。其实啥叫“成熟”？还不是女人悬在男人前面的一枚可望而不可及的果子？为了它，男人们累了贼死，还屁颠屁颠的。

也不知是男人还是女人来了句：男人靠征服世界而征服女人，女人靠征服男人而征服世界。好家伙，男人找不着北了，觉得自己很是成熟。其实累了半天，还是让女人给征服了，还随之双手送上征服来的世界，整个儿——“买一赠一”，让人卖了还帮着查钱呢。哎，把自己的愚笨当聪明，把女人的聪明当愚笨，傻帽儿一个。

为了让女人说句“成熟”，男人硬是自己压迫自己，舍弃了很多“人”的本原，就心甘情愿走上竞争苦斗的歧途。男人要与天斗，与地斗，与人斗，回过头来还要与自己较劲儿，明明心里难受却要面带微笑，怕女人说自己不成熟。男人即使流了眼泪也愣说是汗珠儿，因为女人说：男儿有泪不轻弹，破折号，“男儿”特指成熟的男人。女人还说有品位的男人才叫成熟的男人，为了表示品位，男人穿上胸前有个小鳄鱼或小兔子的衣服就觉得腰杆倍儿直，虽然口袋空了。面对是是非非，若是含含糊糊，女人会说你没血性，不象个男人，好容易冲上去主持正义了，正自以为得意地等待女人的喝彩时，却突然被一同性上司拍了一下肩膀儿：你小子还没修炼到份儿，太不成熟了。前些阵子，高仓健被女人爆炒，就有很多男人也胡子拉茬，板板个脸，电视剧《上海滩》一火，街上就呼呼啦冒出许多歪戴礼帽、吊儿郎当的“许文强”，也不知女“程程”是否真能看得上！想不到还有这么多拽着时髦尾巴跑的男人，你说累不累？

苞米熟了，得让人掰下来吃了。这男人要是成熟了，遭受女人打击的时候也就到了，也许远处的女人还在赞美你，可远观你的女人再说你“成熟”又能怎的？就好比大热天长了身痱子，即使你知道北极有冰山，那又如何？痱子还得长，这身边打击你的女人是你身上的痱子，你得受着。你比如说赚钱吧，你一无所有，咋能让女人说你“成熟”，想赚上点钱吧，女人又会说你就知道钱，不懂感情，俗气！没踩好点，一不留神又砸了。

早知如此，何必当初？为啥要成熟抑或假装成熟？该咋活就咋活着得了！

张扬，作家

如果说，一个情窦初开的少女，对自己心目中“白马王子”的身上是否应该具有成熟成分，还不那么明朗不那么执著的话，那么对一个社会来说，成熟的男人或男人的成熟就绝不是一种可以忽视、可以或缺的元素。

什么是男人“成熟”？叫起真来，注定人言人殊。而且男性有男性看法，女性有女性评价，很难趋同。但有一点想必不会有异议，那就是男人的成熟，是基于男性生理成熟、心理成熟基础之上的一种社会评价、社会规范，或者说是一种社会需求。

难说“成熟”是个谜人的字眼，但说迷人的男人具有成熟的意味，大体不差。把男人的“成熟”条分缕析、充分量化，可以理解，效果却未必理想。比如理想人格中诸多要素，正直、谦逊、勇敢、善良、诚恳、忠厚、果断、干练、机智、豁达、深刻、朴实、幽默、理智等等，似乎都可以归在“成熟”的麾下。于是成熟的男人就可能被等同为优秀的男人或理想的男人，而男人中的绝大部分都无法体现这种成熟。这倒不必悲哀，一个男人，只须体现出成熟内涵中的部分，也就可以了，所谓“金无足赤，人无完人”，说的也是这个道理。

其实，成熟首先意味着一种责任。一场战争过后，家园化为废墟，举目望去，一片苍凉，在幸存下来的人群中，多是老人、妇女和孩子的面孔。成熟的男人哪去了？成熟的男人牺牲了。战争中的男人负有保卫家园、保卫妇女儿童的责任，谁若放弃了自己的这种责任，别说“成熟的男人”，恐怕连“男人”也算不上了。和平时期当然也有牺牲，只不过不主要体现在牺牲使命上罢了。男人的责任在于建设，建设国家，建设家庭。尽管整个社会提倡男女平等，但男人确实有责任使家庭经济有保证，子女受到良好教育。对妻子当然也负有重要责任，只是说得太具体，容易受到“女权主义者”的攻击，不说也罢。

成熟显示出一种修养。有人说：知错认错的人是聪明人，不知错认错的人是结了婚的男人。结了婚的男人成熟了，才做得到不知错认错，一个家庭内部，哪有那么多大是大非？多半是无法“上纲上线”的鸡毛小事。女人又天生是感情动物，得不得理，均不让人，男人若不理智些，针锋相对，反唇相讥，所谓“爱巢”顷刻间便会变成“火药桶”，弄不好还做什么比翼鸟，干脆各自飞。男人的成熟堪称男女之间情感润滑剂，或者女人脾气的柔顺剂。化干戈为玉帛，破啼为笑、皆大欢喜。

成熟标志着一种境界。在商品经济社会，一方面人们极力显示“爱心”，小心“呵护”，处处“温馨”；另一方面，人们也主动投入或被动卷入竞争之中。竞争是社会发展的动力，众所周知。但由于竞争者的素质、游戏规则不尽相同，往往会对人们心灵造成伤害。男人的成熟须拥有健康的心理。而心理健康的一项标准就是在人际关系中能谦让。生活中口口声声称男子汉的人不少，平时倒也和和气气，脉脉温情，一到关键时刻，一涉及到切身利益，便做手脚，耍心眼，恨不得拔刀相见。这样的心眼难说健康，这样的男人也难称“成熟”。

在这个社会，最受宠的是女人，最累的还是男人。男人的累，在某种意义上显然同社会要求的成熟有关。日本男人是世界上有名的“工作狂”，假如真有来世，日本男人想变成什么，在接受调查的人中，多数男人表示愿做一只小鸟，充分享受心灵及身体的自由；选择投胎做女人的占第二位。这些男人表示，他们愿做家庭主妇，中午享受一下小憩，松驰一下紧张的神经，一天操持三餐，不必为生计操心。日本男人的这些愿望，很容易让人想到成语“小鸟依人”。而“小鸟依人”对中国男人来说，是不为社会认同而个人也无法说得出口的情态，甚至可能被斥为“无”。

有百利无一弊的事情世上不是存在的。男人的成熟也不例外。男人成熟的过程，就是一个使自身不断就范的过程。既要就范，就必须丢掉一些东西。男人的成熟要求理智，理智胜利多半要以感情屈服为前提。成熟男人应该正直，而现实中却往往是崇高者的墓志铭，是卑鄙者的通行证。成熟男人应该忠厚，而鲁迅早就说过“忠厚是无用的别名”，老实人是否吃亏根本不是一个理论问题。成熟的男人宜幽默，幽默是一种人生智慧，前几年一些国家女性将其放在评价男人素质的首位，而随着经济形势紧张，女性又把经济收入列为男人能力的首位……诸如此类，不胜枚举。再从反面一想，果子成熟了要坠地，男人还要不要、敢不敢成熟？成熟又是一种责任，更是一种代价。社会进步肯定是要付出代价的。也许付出代价就是男人的成熟。时至今日，男人已毫无退路，莫不如拿出“我不下地狱，谁下地狱”的勇气劝勉自己：我不成熟，谁成熟！

男人眼中的"逆境"

逆境是人生的一部分，可以说每个人都会面对逆境都曾面对逆境，但对于每个人而言，逆境的涵义大不相同。妻离子散是一种逆境，失恋是一种逆境，升不了官发不了财也是一种逆境。究竟什么样的人生情境才算是真正的逆境，完全要看个人的人生经历。怎样面对逆境，更是非常个人化的事情。一件非常小的事情，在有些人那里可能就会演化成一种无法逾越的重大人生障碍；一件在常人看来可能非常严重的事情，在有些人那里又可能不足为外人道。在这方面，常常会显出一个人的人格、修养方面的魅力。

众人杂谈

乔斯年，36 岁，私营企业老板

提到这个话题，我首先想起一个很有趣的故事。有人问一名登山运动员："你为什么登山？"这位运动员的回答很妙："因为山峰在那里。"这个回答透出一个哲理，我很喜欢。用什么来比喻逆境？就是登山最合适，登山有顺境吗？没有，这就是人生。

人生就是登山。人生可以说步步都是逆境，也可以说没有逆境。关键看你怎么对待。老婆跟你闹离婚是逆境，老板给你穿小鞋也是逆境。可是你要用登山运动员的心态来看，这都不是逆境。这都是人生的一部分。人在没经过某种情境的时候，总会觉得“那该怎么过呀！”可是一旦你面对了那个特定的情境，它自然就过去了。

比如说我吧，文革一开始，我就被“送进了”“学习班”，进行“思想改造”。当时我是厂里的老师，厂长、书记都是我的学生。大伙儿都管我叫老师，我觉得很有面子。进了学习班叫我最无法忍受的是每天去食堂打饭，因为我们这些人去打饭时必须要排着队从厂门口经过，要低头“请罪”。我感到面子上很过不去，所以就从来都不去打饭，而是让“牛棚”里的难友帮着带个馒头什么的凑合一下。可没过一个月，我被揪到大礼堂批斗了一次，还挂了个大牌子。这一斗，我的什么面子也没了，反倒想开了，第二天就和别人一起去食堂打饭了。我想，人生没有什么过不去的坎，在大会上挨批斗都挺过去了，在人前走过去也就不感到太丢面子了。

实际上，有些时候活着比死更艰难。当然，死需要勇气，但是死毕竟是一了百了。可以获得解脱，而活着就要忍受，我觉得，在那种特殊情境下要想想登山运动员就行了，想到他就会明白一个道理：人生其实无逆境。因为逆境本来就是人生的一部分嘛。人真正经过了大苦大难之后，也就无所谓什么逆境不逆境了。

庄重，45岁，机关干部

我自己对待逆境的办法是，把自己降半格或降一格。

1983年选拔干部时，我被调到团市委工作，经常在大会上给人家做报告什么的，当时确实很风光，很潇洒。可正当我踌躇满志的时候，上面下了个文件，把我发配到蔬菜公司工作，还有个括号注明是看仓库。我受不了，要求去文化馆。当时那位女办事员绷着脸说："给你分配就不错啦，还提什么要求！看仓库不也是革命工作吗？"那好吧，后来我也就想通了，看仓库就看仓库，有什么了不起。我也没啥怨言。咱这人本来也就没什么了不起的嘛，既组织分配的事，不管怎么样，都得干好。

我就是这样，我对一切都能适应。我不能说"承受"，只是"适应"。我总觉得，人生道路很漫长，好事不能都让你占完。再说呢，咱比人家也不强，降半格来处理也就行了 。所以我经常比喻说，人家8个人一桌在那里吃饭，我可以再加一个凳子，当那第9个人；或者人家开会，邀请我去旁听，这也就不错。我都很情愿，都很心安理得。我总是让自己正确对待自己。

胡永嶙，47岁，文学评论家

其实，人生下来就是逆境，就是与死亡斗争的过程。

我3岁患胯关节结核，不能走路，整个身体用钢架子支撑着。那时候也治不了，治不起。因为治病要用"盘尼西林"，就是现在的青霉素，那得从美国进口，根本就进不来，进来也买不起。后来就那样也活过来了。后来又当了8年下乡知青。恢复高考后，我参加了考试，可是，录取通知书下来了，学校却不让我报到，理由很简单：身体不合格。最后，费尽了周折，我还是上了学。我觉得，人生必须要逆境而上。郭沫若说："沧海横流，方显出英雄本色。"男人世界里如果没有逆境，就不能算是真正的男子汉。

我还相信，大难不死，必有后福。这不是宿命论，而一种信念，一种人生态度。福不是指发大财，而是指在苦难中学会了生存。

1991年，我得了癌症。当时心情当然也紧张，可是等确诊住进医院后一看，那些患癌症的病友既有六七十岁的老人也有十几岁的小孩。当时我就想，那些孩子，还没享受到人生的乐趣就患了绝症，和他们相比，我死又何足惜？再看看那些老人，他们尚有求生的勇气，我不是更应该有生存下去的信心吗？

孙少钢，27岁，公司部门经理

我的想法很简单。我认为，对于弱者来说有逆境，对于真正的男人来说是没有逆境的。

我有一个朋友，各方面一直很顺利，有一家公司还准备聘请他当总经理。后来，他出了一次车祸，被公安局抓起来一段时间。经过这次应该算是逆境的打击，我们都以为他会变得更加沉稳，更加成熟。没想到，他出来后整天怨天尤人，认为所有的人都对不起他。我们周围的朋友都对他很失望，感觉他只是一个弱者，还不算是真正的男人。一个人既然要向上，他肯定要克服很多苦难。男人要想成功，他必须像唐憎取经那样，经过九九八十一难，才能取得正果。所以，我有一种感觉，把逆境整天挂在嘴边上是很可笑的，真正的男人是没有逆境的，逆境只是弱者的事。

满江，43岁，机关干部

我认为人生有逆境。因为我不是大人物，可能我也不算是“真正的男人”吧，我觉得人生就像过红绿灯，顺起来一路绿灯，不顺时一路红灯。

我出生在一个非常偏僻的山区。在我上小学的时候，父亲被打成了右派，44岁时就去世了。由于家庭出身不好，上学、参军、招工都没有我的份。13岁时，我就出去流浪，去了大西北。

当时母亲给了我40元钱。为了省钱，我一路上只吃咸菜、喝开水，造成严重的营养不良。一个风雪交加的夜里，我走到一个饭店门前，想躺在那里人家不让躺，想进去要点吃的人家也不让进，后来总算在另一个单位门口睡了一夜。在那一段时间，我找工作也找不着，无亲无靠，为了生存忍受了不知多少屈辱。逆境的时候，谁也不愿意接纳我。那时，我的舅舅在家乡一个厂里当炊事员，我去找他，他拿起一个馍塞给我，马上赶我走。我的表哥在一个县里当局长，我想去他那儿找点儿活干，他从身上摸出5块钱递给我，说：“给给给，快点儿回家去吧，以后别再来找我。”我说：“我以后再也不会来找你了。”我确实不会再去找了。这两件事对我的刺激非常大，成为我以后人生路上的巨大动力。

对强者来说，逆境就是动力。

这些年的逆境，我观察到一个现象，就是“优汰劣胜、强内弱食、柔能克刚、弱能胜强”这十六个字。越是在优良的环境中，你遭受淘汰的机会越大，反而是在恶劣的环境中，能培养你坚韧不拔的生命力。那些年我学过医，学过裁缝，拉过二胡，干过许多事。人家出一分力，我就要出十分力。后来我有机会上学，学习非常努力。6门课程有5门满分，又经过种种努力，我逐步实现了自己的人生价值。

生活在对我开了许多年的红灯之后，又为我亮了一路绿灯。通过这么多年的人生，我得出了三个感悟：红灯不能闯，绿灯莫要停；穷居闹市无人问，莫怨；富在深山有远亲，莫狂。逆来顺受，奋力行舟，我桨不停，彼岸可达。

彭军，26岁，公司部门主管

我比较年轻，和父辈们的经历相比，我也许算不上有什么逆境。要说有，也只能算是生活中的一些困难吧。

小时候，我家条件非常差，小孩子也要跟着去地里干活。我们老家种水稻，田里有很多蚂蝗，而我很怕那东西。我整天都在想，怎么能逃出这个环境呢？为了逃避劳动和摆脱家庭的贫困，我选择了上学的路。大学毕业后，我分到一家科研单位。这里工作条件很好，我还负责一些项目，也应该算是有前途。但周围各种风言风语实在叫人受不了，有忌妒，有眼红，有无事生非，有缺乏理解。我觉得这就是困难，所以我选择了“跳槽”，离开那家科研单位，到现在的公司工作。在我来说，跳槽就是走出了逆境。

我认为，对待逆境可以有三个层次：一是正确面对，二是想法适应，三是跳出。

吴宏林，33岁，建筑工程师

我认为，人生的逆境分为几种。逆境是相对于个人的，个人因能力不一样，对逆境的感受就不一样，而积极的人生观是我们生活的关键，是面对任何逆境的前提。事实上我们每个人一直都是在和命运抗争，在好的时候要想到更好，所以你永远是在逆境中，永远是在摆脱逆境的过程中。笼统地说，人生有大逆境、中逆境和小逆境。一般来说，人生经过大苦难、生与死等等挫折之后，会大彻大悟。大逆境成就大人物。但逆境是相对的，人不可能总倒霉，也不可能百事顺利。

人生是一种拼搏，对什么都要有一种不甘心不服输的念头，好的时候要更好，不好的时候要争取做好。比如我们去进行一次谈判，有时候一百万元的生意，成功了皆大欢喜，不成功就很丧气，痛苦极了。从某种意义上说，这也是逆境。还有时候逆境是自己找的。我有一个朋友，上学时我们总在一起。有一次我们正在一起看书，他忽然把书扔了出去。我说你干什么呀，你神经病似的。他大发其火，埋怨父母，你们把我生在中国干什么，为什么不把我生在美国、法国、意大利呀？让我还得看书，还得费劲去竞争考大学！可是他就不想想，美国也有要饭的呀，意大利也有露宿街头的呀！中国也有住花园洋房的呀！何况他的父母还是大学教授，他的家庭环境和很多人比起来已经是相当不错的啦。这给我的感觉就是自己给自己制造逆境。你为什么不自己努力去创造生活呢？再换一个角度看，你要生活在偏远地区的农村又该怎么办呢？

所以，逆境有两种情况，一种是自然的来自外部客观环境的，一种是人为的由自己的主观因素造成的。我主张，人要学会适应或战胜客观环境造成的逆境，更要学会避免主观因素造成的逆境，既来之，则安之。必须现实地对待自己，对待环境。这就是我的基本看法。

姜海涛，大学教授

我仔细想想之后，发觉这是一个非常深奥的话题，也是一个普遍性的话题。

首先，逆境和顺境是一个普遍问题，每个人都有，很现实。好像你们（采访者）都是已经走出困境的人，在笑谈困境。我觉得，其实你们当中也许有人正面对困境，正处于逆境当中，或是即将面对逆境。对于逆境，我觉得从总体上可以分为三类：一种是社会性逆境，一种是自然性的逆境，还有一种是介于社会性和自然性之间的，比如个性的、情感性和自然性之间的，比如个性的、情感性的原因造成的逆境。从分类中我们看到，逆境，它是成长中或者前进中的人所碰到的阻碍。逆境有积极的一面，也有消极的一面。对于成功的人来讲，逆境的积极面是主要的，因为它是动力。但也要看到，并不是每个人都能从逆境中摆脱出来，都能获得新的发展。有很多人在逆境中超脱出来的，获得升华的。逆境既然是每个人都无法避免的，都需要面对的，从积极的价值上讲，它就是男人成熟的必要条件，也是男人成功的必要条件。男人在克服种种困难之后，会变得成熟。

男人要体现自己的价值，就必须在逆境中磨炼。克服逆境的过程，也是男人检验自己的素质、价值和心理能力的过程。当然不是要每个人都刻意去制造逆境，但当逆境来临时，我们要努力去克服它，并从中得到乐趣。

我刚才提到的几种逆境，我自己都有所经历，还可以说都比较严重。就说生病，几年前我打球时扭了一下，到医院去看，结果碰到一个庸医给治反了，治成了那种弯腰90度的椎间盘突出症。我说我得的是“卑躬屈膝症”，每天24小时，就不能保证有任何一个姿势会不疼。有一个星期，我因为疼痛一直处于半昏迷状态。后来又去了几家医院，用各种方法治疗，最后还是住了9个月医院做牵引，忍受了很多痛苦。病好之后，我也没有怨天尤人，也没有去找那个庸医算账。我把这看成一件很偶然的事情。我在婚姻方面的经历也是很复杂很艰难的，这里先省略不谈吧。我再说说我考大学的事。第一次考试，我还是一个民工，正在一个水利工地上干活，就报名参加了。结果考得很差，使我非常痛苦。我后来就找到一个看仓库的朋友，让他把我锁进仓库里读书，连吃饭也是他给我送进来。就这样学习了三个月，后来终于考上了大学。

说到如何面对困境，我认为困境有两种，一种是可以预见的，比如面临死亡的人，比如运动员在比赛时；一种是突如其来的困境，像我们刚才说的那些逆境大部分都是这种。

说到生与死，我经历过一次车祸，头部几处受伤，血几乎是在往外喷。在医院缝针时，我坚持不让医生打麻药。我可以清晰地听见线穿过皮肉时的声音，那种疼痛没法形容，但我始终坚持着，一声也没有喊叫，连医生都说没见过你这种能忍耐的人。手术后，即使大小便，我也坚持不在病床上，而是非要到厕所去，自己走不了也要让人把我架到厕所去，因为有一种精神始终支撑着我，只要我还活着，无论什么时候，我的精神不能垮。

女孩，你想嫁给谁

俗话说：物以稀为贵。在男女比例失调愈发严重的今天，总能听到一些大龄的男同胞的感叹：现在的姑娘，你想嫁给谁？

这是一个敏感而又不容回避的话题。

现代社会，新潮的思想层出不穷。在人们的婚姻观念中，同样也涌动着形形色色的暗流。“男人只有一次投胎的机会，而女人却有两次，那就是通过婚姻。”许多女孩就想通过婚姻来改变自己的命运。

采访了不同行业的未婚女性，这些女性有的有了意中人，有的还在等待心目中的白马王子。

聆听她们的心曲，我们有理由相信：随着时代的发展，一种健康的、以两个人的感情和共同志向为基础的婚姻观念，一定会在越来越多的年轻人心中扎根。

为尊重当事人的意愿，我们在此隐去了他们具体的工作单位和真实姓名。

嫁一个有情有义的人

欧阳菲，24岁，外企雇员

我要嫁一个有情有义的人。

中学里，看过许多浪漫感人的爱情小说。在大学的时候，我也曾经历过一次纯真的浪漫之旅。

工作以后，耳闻目睹了周围许多朋友、同事的生活实例，我对爱情和婚姻有了更深层次的理解。我不想再找那些含情脉脉、一副铁骨柔肠的情种，这种浪漫热烈不足以维持一世的婚姻。

我也不需要飞黄腾达，整天疲于奔命的所谓成功人士，而事业是男人的生命，以及“有事业的男人通常很难顾全自己的家”这样的口头禅成为了他们夜不归宿的托辞。但如果一个男人连小家都理不好，又何以理大家？所以，对于这样的男人，我也只好望洋兴叹。

我还是觉得嫁一个有情有义、正直上进的平凡男子才是自己最好的归宿。首先，是他的品质。他有一颗爱心，与这样的人一起生活，每天有一个真正关心我的人与自己作伴，那么每一天都会过得踏实，过得幸福。其次，是他对待事物的态度一定要积极认真，因为上进的心态是维持男人精神的动力。如果两个人能够互相依靠、互相支持着共同发展，那确实是一件美好的事情。

我现在有一份不错的职业，所以，并不需要凭借一个非常“成功”的丈夫来自我满足和炫耀。我觉得两个人共同奋斗的经历，对我来说比依靠在一棵大对下乘凉更有滋味。

每个女孩子想要嫁的那个男人是不同的，而我想象的那个人，是一位善良、正直、上进、充满爱心的平凡好人！

嫁一个疼爱自己的人

顾丽，22岁，高中，私营企业推销员

现在的女孩该嫁给谁？

我理想中的“白马王子”，他不但需要具备雄厚的经济实力，还应当具有体贴入微的男人的豁达风度。当然，这样的丈夫很难寻觅。我不在乎年龄差异，年纪大点也无妨，都说成熟的男人会含情脉脉地善待小女人。大街上，许多小女孩情意绵绵地倚在“老丈夫”身旁，让我羡慕得不得了。我想，女人只要有人疼，足矣。

一年前，我“跳槽”走进了一家私营企业，我的业务是推销不锈钢厨房用具。由于频频接触，企业的“最高长官”叶老板待我非同一般，需要用车，我只须打个电话；需要活动经费，我可以“先斩后奏”，时不时的邀我去歌舞厅唱唱“OK”，跳跳“伦巴”，吃吃夜宵，所有花销他全“买单”。

我自然知道叶老板这样待我的目的，我也仔细考虑过我们之间的那层关系。说实在的，我很佩服他这样一个识字不多的农村庄稼汉到城市打江山的英雄气魄。也敬重他虽然身为老板，但对我从来都是非常尊重，不是那种盛气凌人的样子，更不用说像别的老板那样倚仗着权势对手下人动手动脚了。然而，他今年毕竟已经39岁了，以前在乡下也曾有过一个比他小5岁的妻子，尽管现在已经离婚了，但这一事实总像一片阴影，笼罩在我

的心头，让我迟迟下不了做出选择的决定。

我自忖自己也不是一个嫁不出去的女孩，如果我真的选择了叶老板，那我肯定会受到来自家庭、单位乃至社会的许多压力，会有各种各样的闲言闲语向我袭来。但是我们彼此通过相当长一段时间的接触了解以后，我对叶老板的人品以及为人有了更进一步的了解，我觉得他是一个靠得住的人。我终于打消了对于他的年龄、以及曾经有过一次婚姻的顾虑，毅然决定和他走到一起。

当一个人看到自己的幸福归宿就在眼前的时候，我想绝大多数女孩都会不顾一切世俗偏见去追求的。

嫁一个平凡的人

何稚珊，28岁，图书管理员

在我还非常年轻的时候，若有人问我想嫁什么样的人，我会毫不犹豫地答以“我爱的人”，不屑于描述他的职业、家庭收入等等具体的现实条件。在我浑沌的情感里，他可以是一个才华横溢但一文不名的人，淡泊宁静，安于清贫，又或许是个外国人，我可随他走遍欧洲、南美、北非等等我所梦想的国度他，当然也可以是个富有的人……只要有爱情，婚姻当然是幸福的，怎能以世俗的眼光来衡量呢。

发现自己的幼稚自然是在步入社会以后，置身在这个繁华的都市中，我身不由己地被物质所诱惑，我开始信奉“金钱不是万能的，但没钱却是万万不能的”。金钱诚然买不到爱情，然而，昂贵的名牌服装能增添男人优雅的气质；高级的消费场所中，衣香、倩影、灯光、美酒，无一不在营造浪漫的气氛，倍受女人惊喜的礼物，暂勿论名车豪宅、钻戒晚装、香水玫瑰花……许多产生爱情的条件，钱，可以做到。没钱，连感情都不细腻了。不见得没钱的男人一定会为你忠贞不渝。年轻的我是如此虚荣，物质可以给我带来极大的满足与快乐。从极端的爱情至上，我走向极端的现实主义。我太重视环境对人的影响力，贫贱夫妻百事哀。我再也无法欣赏一个满腹经纶却要女朋友付帐的男人，更不会与一个穿戴寒酸的男人发生爱情。我并不讳言自己想嫁的是一个大款，我梦想着成为一名贵妇，在他的企业里施展我的学识和才华。

然而，周围的大款们，我看到的，却不是与他们的财富相匹配的理想人格。如同太多经不起物质诱惑的女孩子一样，大款们也大多逃脱不了美色的诱惑。腰缠万贯的男人，吃着碗里，看着锅里，而他们要求自己的妻子对他们保持绝对的忠诚；大款们欣赏 OFFICE 里充满活力的干练女性，却几乎都不赞成自己的妻子参与他们的事业。多数的大款除了谈不完的生意忙不完的交际，在文学艺术方面绝对谈不上有多深的造诣；大款们因为知道自己有钱，举手投足莫不透着强烈的优越感。此外，在大款们雄厚的资产背后，通常有着巨额的贷款。想嫁大款的我，意味着我将面对的是必须容忍丈夫的不忠实，忍受没有丈夫陪伴的寂寞与孤单；放弃对事业的追求，终日以泡美容院，疯狂购物或搓麻将为生；与丈夫没有共同语言，除了可赚钱的生意与可花钱的潮流之外简直没别的可谈。难以沟通；由他供养的生活，必须抛开自尊，仰他鼻息，蒙他不弃，而你为之努力的金钱，写着你名字的的房契、车契，有可能在一夜之间因商场诡谲的风云而失去，还真应了“福祸旦夕，富贵于我如浮云”。

在拒绝大款之后，我的择偶标准渐渐倾向于那些出身较好、学历高、职业高尚的男士。钱，不必太多，但得维持一定的生活品质。我理想中的婚姻是夫妻有着相同的文化背景、志趣和生活方式。然而，这一次，我的如意算盘又打错。此类男士大多供职于外资企业，品味、谈吐都不俗。可他们一般自视极高、恃才傲物，少有安于现状的，总觉得自己该得到更多，对名对利的追逐比大款更甚，甚至连选择伴侣都考虑是否对自己的事业有帮助。急功近利，不择手段在他们优雅的外表下表现出极不美丽的性格。因为是站在时代前端的一群，优越还是一样的优越，许多家庭环境很好的男人，从小养尊处优；根本不懂得照顾别人。虽然他们收入不菲，因为一切来得并不太艰难，他们对于时尚的兴趣远远大于对家庭的责任。他们是绝好的谈话的对象和玩伴，但却注定不会是一个好的丈夫。

现在的我已到了二十好几的年纪，岁月再经不起蹉跎。我开始觉得，平凡的婚姻生活未必不能满足我。我想嫁一个对家庭有高度责任感的男人，或许在效益好的国营企业工作，工资福利都好，分房、升迁有望，也不必觉得男人围着老婆孩子转就是没出息。过日子，毕竟还是婚姻的主旋律。

嫁一个可以托付终身的人

周桦，30岁，中专，针织公司技术员

都说现在社会进步了，以前的那些陈腐的观念，什么“从一而终”啦，什么“嫁鸡随鸡、嫁狗随狗”啦，如今都已被人们抛到九霄云外去了。因此，对于许多女孩子来说，她们已经不同意把婚姻看作是生命中唯一的一次了。我们单位有一位大学毕业刚分配进来工作不久的女孩子。在一次私下里闲聊的时候，就这么直言不讳地说：“婚姻对我来说就像是摸着石子过河，因为我们谁都无法对将来作出保证！”

尽管我自己认为在其他方面还算得上是一个走在潮流前列的现代女性，但在婚姻观念上我却远没有达到如此新潮的地步，我依然是将婚姻看得很重。虽然没有人逼着我这样做，但我依然将它看作是我生命中的唯一。我不愿意将自己的婚姻仅仅是作为一次尝试，作为一次经验的积累。

很难让我现在就具体地描绘出我理想中的爱人是什么模式，因为我觉得任何理想中的形象跟现实总是会有距离的。

也曾经接触过几个男孩，有自己认识的，也有通过朋友介绍认识的，但总体来说可以厮守一辈子的对象暂时还没有找到。所以我还是要等。尽管我也不知道这等还将延续多少时间，但我相信总有一天我会遇上一个让我倾心、让我放心地将一生托付给他的那个人。

其实对于男人我还是有一点要求的。首先，他必须具备那么一点浪漫的气质，因为在当今这么一个商业氛围越来越浓重的工业化社会中，这一点显得尤其可贵和重要。其次，他应该有最起码的经济基础。我这个人对金钱的要求其实是很低的。只要做到不愁吃、不愁穿就行了。第三，他必须是一个会体贴人、会关心人的重感情者。我就经常碰到这样一些男孩子，他们在跟女孩子相处时总是从自我的角度出发去考虑问题显得很自私。这些人对女孩子心理实在是太不了解了。

今年我已经30岁了，许多好心人都劝我再这样等下去，恐怕会把事情搞得很尴尬。但我想恐怕这辈子我是不会改变自己的观念了，即使到头来真的等不到一个令人满意的人，我也绝不会后悔的。

因为我要对得起我的青春和爱情。

单身女郎，为何不结婚

就像有的人喜欢四世同堂的热闹，有的人喜欢三口之家的温馨一样，独身，其实也是一种生存方式。

谈到男女婚姻，应该以感情为先，相亲相爱的男女能够缔结连理，当然是件称心满意的事。但是，人生不如意事常有，许多青年男女往往是为婚姻而婚姻的，苦求多年，未遇知音，不得已，大家都功利地奔婚姻目的而来，难免开始时互相迁就，结婚后渐生抱怨，直至怒目相向，分道扬镳。美好的姻缘以悲剧收场，伤了情，累了心，当事人不免会有“还不如当初不结婚”的感慨。

没有好男人

沈颖，29岁，医生

沈颖声称：直到目前为止，她从未爱过任何一个男人。

有人说：世界上最优秀的女人是东方女性。

沈颖说：世界上最糟糕的男人是东方男性。

作为一名副主任医师，沈颖直言不讳地为今天的男人挑出一大堆毛病，比如：自私、浅薄、猥琐、谄媚、大男子主义、小男人情调……沈颖这样总结道："在纵向上比较，他们没有古人那种英雄气概；在横向上比较，他们缺乏老外那种绅士风度。"所以，走在城市的大街上，没一个男人能让沈颖小姐看上眼。

不过，令沈颖小姐最不能忍受的是男性的女性化倾向。她说："从生理学的角度来看，和女性 化的男人结婚是毫无意义的。"

沈颖小姐的话也许太尖刻了。但是，让男人不得不承认的事实是：今天的男人在女人心目中的确是掉价了！

有的女人说：有钱的男人不能嫁，因为靠不住；没钱的男人不能嫁，因为靠不上。

有的女人说：有文化的男人不能嫁，因为太酸；没文化的男人不能嫁，因为太俗。

男人无非就这么两种：或者有钱或者没钱，或者有文化或者没文化。如果两者都不能嫁，那就只好坚持独身主义了。

有曾经说过：男人单身是有事业心，女人单身是有毛病。

这话可能是某些有毛病的男人说的。而实际情况是：男人单身是因为找不到对象，女人单身则是因为找不到好对象。

谁爱女强人

柳智慧，33岁，外企雇员

柳小姐是一位成功女士，目前在一家外资酒店担任副总经理。此外，她还拥有一张令人高山仰止的博士文凭以及一辆令人望尘莫及的奔驰560。

就是这样一位出色的成功女士，在爱情问题上却是一片空白。

她无奈地说：她至今单身的原因是因为自己被男人当成了女强人，而不是女人。

如果说有些女孩是因为男人素质不行而被迫独身，那么，柳小姐则是因为女人的素质太高而被“束之高阁”。

柳小姐深有体会地说：“男人太传统了，他们还是喜欢那种乖巧的小女人，好对他撒娇，好为他红袖添香，好靠在他肩膀上哭泣。对于在事业有所追求和成就的女人，他们往往敬而远之。‘女子无才便是德’嘛，男人不喜欢比他强的女人。”

在新的历史舞台上，女人得到了和男人同样的社会权利，她们的智慧和才能得到了充分的发挥。于是，在我们男人周围，出色的女人越来越多了。当女人的素质获得全面提高的时候，我们男人的素质反呈下降趋势。在这种历史背景下，一个怪圈出现了，即：

出色的女人看不上现在的男人，而现在的男人又不喜欢出色的女人。

这个怪圈导致了一大批出色的白领丽人找不到爱情的停泊地。

岁月蹉跎，人生如梦。柳小姐今年已经33岁了。她自嘲说：过了30岁的女人，就等于过了12月31号的挂历。

没有爱情

林淑英，31岁，报社记者

林淑英说，她曾经谈过几次恋爱，但没有碰到一次爱情。

林淑英是一位理想主义者。她从小看的爱情小说太多了，所以一直渴望那种一见钟情的浪漫，怦然心动的感觉，浓得化不开的滋味……

她的第一位男朋友是一家房地产公司的部门经理，和他在一起，不论谈什么，他都会不自觉地和经商联系起来。在商应该言商，在情应该言情嘛，可是这位先生却总是在情言商，谈起经商来，他口若悬河、慷慨激昂，就是不会谈一句恋爱的话。他把谈恋爱当成了谈生意，所以林淑英感到乏味透了。

她的第二位男朋友虽然不是商人，但也喜欢把爱情商业化，动不动就带她去吃海鲜、玩保龄球、逛首饰店、唱卡拉OK……仿佛爱情也是一种消费。每当他喊小姐买单的时候，他特别神气，林淑英却感到悲哀。

以后认识的几个男朋友，也大同小异。林淑英说："和这样的男人在一起时，不来电；分别以后，也不思念。"

现在，林淑英对爱情已经失望，对婚姻已经绝望。她无法接受没有爱情的婚姻，所以宁愿独善其身。

怕结婚更怕离婚

孟梅，38岁，画家

孟梅从大学毕业已经有12年了。当年和她一个宿舍的“五朵金花”都陆续结婚了，只剩下她这一朵至今未婚。

有趣的是，前不久，当她们六姐妹聚会时，那“五朵金花”也都成了单身女郎——她们陆续结婚之后，又陆续离婚了。只不过她们的身边比孟梅多了一个孩子，她们的心里比孟梅多了一块伤疤。

与单身率上升相映成趣的是，近年来的离婚率也在不断上升。

钱钟书先生曾把婚姻比作“围城”；城外的人想冲进去，城里的人想逃出来。

而现在的人们“谈婚色变”，城里的人想逃出来，城外的人又不想冲进去。所以，今天的婚姻恐怕已经不是一座“围城”，而是一座“空城”。

孟梅说：“婚姻太恐怖了，买菜做饭，洗锅涮碗，伺候老公孩子，照顾‘婆婆妈妈’，每天忙忙碌碌，吵吵闹闹，你还哪有时间去学习？哪有心思去干好工作？”

女人过去的社会角色只是母亲和妻子，而现在的社会角色则丰富多了。相对而言，女人在家庭里所付出的要比男人多一些。”

因此，孟梅表示：不到走投无路的时候，她是绝不会结婚的。

最后，孟梅还即兴根据裴多菲的一首著名爱情诗改编成了“单身女郎之歌”——

婚姻诚可贵，

爱情价更高；

若为自由故，

二者皆可抛。

众人杂说

夏文汐，28，外国驻华使馆工作人员

人们对我说，嗨，你不要当工作狂啊，可以考虑找“朋友”啦。其实，我自己又何尝不知道呢？问题在于，我的另一半到底在哪里？

我原来以为，同学呀，领居呀，同事呀，等等，自己本来就认识的人，能够相互心仪相互羡慕，这就是“朋友”了。至于经人介绍再认识，带着比较明显的目的，总有些不大自然。可是，随着时间的推移，我发现自己过于理想化了。像我们这类既忙于工作，又忙于进修的人，时间很宝贵，交际面又窄，跟男孩子接触的机会相当少。为了与我的那一半相遇相知，我开始扩大社交范围。

我们这样的工作单位，跟外国男孩子接触的机会相对来说还比较多，我认识了好几位非常不错的外国男孩。他们有礼貌，也很热情；文化程度高，但决不是书呆子。我们一起玩的时候，大家都十分开心。然而隐隐觉得他们在某些场合显露出一种优越感，我当然不会屈尊于这种优越感至于我们的异性同胞，虽然比我年长二三岁，却依然像个孩子，各方面都不成熟，待人接物，处理事情，还不如我有魄力有办法。我不明白是不是女孩子比男孩子早熟，或者当代的男孩子过于受到家庭和社会的宠爱，所以往往不如年龄相仿的甚至更小的女孩子。于是我把择偶的年龄差距大大地放宽了，“他”可以大我8岁，甚至10岁、12岁。

我周围的热心人还是很多的，他（她）们为我牵线搭桥，放弃自己的休息时间，我很感动。但是，经济上富有而学历偏低的，或者虽然受过高等教育却还大大低于我的经济收入的，我觉得“门户”相差太大，我们的思维方式和行为方式都将发生各种矛盾，不利于以后的共同生活。所以对于这类对象，不用见面就干脆谢绝了。至于外貌，我信奉“男儿无丑相”，不过身高总该比我稍胜一筹才行吧？这倒不是什么过分挑剔，而是一种审美上的“相配”、“相称”，至少他不能比我矮。

黄佳琪，28岁，电气工程师

曾经有人为我介绍一名34岁的男子。他是大学毕业后辞去某公司的工作，专门投资股票市场。毕竟在社会上闯荡过，他显得比我成熟。加之五官端正，架一副金边眼镜，颇有儒商风采。我想我们可以发展下去的，然而他对股票的过分热情简直使我无法容忍。每次见面，总是听见他的BP机一响再响，于是他便一次又一次地去打电话。我和他的交谈时断时续，真让人扫兴。有一回，约好在外滩喷泉旁边见面，结果我绕着水池徘徊了一个多小时，望穿秋水，才看见他满头大汗地赶来。他的表情充满歉意，但是仍然掩饰不住做成了一笔大生意之后的喜悦和得意。我不知道股票和我相比，到底谁更重要？如果是前者，那么，他应该下定决心摆正位置，情愿作出一点牺牲，然后再来找我。钱固然要赚，可那是有底的么？

又有人为我介绍了一位什么局的处级干部，白白胖胖，高高大大，是一副福相。他已经36岁了，据说工作经验丰富，也相当有权威。很遗憾，这位“处座”似乎时时刻刻牢记他的“地位”，有一种说不出来的“架子”。比如说，第一次跟我见面，他就没有站起来打招呼，不知道是习惯使然，还是缺乏礼仪常识。交谈的时候，他看我的眼神，好像在考察一名刚刚进他们单位的他的新“部下”。我可不愿意为自己找一个家庭里的“上级”，只得敬而远之了。

也许社会上的人对我这样的女孩子难以理解，说我们要求太高，如果降低标准，不是早就解决这个并不难的难题吗？我倒不在乎人们怎么看，反正我觉得，严肃认真地对待婚恋，重视婚姻的质量，维护自身尊严，应该是值得肯定的。我不愿意降格以求，即使活到50岁还在独身，也不会随随便便“拉郎配”。当然，有时会不可避免地感到寂寞，甚至有些妒忌那些条件不如自己，却找得到如意郎君的女友，但决不会为解除寂寞而游戏人生，奉行什么“不在乎天长地久，只在乎曾经拥有”，然后烟消云散，挥一挥手，道声“拜拜”，真的就如此简单，如此容易吗?我以为这是自欺欺人的天方夜谭。要知道,真正倾心的爱情,是刻骨铭心、难分难舍、生死相许的啊,怎么"潇洒"得起来呢?

蔡小鸽,31岁,服装设计师

我对服装情有独钟,在大学读书的时候,由于醉心于服装设计,眸子里脑海里几乎全是色彩和款式,对于男孩子的倾慕,我一概视而不见。直到整整26岁,我决定放弃合资企业职员的工作,筹备自己的服装店。"他"突然闯入了我的生活。

他姓彭,长得帅气可人,是那种"众里寻他千百度"也难遇到的英俊青年。老实说,很多姑娘都对他青睐有加,不过他好像只看得起我。彭并没有上过全日制大学,但是十分聪明,勤奋好学,忠厚诚恳,善解人意。我不在乎他的学历,也不在乎他有一个经常卧病的母亲,不知不觉地我们竟鬼使神差相互"恋"起来了。虽然我们两家"门不当户不对",却年貌相当,更重要的是,他也喜欢服装设计,还得过奖。

他对我好得无以复加。跟他在一起,我才真正得了"体贴入微"的涵义。一道出去买东西,不论买多少,不论有多重,他从不让我沾边。那双开过模具的手灵巧而有力,足以为我代劳;在马路走,他始终站在"外档",为的是随时可以保护我免受意外的伤在。但是,他的自尊心非常强,在我"无事生非"的时候,并不轻易迁就我,也不主动约我出去玩。我的直觉告诉我,这是一个可以造就的男性。我买许多书送给他,硬"押"着他去上夜大,去参加培训班,不容他拒绝我掏钱付学费。

眼看着彭的知识越来越丰富，眼界越来越开阔，我心里快活极了。我们开始商量结婚的事宜……天哪，不知道我在什么地方得罪了上帝，他眨眼之间被夺走了生命！

我的心好像也死了，因为它浸透了对彭的爱和思念。在这大千世界的芸芸众生之中，我再也没有见到过像彭那样值得我付出全部爱恋的男士。我手里的绣球抛不出去，因为没有发现拉得住绣球的人，不论是自己认识的还是别人介绍的。这种情形也许就叫“曾经沧海难为水”吧，“曾经拥有”而又最终失去，绝对令人痛彻心肺，永志不忘。

阎青，33 岁，某合资公司经理助理

也许女孩子往往比男孩子早熟；也许，我们这些受过高等教育的女孩子往往对异性要求比较高，总之，跟我年龄相差无几的男孩子，好像还没有成长为男子汉，也就还没有取得婚恋的资格。当我 25 岁的时候，我发现一位 38 位的男士冯，他的相貌，他的气质，他的风度，他的一切一切，简直完全吸引了我，使我不能自拔。父母亲说他大我 13 岁，这个差距太大了，对我不合适。我的天，幸亏他们不知道冯已建立家庭，冯的妻子也不知道这个称她为老师的女孩子已经从心里爱上了她的丈夫。她的女儿小敏，更是亲亲热热地粘上了我，高高兴兴跟我玩，叮嘱我经常到她家去。

我们不知道，这样的恋情是十分痛苦的。我和冯在外面相会，短暂的甜蜜往往伴随着怕遇见熟人的提心吊胆。为了寻找一处临时的“伊甸园”，我们常常绞尽脑汁，提出一个方案又被自己否定。我是自由的，出门无需什么借口，而他则不同，每每变着花样去向他妻子讨一张"出门证"，深夜不归，更需要编出一个个理由、一个个故事。但是"假的就是假的"，伪装既容易被识破，又在心理上蒙上一层阴影。我们不断地欺骗别人，同时又不断安慰自己——面包会有的，一切都会有的。最近他约我到一间很高级也很隐秘的酒吧，诚恳地对我说：我的小鸽子，你现在真正懂得什么是生活了吗？生活是要付出代价的。我们曾经相爱，度过了一段多么美好的时光，然而我们不可能结合，我的地位不允许，我周围的环境不允许，我的妻子决不会答应，我的女儿也决不会理解。所以……

我不知道自己是如何离开那间酒吧的。记得一位女友说过，男人是虚伪的，至此，我终于相信了。当然，也有好男人，遗憾的是他不属于我。

白白地等了8年，我耽搁了自己的青春。也许，这是上帝对我的惩罚——我不应该夺取已经属于别人的东西。好在我已走出梦境，如果有合适的对象，我还会建立起自己的家。

女人，出路何在

在我所居住的城市里，生活着形形色色的女人。

她们有的是DJ，有的是歌手，有的是自由撰稿人，有的是独资或合资企业的白领，有的，干脆什么都不是，每天拎着饭盒拿着手机在证券交易大厅里在期货大厦里在奔波往来的出租车里。她们一律行色匆匆，脸上挂着只有都市女人才有的时尚的微笑，在夜色氤氲中回到自己栖身的角角落落，抖落一身红尘，拥着心的疲倦沉沉的睡去……

依旧心怀梦想

俞樱，30岁，出版社编辑

我不知道一个人为什么可以在心中渴望一种生活，而实际上却又过着毫不相干的另一种生活。一个女人的一生，就是离从前的梦想越来越远的过程，这其中包括着无可奈何的感伤，但同时又召示着生活的真相。女人是天生爱做梦的动物，所以才会把自己的生活弄乱并使其沉重不堪。

因此我会说我是一个依旧心怀梦想的人。可我过的却又是琐碎的日常生活，这或许就是生活的最佳状态。由于职业的关系，作为一名编辑，每天的工作所面对的是书稿和作者。书稿有好有坏，作者的水平也参差不齐，但一个不容忽视的事实却是，它们都共同地体现了一种与现实物质世界相分离的精神世界。从职业需要和自身要求两个方面，都与智慧和智慧的拥有者、书和写书的人结下了不解之缘，这是我的命，也是我幸运和不满足的根源。

我每天按部就班地上下班，接送女儿上学放学，买菜做饭，洗衣扫地，身外的世界渐渐变得不那么喧嚣、精彩、热闹、缤纷了，现实人生则是如此真实，充满自然的烦恼或温馨。这样的生活正是大多数人的生活。它有其存在的充足理由和不可抗拒的普遍性，因为它是人类休养生息的温床。日复一日地消磨着青春，消磨着激情，但却没有消灭梦想。我处在一种身心分裂的状态，一种对现实生活的有限度远离，会使生活多出一份浪漫和非份之想，正是因为有这样一些梦寐以求的事物的存在，人才会身陷于单调乏味的生活而依然不屈不挠。

很少有人能够真正客观地审视自己，我也不例外，因此我不知道该怎样来描述我的经历及状态。从精神的角度而言，我对世间一切崇高的事物和伟大的智慧满怀热情，沉溺于书本，对它所展示的往昔和理想心驰神往；对智慧的具体拥有者充满敬意和爱慕，渴望一个精神上的父亲和良师。而就世俗生活而言，我又是一个无能、懒惰、任性、忧郁而狭隘的人，一个典型的生活在内心而对现实人生无力把握的人，一个生硬、单独的存在。正因为如此，生活于我就是一个永远的疑问：我应该这样生活吗？这样生活着的是我吗？

而我依然固执地进行着这种无意义的表面追问，我知道我的出路不在于追问本身，而在于对追问过程的思索。

我曾经穿越北京

陶婉仪，28岁，研究生，研究所工程师

陶婉仪在长沙一家研究所工作，单位条件很不错，工作半年就分到一套一居室住房。但陶婉仪总是提不起精神，她的男朋友在北京读研究生，并且很希望留在北京。陶婉仪对整天守着实验室、守着空荡荡的一片清静越来越不能忍受，便辞去工作，来北京找出路，她认定这座城市充满了诱惑和希望。

1997年春天，陶婉仪背着一个小旅行包来到北京。开始，住在男朋友找的一幢民房里。房子在四环路以外，面积很大，但没有阳光，很潮湿，进城乘公共汽车需要半小时，房租每月300元。但陶婉仪还没找到工作，男朋友读研究生很清贫，300元对于他来说是不小的开支。

半月后，陶婉仪在三环路边找到一份工作。白天去没有一个熟人的新单位上班，下班回来，已是夜幕低垂，村里没有卖东西的，挨饿是经常的，陶婉仪也只有让自己瘦骨嶙峋。

这份工作没干一年，陶婉仪再也无法坚持下去了，主要是受不了老板那钩子般的目光，这是1997年的冬季。工作不好找，还冻得要死。陶婉仪每天一早进城到处转悠找工作，中午就钻进地铁里一边取暖一边吃汉堡包充饥，然后坐在那儿看书或打盹。后来，男朋友逼着同班女生在宿舍里为她腾出一个床位。刚享受了两天学生食堂、公共浴室，就遭到学校当局的"围捕"，校保卫处关起宿舍大门清理"寄居户"，她只好深更半夜跳窗出去逃命。

在找工作的日子里，陶婉仪结识了几个人，经他们介绍进了中关村一家电脑公司，每月1500元。这使陶婉仪可稍稍摆脱了经济上的拮据。她在阜成门附近租了间平房，月租500元。平房的窗外种着一架丝瓜，菜市场就在院门外，可以用煤油炉炒京酱肉丝。陶婉仪对此很满意，因为她已实现了第一个目标——"占领"首都的心脏。

接着，陶婉仪便向第二个目标努力。她拚命地工作，同时兼两个职，白天在电脑公司工作。下班后去127寻呼台，做半个晚上的寻呼小姐。因为是夜班，收入比白班小姐高。这样，一个月下来，就有3000多元的收入。每天夜里下班后，男友来护送她回去。回到家倒头就睡。偶有闲暇时间，就和男友逛街开心。男友对她这样拚命有些不忍，几次对她说："仪，我们回老家吧，等折腾散架子了，多亏啊！"而陶婉仪总是那句话："创造新生活，就要付出代价，我现在还有年轻作资本，不怕！"

这样紧张而忙碌的日子还要坚持几年，陶婉仪要靠毅力和自信，在北京这个大都市深深地扎下根。实现她最终的目标——拥有一套属于自己的房子，拥有一份可心的工作，与男友过上幸福、美满的小日子。她相信，这样的日子已不遥远。

陶婉仪态度绝决扔掉了档案和户口，在心中占领了北京。这使我想起一部80年代风靡过的苏联电影《莫斯科不相信眼泪》。是的，莫斯科不相信眼泪。北京不相信眼泪。

该换一根弦

任虹，成都人，1997**年下岗后自办“培英幼儿园”**

未来女性的位置和出路在哪里？肯定不在厨房里。很多认为“找个月收入千元以上的老公”就可以解决吃饭问题的女性最终会发现，当你失去所有经济支付能力的时候，你在这个家庭里的声音肯定越来越低；所谓爱情，就是这样一种东西，它是倾慕与支付能力相对平衡的副产品；当你龟缩在厨房里，你用什么来支付？30岁以下，固然年轻貌美还可视作一种财富，45岁以上呢？

女性的天空到底在外面。但解决职业问题的关键，却不是坐等原单位让你上班去，而是苦思冥想，寻找马上就能发挥作用的领域。我认识的一位被减员处理的女工，她修过儿童玩具——因为看准广大独生子女坏了玩具没处修；织过儿童毛衣——因为看准了家长嫌孩子衣裳太贵的心理；现在她除了织毛衣之外还办了一个午间小食堂，专收一幢楼里的小学生来她这儿吃午饭、休息、做功课……她干的都不是惊天动地的大事，却使生活本身变得充实而前景光明起来；她说，整天忙忙碌碌，就不必去看心理医生了。如果把这一点收获也算上的话，她在择业上的“随遇而安”也可以算作可行性方案。

所有的女性都应该树立这样的观念：只要经济上能自立，就不该计较手上的这份活是否能做20年。

丢失的草帽

夏青，32岁，大学，家庭主妇

大学毕业后，同学们都拚命挤好单位，挤大城市。但我明白，去那些地方不一定能实现我的理想。我考虑了一个月，就去了广州，希望在那里干出一番事业。

我借到一笔钱，开了一个广告公司，自己做老板也做唯一的职员。我的创意反映很好，时间不长就拥有了不少小客户。我工作很努力，每天只睡四五个小时，到年底赚了6万元，但不能再扩大门面，招兵买马。我没灰心，准备在第二年使利润翻番。我认为，只要努力，就有希望。

我拚命支撑我的公司，到1996年底，挣到了13万元。此时，我已累得精疲力尽，对曾为之拚命的“广告”十分厌倦，不愿多看多想，却整天呆在租来的房子里看电视。一天，我在报纸上看到一些国际征婚启事，心血来潮，试着给其中一位美国男士写了封信。那时候我已经 28 岁。

回信很快就到了，那位男士异常坦诚，他说他已经 40 岁，在美国只是个普通人，他有技术不怕失业，他在离加洲不远的一个城镇里有一幢带花园的房子。看过这些，不知怎么，我的眼泪止不住地流了下来。

我们通了半年信，各自寄了照片，打了两个很短的国际长途，他便决定来中国结婚了。我从广州到北京机场接他，直到机场，仍然不能决定嫁还是不嫁。

当他从甬道里远远地走过来，我一眼就认出了他。他看上去很厚实，很温暖，一种安全的感觉包围了我。

就这样，我们结婚了，去美国生活了一年。那时我虽然很幸福，但总觉得自己是个不光彩的逃兵，没有勇气在属于自己的国土上再奋斗下去。我丈夫很理解我，他找了份中美合资企业的工作，可以长驻北京，他说这样可以解决我的水土不服。

现在，我们住在建国门的外国专家公寓，我在专心等待第一个孩子的降临。每当我走在建国门外大街上，总会看见许多迎面而来、步履匆匆的年轻姑娘，她们风尘仆仆，目光中透着一股执著与自信。看着他们，我心里总是酸酸的。

直到今天，我也不知道我为自己选择的路是对还是错。

干得好不如嫁得好。女人一疲惫，便想嫁个好丈夫，躲进婚姻的城堡里一劳永逸。夏青的困惑——婚姻是女人出路吗？

出卖美丽，换来的风光算成功吗？

安静、安霞，安微铜陵人

春节回家，安静没想到村里人会用一种异样的目光打量她。老同学冲她嚷："我说安静，你咋没发，瞧人家安霞，那才叫神气，一会儿捐钱给小学，一会儿捐钱盖寺庙，你哪点比她差，咋比不过她呢！"甚至连父亲有时也会抽着旱烟在她面前叹息几声，安静听了心里涩涩的，像吞了苦果一般。

安静南下已有整整三个年头了，在隆隆的机器边，在永无休止的流水线上，安静本本分分地挣着血汗钱。她省吃俭用把每月赞下的工资都寄回家，自己尽了全力，却不想会是这样的结局。

安霞和安静同岁，那年，两人没考上大学，一横心就都挤上了南下的火车。那是一个阴雨绵绵的春天，闷罐式的货车车厢里塞满了想去远方淘金的农民，一路上，两个姑娘手拽着手，疲倦的脸上布满了汗和泪痕。谁也不知道等待她们的会是怎样的一种生活。

几经周折，她们终于在一家电子厂找着了事做。

不怀好意的老板总想对安静动手动脚，被严厉拒绝后态度变得异常刁蛮。然而安静万万没有想到的是，一个雨夜，她竟然无意中在仓库撞见安霞和老板，他们正做着她最不愿看到的事……

事后不久，安静就离开了那家厂，重新又在另一家电子厂找了份工。安霞去找她，想借些钱给她，被安静冷冷地拒绝了。安静说，我缺钱，但我不会要不干净的钱。安霞也就不再讲什么。

两个女孩就这样分手了。时光在流水线上静静滑过，不知不觉一年过去了。一年里，和安静一起进厂的好几个女孩都跳了槽，有的去了歌舞厅，有的跟那些大款走了，但安静没走，她依然守着自己的那片天空。

第二年的夏天，安静在大街上碰到了安霞，她正和一个四十多岁的男人手挽手地在一起，那人挺着一个肚子，一副不可一世的样子。

那天，安霞请安静在一家咖啡厅坐了一会儿。安霞告诉安静，刚才那人是好朋友，在一家公司做老总，关系硬得很，以后有什么要办的，打个招呼就行了。安静轻声问，你们打算结婚吗?安霞奇怪地看了安静一眼，然后笑道，你呀，咋还那么迂，人家的小孩都大学毕业了。她继续说，我才不在乎结婚呢，只要他能做我的后台，就足够了。知道吗，很久以来，我就想开一个美容院，我得有自己的事业，等将来有了钱，看谁还敢瞧不起咱!

安静沉默了，她知道她们永远也谈不拢了。临走，安霞又喊住了她。安静，我知道你心里鄙视我，可你清高，又能换来什么呢?

转眼又过了一年，安静从父亲的来信中得知，安霞真的开了美容院，而且真的赚了很多钱，成了村里的大新闻。安静从来没有眼红过安霞，她只是万万没想到，漂泊挣扎这么多年以后，在乡亲的眼里，她竟然会不如一个自己鄙视的人。

安静的心里忽然有种想哭的感觉，她真想大声地问：出卖美丽换来的风光算成功吗？

在时光的闪烁中，21世纪正在向我们翩翩走来。一个不容回避的新课题摆在所有女人面前：跨世纪的女性，如何在新的世纪生存和发展？

正因为妇女的进步和着社会文明发展的节拍，也随之得到了新的发展和造就，每一次改革都带来女性价值的增值和社会角色的多元化。于是崛起了女企业家、打工妹、农村致富女能人等一个个新的群体。当然随着企业改革深化、技术进步和经济结构调整，又出现了一大批下岗女工，一些知识女性为专业的错位而苦恼，一些不惑之年的妇女因与“青春”小姐收入悬殊而心理失衡，一些受性别歧视和家庭暴力的妇女因法律不健全而悲戚……这些喜忧参半的变化，似乎给女性的生存与发展带来新的威胁和挑战。

于是，她们对妇女解放感到茫然，对迎接新世纪挑战则更是心理准备不足，缺乏实践勇气。有人发出疑问：新世纪妇女的出路在何方？

其实，前途很光明，出路就在脚下。

随着全民族素质的提高、人口质量的优化，女性的政治思想，文化科技素质将不断得到全面提高。

随着我国经济体制改革，公有制实现形成的多样化，女性的职业定位将越来越广泛。

当科学知识、技术服务和信息等软生产要素的作用逐渐加强，形成产业结构“软化”时，女性的就业机会将越来越多……

这一切都表明，妇女的生存与发展，解放与进步已有了一个良好的社会环境和外部条件，它一步步变为现实之后，展示给广大妇女的将是美好的温馨。

第八章

更新、矛盾和危机

——情感与婚姻

婚姻和家庭，是个古老的话题。因为我们每一天都在编织着前人所编织过的故事，重复着前人所做过的事情。然而，它又是个新话题，因为我们每一天都在探求与摸索，都在为其注入新的内容，新的理解，新的形式。

问题是我们的努力与创新是否有意义，这取决于我们的社会环境、水平认识、心态及素质。

异化的新婚姻观

当我们即将迈进新世纪的时候，欣喜与困惑交织，经济与政治的发展带给我们全新的价值观。近观社会最小细胞的家庭和个人脆弱的情感，同样面临新的选择和挑战。试婚、情人等现象引人关注，我们期待美满婚姻，渴望家庭的稳定，也同样祈祷人类的情感越来越纯净。

试婚，蔚然成风

1998年8～9月，“国民心态”课题组的一份调查显示，对于“为确定两个能否长期共同生活，婚前应有一段时间试婚”的主张，只有8％的人表示完全赞成，20％的人有条件地赞成，两者之和（赞同论）为28％；有27％的人不太赞成，42％的人坚决反对，两者之和（反对论）为69％；另有3％的人表示难以判断。总体意见以反对论者占有明显优势。交叉分析显示，不同性别、不同收入水平、不同地区市民对此看法基本一致；但年龄不同者有显著差异，35岁以下者对于试婚宽容度较高：其中，赞同试婚者在25岁以下者中占48％，在26—35岁者中占32％，在36—50岁者中为17％，而51岁以上者中则仅为9%；从文化程度来看，赞同论者集中在高中与大专文化程度，初中和小学以下文化程度者反对最为强烈。

实行婚前同居的有这样几种人：第一种是浪漫的追逐者，她们文化层次高，经济条件好，不想从婚姻中得到什么，也不怕失去什么，她们把个人的自由看得高于一切；第二种是年轻的试婚者，她们在恋爱中有了性的关系，进而同居；第三种是婚前不敢轻易走进婚姻或不愿承担家庭责任，而采取了同居的方式；第四种是因子女反对无法走进婚姻的老年人，退而实行同居。一位自认为是女强人的女士在接受采访时说，她22岁与一个男性同居，一起生活了12年，最近这个男友表示不愿再继续同居生活，扬长而去，另外找了个年轻的。她非常感伤地说："我是做好了思想准备的，他可能随时离我而去，我自认有种心理承受能力。但是当这种情况终于发生后，我仍然无法抑制心里的裴哀。我崇尚个性的独立，但我毕竟是个东方女性，像所有的女人一样恋家，依恋所钟爱的男人。我摆脱不了被遗弃的感觉。"

试婚能提高婚姻的质量吗？调查中发现，年轻的同居者，尝够了试婚的苦头。

一些女孩子在恋爱时轻易地与男友同居，她们以为这才是现代女性的行为，把它看作婚姻的第一步，是通向婚姻的必由之路。而男青年则不同，往往把试婚当作拥有更多女性的手段。有的男青年轻率地要求女朋友献身，以此作为爱的试金石，但他们拒绝与委身他们的女孩子走进婚姻，理由是在他们婚床上的新娘，必须是处女，而与他们同居过的女友已经不是了。这无疑是女孩子的悲剧！

由于试婚引发的计划外怀孕和多次人工流产引起的身心伤害，使不少女性心理失衡，有的不顾后果采取报复行为，也有的自我毁灭，走向自杀道路。

即使经过试婚，两个人有幸终于结成伴侣，获得幸福的也不多见。婚前有过性行为的婚姻，稳定性很差，50％的离婚夫妻是婚前同居过或有过婚前性行为的。因为在性行为上双方尤其是男方易对对方抱怀疑态度。

看来，试婚不是追求高质量婚姻生活的途径。

情人，浪潮汹涌

“以前我们很穷，但是觉得两人的感情是那么深，现在什么都不用愁了，反而觉得别扭了。”

“有些人有了钱，人也跟着变了。”妇女热线的婚姻咨询中，咨询夫妻矛盾的比例高达70％左右。造成夫妻失和的主要原因有51％是丈夫有外遇，10％左右是妻子有情人，18％的电话是咨询爱上了已婚者该怎么办。

目前，在社会上这种找情人的现象已经走向公开，个别人公然要求自己的妻子接受一妻一情的现实并标榜自己的行为是“喜新不厌旧，风流不下流”。

在关于电影《廊桥遗梦》的调查中，主人公的浪漫奇遇使得58％的观众认同，如果我有这样的经历也不枉此一生（30％的观众不这样认为）。无论是未婚者还是已婚者，男性或是女性，都有大致相同的感慨。35～40岁的人中有这种感叹的似乎更多一些。

需要说明的是，喜欢看这一影片的人本来就属于年轻并且观念开放的人群。而多数被采访者对“婚外情”、“喜新厌旧”、“情人”等现象都持否定态度。

叶永洁，女，26岁，翻译

时下常听到有人讲“男人喜新不厌旧，女人吃醋不嫌酸”。也许是身为女人之故，我感觉这种说法首先就是对女人的歧视。

一个自尊、自信、自立、自强的女人与一个“喜新不厌旧”的男人生活在一起，不会有幸福可言。改革开放使有些人认为也可效仿法西方的松散式家庭、开放式婚姻，似乎传统的婚姻过时了，没有情人就落伍了。其实，即使是西方社会也不乏相敬相爱白头偕老的夫妇。记得我接待过一位来华旅游的西班牙夫妇，他们70多岁了还爱慕如初恋，他们说生活中的坎坷使他们越老越亲密。

李叶，女，24岁，某大学中文系学生

“男人喜新不厌旧，女人吃醋不嫌酸”的情形为不少危机中的家庭带来了虚假的和平与安定，“女人吃醋不嫌酸”纯属荒唐、扭曲的社会症状，它标志着某些女性在精神上的残损和对自身人格的贬抑。

李新，男，34岁，教授

不论是男人还是女人，在自己的物质和精神生活中都或多或少地有不满足的时候，我想能够将这种欲望转移升华可称之为高尚，压抑谓之平凡，任其发展则自私。

杨力，男，25岁，出租汽车司机

哎，您说的我也弄不清，人不都说“老婆是人家的好嘛”。不过话又说回来，没结婚的时候男的一般倒是猛追一个女的，我现在就这样，真累！哪敢喜新呀，这旧的还不知道保得住保不住呢。咱可没那闲功夫喜新的厌旧的。

某作情人的女性，踏两条船的男性。也许本意并不想破坏他人家庭，导致自己“后院起火”。事实上，很多家庭由此而战火不息，甚至婚姻解体，而当事人也为这份情付出了沉重的代价，身心受到创伤。对此，许多专业人士深表忧虑，劝告不要在家庭之外寻找感情的平衡。妇女热线的专家们也认为：情人潮的出现与西方腐朽的性自由、性解放的思潮对人们的影响有很大的关系。一些缺乏识别能力的人把性自由、性解放作为一种时髦去追逐和效仿，而个人主义、享乐主义的抬头又使他们把严肃认真的婚姻家庭视为寻欢作乐的绊脚石，这显然是一种错误的价值取向。

试离婚，再走一程

有人说，婚姻如搭车，搭错了车，下车便是。但婚姻毕竟不像搭车那样简单，婚姻形成，血缘关系也随之产生，孩子是两人共同拥有的，于是，又有一群不愿轻易留下伤痛的人，试着再搭一程……

2年前，姜山与李莉结合了。可是，刚过一年，姜山迷上赌博，起初小赌，后来发展到一场几百元输赢。一次姜山输掉了1500元，把家里仅有的存款都输掉了。李莉一气之下与姜山大闹一场。没过几天，姜山坚信“赌场不散就不算输”的信条，背着李莉把项链也给输了。李莉实在不能忍受，提出了分手的要求。然而姜山是爱她的，她也爱姜山。于是他们选择了试离婚。此时的姜山后悔至极，决心“金盆洗手”。而李莉自与姜山分手，日夜挂念着姜山，听说姜山发誓不赌，便回到姜山的身边。

“试离婚”往往是为了减轻贸然分手给双方带来的痛苦，让双方都有一个感情上的适应过程，或通过一段时间的分离，让双手积蓄起新的神秘感和新的欲望，从而使感情复苏。一位法官认为，试离婚降低了离婚率，因为它为双方提供了理性分析的时间和机会。一位正在进行试离婚的女士认为：试离婚是夫妻双方私下订的协议，因而具有隐秘性，在婚姻未完全死亡之前，可避免来自社会各方的压力和影响，使双方有一个重新认识的机会，有助于把握真正的爱情。

在现代社会中，婚姻应该以爱情为基础。因此，无论男性或女性，当他们走进婚姻以后，都应该重视提高婚姻质量，强化婚姻关系，不断增加婚姻中爱情的因素，注重巩固夫妻感情的纽带。

晚婚，被迫的选择

近几年优秀的男青年抱怨找不着对象，而单身俱乐部里又有2/3是大龄女青年，到底是什么原因使他们各自坐上爱情的冷板凳？请听他们的心曲：

刘晨，42岁，报社记者

因为追求事业，我考虑婚事较晚。依我的个人条件不应算差，但10年来我对女孩子越来越感到困惑。

社会变革时期必然导致人的思想骚动，女孩男孩可能更活跃。对妻子的认识我们更多的参照是自己的母亲，她们具有贤慧、坚韧、逆来顺受、体贴等传统美德。而放眼周围的现代女子，却丝毫不是这样了，她们随着独立意识的增加产生了不正常的变异，往往对男性要求过高，希望你有房子、有车、有钱，甚至连有地位的社会名流，没钱也不行。如果一旦男方达不到这些，女孩子往往就看不起你，不尊重你。交往之中处处唯我独尊，希望你成为她的仆人。她们并不想因看中你的人格和品位而与你共同奋斗，这就使我知音难觅。

郑驿锋，男，36岁，北京某大公司总裁

我们公司适龄青年有几十名，半数以上是研究生毕业，最低也是大学本科，他们有学历，有技术专长，有事业心，工资在2000元左右，个个都很出色，但是均没有女朋友（除了个别在学校就交上朋友）。他们又自尊又自卑，常常感叹，这么多好女孩都去傍大款，只要有钱，女大学生不惜嫁个体户。而他们这些奋斗中的青年学子因为很难预测若干年后能否成功，成为老板、商人或高收入阶层，所以女孩往往不愿选择他们。30岁成了名副其实的"期货"。为了解决他们的困难，我们找了一家五星级饭店的服务员来公司联谊。姑娘们虽然很漂亮，但文化层次与共同语言仍不相符，所以告吹。

关鹤群，女，30岁，导游

我们的工作嫁给外国人很容易，但周围的女孩并不都想这么做。因为家庭是一个可以信赖、放松的地方，大多数人还是希望与一个有共同文化背景、可以互相理解和容忍的丈夫在一起。

我们也并不一定非要嫁给有钱人，但是要求婚后有较高的生活品质。比如浪漫、平等，当然也包括有一定的物质保障。关键是现在的男子生活越好、条件越好、观念越传统，总想找一个传统的"老婆"伺侯他们，逆来顺受，这对越来越独立的女人来说是不能接受的，所以我们宁肯"剩"着。

怎样使他们从选择的困惑走出来，棋手马晓春的话提供了一定的思考："我觉得人挑选终身伴侣的过程，像捡麦穗。有些人总认为最饱满的麦穗会在后头，于是一路边走，一边看，没有捡，到头了，有可能后面的麦穗反而越来越小。再回头找时，面前的大麦穗已经被人捡走了。"

爱有三种：友情、爱情和亲情

越过金钱是友情；越过生死是爱情；越过生命是亲情。

友情不因时间的延长而变浅；爱情不因时间的延长而变深；亲情却会因时间的延长而变浓。

被别人爱是一种幸福；爱别人更是一种幸福。

中国人结婚费用调查

据“国民心态”课题组最近的一份调查报告显示，现在一对城市新婚夫妇的结婚费用支出平均 2 万多元人民币，相当于 80 年代的 4 倍，相当于 30～40 年代结婚费用的 135 倍。

结婚向来被中国人视为终身大事。随着观念的改变，现在的年轻人爱得死去活来的程度，比起他们的父母辈乃至祖父母辈，虽然有过之而无不及，但是作为一种观念，已经很少有年轻人会把结婚与终身大事相提并论，更多的是“不求天长地久，只求一朝拥有”，当然绝大多数“只求一朝拥有”的年轻人，到后来还是终身厮守。

结婚是否应该是终身大事，这有待于每一对夫妻自己去论证，但是无论如何，结婚总是一件大事。即使日后婚姻破裂了，你都无法将它忘记。既然是大事，就不可能草草了事，即使是最贫穷的年代，即使在最压抑的岁月，每一对新人，都力图把婚礼装点得隆重、庄严、神圣。从花轿到凯迪拉克长车，只不过是形式不同摆了。

刘绍义，大学教授
结婚年月：1959 年 7 月

性别：男

结婚时年龄：28岁

结婚时月收入：78元

结婚总支出：900元

其中配偶支出：200元

这位外国语学院的教授，若干年前，毕业于赫赫有名的圣约翰大学。这样的大学，如若没有入学前相当良好的文化教育，如若没有相当良好的家境，恐怕是做梦也不敢进去的。

良好的家庭在刘先生的结婚费用中，也是依稀可见。在他的新房中，摆放着父母所送的6件红木家具和电唱机，而长辈和亲戚的赠与之物价值超过千元。想必刘先生父母的赠与还不止这些，只是由于年代的久远，而使他忽略未计。

在刘先生当年的新房中，有几件东西有必要提醒读者留意：电唱机、台式电风扇和丝棉被。电唱机，这在当时也不普及，放到今天，就算是很值钱的收藏品，那台风扇当然也是时髦之物。丝棉被该算是久违了，只有享用过丝织制品的人，才会说得出丝绵的高贵之处。

根据刘先生的回忆，我们可以作出的判断是，刘先生当年结婚的费用，已经远远高于社会平均水平。

钱丽娜，工人

结婚年月：1969年10月1日

性别：女

结婚时年龄：24岁

结婚时月收入：44元

结婚总支出：800元

其中配偶支出：400 元

钱女士结婚之时，正值党的“九大”召开几个月之后的国庆节。全国人民像盼星星盼月亮一般地盼“九大”，似乎“九大”之后一切都应该恢复正常了。在经历了两年的大批判的急风暴雨之后，结婚的人是不是比 1966 和 1967 年多一点？这有待考证。然而，市场供应的紧缺，却从那个年代的喜庆婚嫁中反映出来。

钱女士回忆道：“当时的大环境是‘备战备荒为人民’，市场上商品供应很紧缺，买家具要凭结婚证明，大橱、五斗橱只能买一件。我们想结婚后马上要支内（支援内地工作），为了搬迁方便，选了五斗橱。我们的家具一共四件（五斗橱、写字台、方桌和床），配了两把椅子。”

除了电灯，钱女士新房中唯一的家用电器，是一只“韶山牌”半导体收音机。

当时思想普遍很革命，所以钱女士和她的先生结婚时连婚假也没请，过了国庆节就上班了。尽管如此，钱女士的婚礼，还是隐隐约约地透露出些许浪漫的气息。钱女士说：当时照相馆不拍结婚照（属四旧），王开照相馆改名为东方红照相馆。我们戴了两枚直径约 10 厘米的毛主席咏梅像章，拍了一张黑白照片（当时没有彩照），代替结婚照了。结婚那天，叫了一辆出租车，从娘家曹家渡到婆家杨树浦。这在当时已经属于奢华了。

刘理，机关干部

结婚年月：1977 年 7 月

性别：女

结婚时年龄：30 岁

结婚时月收入 48 元
结婚总支出：70 元
其中配偶支出：40 元

70 元！几乎没有为结婚添置任何东西！在所有受访者中，刘女士在结婚上的费用是最低的，甚至低到让人不敢相信的程度。请看刘女士自己的解释——

“我结婚的年代‘文革’刚刚结束，百废待兴。对物质的鄙视和对精神的追求，是我们这代人的特点。那时，在物质上，我们一无所有，我们以一无所有为荣！我三姐在部队结婚的时候，正值‘文革’高潮。新郎倾其所有买了一台电子管收音机，可是却怕被人认为是奢侈，是‘资产阶级生活方式’。于是崭新的收音机在他们的床底下藏了整整两年！这样愚昧在现代人看起来简直不可思议，可是在当时不足为奇。

我不后悔我结婚时的清贫，我也不嫉妒现在青年人那样富有。所有过去的经历我都十分珍惜，那是我真正的财富。如果有什么遗憾的话，那就是我们没有留下一张像样的结婚照。当我看见外甥结婚时花了数千元，做了一本装帧精美的影集时，十分羡慕。我说，我们年轻的时候，没有漂亮过，即使不漂亮的结婚照，也没有留下一张。所幸的是，我一位搞摄影朋友的知道了我的心思，特邀我们夫妇俩去他的工作室。他用他那特有的艺术感觉，为我们补拍了一张迟到 18 年的结婚照。虽然皱纹已经爬上额头，虽然白发已经若隐若现，但是这照片很美，我很满意。从此，我不再遗憾。

金鑫，职校老师
结婚年月：1984年1月
性别：男
结婚时月收入：54元
结婚总支出：4000元
其中配偶支出：2000元

从80年代的中期起，青年人结婚量未变，质却变了。

虽然第四位受访者与第三位女士结婚相差仅7年时间，但是金先生的结婚费用与70年代、60年代有了大相径庭的区别，而且金先生的结婚费用在当时，具有普遍性的代表意义。这正好印证了这么一句名言——发展是硬道理。

家具敞开供应了；彩电因为供不应求而凭票供应；仿三洋之类的卡式录音机成为新房必备；落地扇莫名其妙的盛行使电扇厂发了一笔横财。

这种大同小异的结婚形式和费用，决定于大同小异的工资结构。接近婚龄的青年，工资大约在51元至57元之间，社会的差距没有拉开。只有很少的一部分受到羡慕；落实了政策的资本家和改邪归正的个体户，他们有一个共同的美称：万元户。也正是万元户的出现，使得女性在择偶上开始强化经济标准，而把这个标准强化到极致的女郎，获得了一个雅号：高价姑娘。虽然常常受到舆论的抨击，然而高价姑娘仍然居高不下，一直发展到华籍美人嫁给美籍华人。

社会生活方式的真正变化，就是从这个时候开始的。

彭先生，一切保密
结婚年月：1995年12月

性别：男

结婚时年龄：37 岁

结婚总支出：约 160 万元

其中配偶支出：0 元

遵照这位先生的意思，有关他的名字、供职单位，以及所有他不希望公开的事项，一概保密。但是可以肯定的是，这位先生确有其人，而非调查者的杜撰；这位先生的结婚费用确有其事，而非调查者的夸张。

这位先生是上海人，结婚的所有费用，来自于他自己的收入。这位先生是私营企业的老板，据说其经济实力属于上海的“航空母舰”级。

调查表中所罗列的结婚费用，应该与一个数字结合起来，那就是这位先生结婚时的年龄：37 岁。这是对“后生可畏”这个成语 90 年代的解释版本。

160 万元，即使在几年以后，还会让人惊叹，让人可望而不可及。这位先生对许多费用，已经忽略不计。

当然，面对如此豪华的结婚，工薪阶层完全不必汗颜，因为这是个例，并不具备普遍性，在当今，仅仅是凤毛麟角。

然而，这样的个例，确确实实发生了。

关于未婚妈妈的采访

关于未婚妈妈，我们这个社会已经对她们作了明确的“判决”，法学家说——非法婚姻不受法律保护；社会学家说——未婚先孕是人类丧失道德观念后的一种畸型产物……

义正词严，不容分辩，未婚妈妈是道德法庭上永远的被告。但是，未婚妈妈的孩子呢？那群不该降生却偏又来临了的无辜的孩子呢？

我国《婚姻法》规定，非婚生女子同样受法律保护。

保护是否等于认可，甚至赞同？它对我国计划生育国策有何干扰？

在“国民心态”课题组1998年的调查中发现非法同居、非婚生子现象日趋严重，已成为危害性越来越大的社会问题。

于是我们把关注的目光投向了一个“特殊的死角”，聚焦另一类母亲。

以下3个未婚妈妈的采访全部是真实的。为尊重对方的隐私权，已对她们的姓名做了更改。请认识她们或者听过她们故事的读者不要“张冠李戴”。

不要歧视我的孩子

江婕，33岁，大专文化，个体户，私生女4岁

接受采访的原因：可以让我尽情地倾诉一次。

对读者的告诫：即使是苦果，我也可以自己独吞，但孩子是无辜的，希望社会不要歧视她。

都说只有学文科的人才喜欢浪漫，追求浪漫。可我是学机械的，干的也是车间里最辛苦的活，不知为什么我同样很喜欢浪漫。

我的浪漫之旅是1987年夏天开始的。毕业两年的我有一天突然想到外面的世界去走一走。说走就走，一个人到了海南。海南风景很美，但社会治安很乱，不是我理想中的世外桃源。于是，1989年春，我又浪漫到了深圳。开始，我在一家很小的私人公司做文员。后来，公司发展成中外合资公司，再后来又改造成股份有限公司。我也跟着从文员升为主管、主任，最后做到部门经理，按道理说，做到这个份上，我的前途应该是光明远大的。但是，由于一个男人的出现，我的人生彻底地改变了。

准确地说，当时我身边有3个追求者，并且都是台湾人。由于有的有缘无份，有的有份无缘，最终都一一吹了。就在这时，另一个男人出现了。论条件，他比我大20岁，并且是有两个孩子的家庭主男。可我偏偏疯狂地爱他。爱他忠厚、善良、实在、有安全感。怎么看就怎么像我生命中那个有缘有份的人。就这样1994年5月，我自动离开原来的公司，心甘情愿地做了一个明知有家室的台湾男子的无名无份的“妻子”。

最初我是没想到要孩子的。后来生了现在这个女儿，说起来也是一种注定的缘份。因为，怀上孩子时，我没有任何妊娠反应，先后到两家医院检查了3次，都说没有。后来身体有了变化，我才知道真有了。开始，“老公”劝我不要意气用事，最好把孩子做掉。但我考虑到“老公”只有两个男孩，便很想为他再生一个女儿。另外还有一个想法，就是我认为既然自己有能力抚养一孩子，如果硬是做掉，那就是作孽。在这种思想支配下，我终于坚持生下了孩子。

孩子是1995年9月底顺利来到这个世界上的。生孩子那天我还在上班，进医院一个小时就生了。当时身边只有一个邻居和保姆。“老公”出差在外省，半个月后才回来。家里人由于反对我做无名无份的母亲，所以没有一个人来帮我。但尽管这样，我依然很开心，一切都是做母亲的感觉。

直到今天，如果你问我是否后悔做母亲，我的回答还是没有改变。因为，我真的不后悔做了母亲。女儿既聪明，又漂亮，从她身上可以看到我童年的影子。有了她，就等于我的生命有了延续。精神有了寄托，我怎么会后悔呢？

当然，也是有了孩子之后，我才发现“名”和“份”对一个女人来说很重要。别的不谈，就说每年过春节吧，“老公”无论如何都要回台湾过，从来就不可能陪我们母女俩过一个年。早几年孩子小，我总是陪着孩子孤零零一个人过。今年春节，我带着孩子去海南旅游，在旅游团和大家一起过。以后，我每年都这样去旅游，说实在的，我现在什么都不怕，就怕过年。

母亲与孩子的血脉亲情是割舍不断的。未婚妈妈，付出的要比其他母亲多，因为，我们要为孩子的名份付出惨痛的代价。

还是拿我来作例子吧，“老公”有家，有孩子，这些我是事先知道的，我当然能够接受才会选择他。但对他的花心，我却怎么也不能理解。我是一个未婚女人。就因为太珍惜缘份，跟了他之后，就从来没想过还要嫁人，可他却在外面千方百计勾引女人。当我有根有据地指责他时，他坚决否认。这时，我认为他是在否认事实，他已经不是当初那个忠厚、诚实的人了。也只有在这时，我才很后悔。特别是当身边的邻居跟小孩子开玩笑，说她爸爸又出去“勾”女人时，我的心就格外的沉，格外的痛。也许有一天，我真的会发现自己错了，但即使是苦果，我也要一个人独吞，只是孩子是无辜的，我希望我们这个社会不要歧视她，给她一个平等的生存环境，这是我这个未婚妈妈唯一的乞求。

江捷的故事并不精彩，尽管她自始至终强调着“浪漫”这个现代社会出现频率越来越高的词，但我们听得一点也不轻松。她说她“老公”从来不陪她过年她又害怕过年，我说她全部的人生都浓缩在过年的那几天里，她害怕过年，实际上就是害怕面对现实。她想了想认为我概括得对，她开始改变语气跟我继续讲后面的故事。并且把她“老公”花心的家丑也“抖”了出来。我当即打断她的话，问她打算怎么办，她还是很自信地说，先尽力挽回，万一挽回不了，就跟孩子过一辈子，我追问她有万贯家财是否就能保证孩子不受人们的歧视和伤害？她终于哭了，流出悔恨的泪来。

如果有来生，我不做未婚妈妈

贺萍，26岁，高中文化，公司文员，私生子为4岁

接受采访的原因：所有的人都以为我是为了贪图那个男人的钱。我很委屈，一直想找个机会把真相说出来。

对读者的告诫：我希望通过自己的故事，唤起另外一些无知女孩的觉醒，在碰到类似的遭遇时一定要果断，不要酿成苦果。

我们是通过妇联找到未婚妈妈贺萍的。为了给孩子争取生活费，她首先求助妇联权益部，后来干脆将男方告上法庭。在我们面前，她声泪俱下，讲述了她全部的遭遇……

贺萍是广东客家人。1991年高中毕业后，来到横岗镇一家合资厂打工。老板也姓贺，台湾人，年龄40岁左右。全厂就贺萍一个人姓贺，贺老板开玩笑与贺萍兄妹相称，并聘她做统计员。贺萍不仅年轻漂亮，而且办事果断，勤奋聪明，很快就升做生产部主任，继而又做了经理秘书。一个叫小妹，一个叫大哥，并且叫得那么亲热自然，弄得同事们还以为贺萍真的是台湾人。

贺萍作了秘书后，基本上也就当了半个家。凡是贺经理不在，贺秘书就是全权代表。慢慢地贺老板不常来办公室了，一般的事务由秘书说了算，有些自己非签不可的文件就叫秘书送到他房间去签。开始，贺萍不愿意也不敢送到他宿舍去，就叫门卫送。门卫送了几次，也不高兴，贺萍只好自己送。谁知送上去一看，贺老板正半裸着躺在床上……

一个是老谋深算的色狼，一个是涉世未深的无知少女，结果当然可想而知。据贺多年后回忆说，她被骗去贞洁后，很长一段时间见到“贺大哥”都脸红。后来发现自己有了身孕，才不得不告诉了贺某。贺某一听，顿时乐了，第一句话是“生下来”。第二句话是“我终于有家”了。

贺萍知道对方在台湾有妻室，就坚持要把孩子做掉。贺某不依，说希望给他时间，他一定要给她名份的。贺萍不与之硬顶，偷偷跑去医院，想悄悄人流。谁知检查后发现血压严重偏低，医院要求有人签字，有人陪护。无奈，贺只好去求贺某，求了三次，他都不去，拖来拖去，肚子大了，孩子就生下来了。

贺萍生孩子时，孩子他爸刚好“出差”也不在。是巧合？还是故意躲开？不敢妄下结论。但如果是“真”丈夫，知道妻子在某段时间里临产，是否会不“出差”呢？

大家都认为贺萍选择作未婚妈妈，一定是冲着贺老板的万贯家财去的。事实上，贺萍生下孩子后不久，她连房租都交不起，起初贺萍开口要钱，贺老板还能给二、三千块。后来，不但给的次数少，而且最少时只给了三百块。

贺老板很有心计，在贺萍生孩子时就把她哄出了工厂，从此以后再也进不去。失业了的贺萍无奈，只好从原来月租2000元的房里搬出来。搬进了月租200元的房子。并在孩子不到两岁的时候，就交给姑妈带，自己进了另一间工厂继续打工。

孩子一生下来，心里不踏实的贺萍就开始找一些法律书来看，希望用法律来孩子争取权益。真正下决心起诉对方，是4岁孩子提的醒：有一天看电视，电视上的公安人员抓了一批坏人，孩子问妈咪，爸爸是坏人，为什么不叫公安局的人把他抓起来——一句话惊醒梦中人，贺萍当天就打电话到妇联，请求权益保护。在妇联的帮助下，她又请了律师，正式向法院提起了讼诉……

我们找到贺萍进行访谈时，正好听到了法院的最后判决：她为孩子挣得了12万元的抚养费。尽管这样，贺萍还是反复强调：如果有来生，再也不做未婚妈妈。

贺萍的故事，更多了些令人揪心的内容。比如，她被“贺大哥”骗去贞洁后，很长一段时间她见到他都脸红。可见贺萍是个多么单纯而善良的小女孩。又比如，“贺大哥”听到贺萍说有了身孕时，第一句话是“生下来”，第二句话是“我终于有个家了”，可见“贺大哥“又是多么老道、专业。还有，因为没钱，贺萍从开始时月租2000元的房里，搬到了后来月租200元的房里，这一进一出又包含了多少内容……

还有很多发人深省的地方，我不想再一一去剖析。毕竟贺萍已经觉醒了，已经用法律的武器赢得了这场“战争”的最后胜利——她为孩子挣到了正当的权益。

错在自己

孟诗诗，22岁，在校大学生，私生女半岁

这是一次校园采访。故事的女主人和她未满周岁的孩子已经失踪快半年了。

1996年7月，大学放假了，同学们都归心似箭，唯独诗诗没有回家的冲动，因为她读小学时，母亲就去世了，后来父亲又为她娶了位后母，但后母并不喜欢她。她考上大学来读书，学费都是父亲背着后母从叔叔那里借来的。

“不如我们趁着暑假去旅游吧”。诗诗的提议获得另外三位同乡兼同学的一致赞同。于是，她们一行上了丹霞山。

盛厦的丹霞山流丹溢翠，景色迷人，游人争着去爬“香炉峰”。“香炉峰”山势峻峭雄伟，爬上去还可以，下来就险象环生了。诗诗和女友小心翼翼地互相牵着手，慢慢地往下挪，走到半山腰，诗诗脚下一滑，竟滚下山去，“啊，完了！”女大学生们惊叫一声，都下意识地闭上了眼睛。

然而，奇迹出现了。只见前面几十米远的树丛中竟闪电般冲出一个人，将向下滚的诗诗拦住了。等大家惊惶地走下来时，诗诗已躺在那人的怀抱里了。

这位救美英雄也是一位游客，他的同伴叫他“阿昌”。于是，姑娘们都跟着叫阿昌，他们一起结伴在丹霞山附近玩了两天，两天中，诗诗竟爱上了阿昌。

后来，阿昌在学校附近为诗诗租了间房子，俩人感情一日浓似一日。在如胶似膝的日子里，诗诗数次问阿昌爱不爱她，却从来没问过他是干什么的？家住哪里。

后来，诗诗有了孩子，但阿昌却总是没有时间来陪她。诗诗要做妈妈了，三位女朋友莫名其妙地高兴。她们既新奇，又好玩，决定想办法让诗诗把孩子生下来。

历尽千辛万苦之后，诗诗真的做了妈妈。但诗诗死也忘不了1997年5月26日这天，孩子“满月”，下了一整天雨，失踪了4个多月的阿昌竟然出现了。诗诗擦去腮边的泪，露出了幸福的笑容。然而，当诗诗欢天喜地地去买菜，想“一家人”吃顿“团圆饭”时，阿昌却带着儿子失踪了。

一个月后，终于有了消息：原来，阿昌是个吸毒分子。那天，他身无分文，是来找诗诗借钱的，看到提前出生的孩子长得标致可人，便闪出一个罪恶的念头，趁诗诗去买菜时，将孩子抱走，以6000元的价钱卖给了一对作生意的外地夫妇。

听到这个无异于晴天霹雳的消息，诗诗一下子崩溃了。她像《巴黎圣母院》里的那个被人偷走了女儿的妇人，失魂落魄地满世界找自己的儿子，最近连自己也丢失了……

这是一个悲剧，一个关于未婚妈妈的悲剧。制造这个悲剧的主要责任者，当然是那个“吸毒分子”阿昌。但是，诗诗也是另一个要负主要责任的人。因为，即使阿昌是个很本分青年，诗诗也不应该放弃学业去非法同居，去未婚先孕，另外，诗诗的三位知心同学在这出“悲剧”中也起了推波助澜的作用，她们对诗诗一步步陷入困境，也是应该负一定责任的。

众人杂说

陈敏，女，妇联干部

我对未婚妈妈现象的基本态度是：谴责——关注——同情。对未婚先孕的男女，我们要严厉批评决不姑息，对上当受骗的女方，我们要关注，甚至关怀。至于孩子。一旦生了，就要关爱，决不歧视。

方生，男，计生委干部

未婚妈妈和非婚生子女是两码事。一个为道德所不容；一个受法律保护。谴责前者是为了减少非婚生子女。保护后者，是因为孩子无辜。不能让非婚生子女成为计生工作中的一个死角。

黄宪容，孤儿，医院工作人员

我国法律规定保护非婚生子女，体现了我们这个社会制度的优越性和人道主义，不能因此说我们这个社会认可了未婚妈妈。

张娣清，女，律师

未婚妈妈现象国内有，国外也有。我认为有些女青年不能树立正确的恋爱观，而一味地追求物质上的享受，是造成悲剧的主要原因。因此，不能把她们的错简单地归咎于社会、归咎于父母、归咎于看了什么不健康的电视、电影等。她们应该懂得自尊、自重、自爱。

陶俊峰，男，大学教师

对于未婚先孕的男女双方，除了用道德的标准去谴责他们之外，必要时，可以考虑用法制。

胡琪，女，公司职员，未婚

在下流并下跪的男人面前，有几个女孩子能够抗拒？女孩错就错在脆弱。其他该负的责任都在男方。未婚妈妈也是妈妈，我们不应该歧视她们。

冯燕，美容师，已移居美国

未婚妈妈并不可怕。在美国，物质生活达到某个高度，很多女性很乐意充当这种角色。但在国内恰恰相反，有人为了达到物质上的某种满足，才被动地去接受这种角色。一旦经济上受损，心理上就不平衡，立即认为自己上当受骗了。这是一种不正常的心理。我赞同凡事顺其自然。

透视婚外情

婚外恋是指与配偶以外的人发生恋情。在性禁锢的年月，这种恋情被人视为不道德的行为，人们常常谈情色变。这些年行情变了。某地流行的一段顺口溜颇能说明问题：结婚是失误，独身是觉悟，离婚是醒悟，再婚是执迷不悟，没有情妇是废物。日渐公开的婚外恋不断冲击着人们的生活，也带来了众多的社会问题，不得不引起人们深思。

引起广泛关注的社会现象

婚外情自古有之，但是近年来，越来越引起人们的广泛关注。1998 年 8 月，在“国民心态”课题组进行的“家庭伦理道德状况”的专题调查中，反映最为强烈、人们最为担忧的涉及家庭生活中不良道德行为的问题有 3 个，而婚外情则居于首位。

现今婚外情在各个年龄阶段、各种职业及文化社会阶层人群中广泛存在。

虽然，一部分人仍不公开婚外情活动，但婚外情已经从“地下”走到“地上”，不怕舆论，不回避公众目光，甚至不回避配偶,公开亮相。有的人群中还以此炫耀,互相攀比,成为一种时髦甚至荣耀。

以往老百姓对有婚外情的人常使用极其贬义的“破鞋”之类的称呼;到七八十年代使用带有明确谴责含义的“第三者”,到近来则改称完全不含褒贬的“情人”、“相好”、“傍肩儿”等。由此可以看出社会舆论对婚外情态度的日见宽松。日常生活中人们对婚外情的现象已视为平常,越来越少议论,有些人甚至认为这根本不是问题。

婚外情引发家庭关系恶化、离婚,以及随之而来的单身家庭和孤儿等大量的社会问题,同时,还引发越来越多的暴力、自杀和他杀的恶性案件。婚外情已经成为一个危害社会,危害人们正常生活的严重问题,不但为广大群众所关注,而且也引起政府有关部门,尤其是法律界的极大重视。

婚外情产生的原因

婚外情的出现除了一般的原因外,近年中国社会的剧烈变革给人们心理上带来的冲击和变化,以及原有的婚姻家庭伦理观念的动摇,成为一个突出的原因。调查表明,社会变革的力度与婚外情的发生比率紧密相关。

外界原因:

主要是社会政治、经济生活状况改变和价值观的变化,以及社会公众态度的变化。

1. 由于近几年社会宏观环境比较安定，政治宽松，经济发展，人们的物质生活水平提高以后感情需求增加。而经济的发展使家庭功能外移，动摇了家庭旧有的稳定性。

当经济相对落后的时候，婚姻和家庭的主要价值是功利性的，与之相适应的是爱情和婚姻的不统一的传统婚姻家庭观念。而当政治形势严峻，社会控制严厉，人人自危的时候，夫妻，甚至全家人都必须为了个人和家庭的生存保持家庭内部的统一，相互依存，在上述情况下，人们很少有可能将感情转向婚外，更何况那时婚外情被视为“资产阶级生活方式”，本身就是政治问题，至少是思想问题。所以，以前的中国社会中婚外情确实是很少的。

近年来，中国社会安定，政治宽松，人们有了安全感；改革开放以来，经济搞活，人们的物质生活水平大大提高了。社会经济的发展，使人们对婚姻家庭的依赖感大大降低，家庭的稳定性被动摇。而且，随着物质需要的满足，人们的精神需要和感情需求增加，相应地，家庭的功利价值有所降低，而审美价值上升，人们要求更高质量的婚姻生活，追求婚姻和爱情的统一。

2. 市场经济的发展引起人们价值观念的变化，自我价值感和自主性增强，社会价值倾向于张扬个性和强调个人自由，使“家庭本位主义”的传统观念受到“个人本位”新思潮的冲击，一些人甚至用经济生活中的平等交换原则处理婚姻家庭中的问题。

在社会转型时期，社会生活的急剧变化，影响人们价值观变化的不仅是外界因素，而且人们潜在的价值观的分歧也暴露了出来，演化为现实的冲突。在经济大潮的冲击下，一些夫妻间的价值观急剧分化，以至分道扬镳。

3. 开放的社会导致家庭由封闭走向开放，各种新思潮和大量新信息的涌入对家庭发生了巨大的影响。改革开放，社会剧变，周围人和事日新月异，各种新异的事物、思想和信息都进入了家庭。使人们感到不安，并且也都想抓住机遇改变自己的命运。因此，人们空前地重视信息沟通，热衷于人际交往，传统的封闭式的家庭变得开放而不稳定。

4. 社会舆论对婚外情由斥之为"道德败坏"，给予严厉的批判到逐渐宽容，现在已是过度宽容，也是婚外情增多的重要的外部因素。对婚外情采取从未有过的宽容态度的原因是多方面的。主要是人们的价值观念更趋于多元化，越来越的人把婚外情看作完全是个人"隐私"和个人权利，对因历史原因造成的不幸婚姻普遍同情，对旧有婚姻制度和传统观念抱有否定的态度等等。

调查表明：有42%的人认为，"那是人家的私事，不该干涉"；42%的人认为"无所谓"；15%的人认为"是社会发展的正常现象，是人们对生活的不懈追求"；31%的人回答"不太道德或不道德"；13%的人答"极不道德"。而女大学生的态度最为超前，46%的女生"接受丈夫以外的性行为"，女大学生表现出的超前意识，接近于70年代调查的美国大学生态度的水平。

5. 法律超前的副作用。1979年，我国对婚姻法的第二次修改取消了妨害家庭罪(即通奸罪),之后婚外情在一定程度上呈上升趋势;看来当时取消妨害家庭罪这一款为时过早。

二、当事人婚姻和个人的原因:

主要是现有婚姻的低质量,个人不正确的人生观、价值观以及道德水平低下。

1. 在发生婚外情的情况下,大多是现有婚姻质量低,存在隐患。比如当初为解决各种实际问题而结成的婚姻,这些充满功利色彩的婚姻纽带在物质生活水平提高的情况下变得松驰,在追求个人感情满足的新思潮的冲击下显得十分脆弱。而当事人对现有婚姻不满,但又怕承担离婚带来的经济和声誉的损失。或可能造成的一系列实际困难,于是婚外情就成为人们逃避和解决婚姻矛盾的一种途径和便捷的补救方法。

2. 现代生活节奏紧张,竞争激烈,经常遭受心理挫折,使一些人感到精神苦闷,对感情生活有更多的要求,当现有的婚姻缺少安抚和支持的“避风港”作用,或不能满足这种要求时,一些人就到婚外去寻求满足。

3. 社会变化,道德观念混乱,封建腐朽思想沉渣泛起,极端利己主义、享乐主义人生观的流行,以及西方“性解放”、“性自由”思潮的渗透,使一些人面对外部的诱惑,道德防线崩溃,这也是婚外情增多的一个重要原因。

在这种思潮的影响下,一些人强调自我利益、自我享受,强调自己在婚姻家庭中的种种利益,而忽视道德义务。还有一些人在社会的大变动、大振荡中,人生信念动摇，道德观念混乱，思想空虚，信奉“人不为己，天诛地灭”的信条，追求的是“只要一时拥有，不求天长地久”的一时之快，欣赏的是“潇洒走一回”不负责任的态度。寻求刺激和贪图享乐。甚至以有情人为地位、权势、富有的标志，显示、炫耀，甚至互相攀比。

4. 贪婪心理。社会变革引发人的许多新的需要，也给人们满足各种需要提供了机会。一些人，尤其是那些经济上的爆发户有一种要占有一切，要享尽一切人间美事的心理，使一些人“喜新不厌旧”，他们既要有平静的家庭生活，又要有浪漫的婚外爱情。追求新异刺激，多多益善，频繁变换情人。

5. 不良的社会风气和某些大众传谋的误导，使一些人盲目追求所谓“潮流”。

一些影视作品对婚外情的描写、渲染，都在婚外情这一观念上起到了不少推波助澜的作用。一些文艺作品关注的是不正常、不健康的家庭生活，把婚外情当成爱情的真正追求加以宣扬。大众传播媒介有时也只是从“新闻利益出发”把家庭的破裂，婚姻的瓦解等内容单纯当作一种热门话题，而缺乏从伦理道德高度上加以引导。这些都潜移默化地影响人们，产生误导。

社会宣传和风气对青年人影响最大，造成思想和道德观念的混乱。一女大学生跑到情人家里，指着女主人的鼻子说：“既然你没有魅力吸引住你的丈夫，你就该无条件地让出来。”据说，她是在实践“婚姻领域也要引进竞争机制”的理论。

婚外情的主要形态

婚外情的主要形态有 4 种：

1. “笼中的金丝鸟”式的“经济型”。

婚外恋双方年龄差距较大，一般男大女小。男方不一定是大经理或大老板，只要是男方有钱就行，女方根据自身条件找恋爱对象。这种婚外恋的女人大多是追求物质享受的。

2. 假“干爹”“干妈”之名的“政治型”。

这种婚外恋多是女人利用男人的权力或物质载体（分房权、晋升权），通过婚外恋达到满足自己的政治上或物质上的要求。其实这不是恋，而是勾引。

3. “柏拉图式”的“精神型”。

这种关系的恋爱双方，或有一方情爱不如意，遇到和自己事业、业余爱好等方面志趣相投的人，想追求一种真正感情。双方都相见恨晚，十分相投。这种恋情比较持久。

4. “喜新不厌旧”的“戏子型”。

这种人因生活乏味随时调剂自己，一味追求感官刺激，逢场作戏，游戏人生，双方不负责任。这种婚外恋大多短暂，不危及家庭。“家里红旗不倒，外面彩旗飘飘”即属此类。

婚外情的后果

目前人们对婚外情给个人和家庭带来的危害尚缺乏足够的认识，有的人完全不认识，甚至有人认为，有婚外情的一方因有内疚感，带着赎罪的心情在配偶面前做出种种好表现，反而会有利于夫妻关系。婚外情，在本质上是破坏婚姻、破坏家庭的，这一点在现实中已经体现得很清楚。

1．婚外情破坏家庭，是社会不稳定因素。

尽管婚外情的产生也会有一定的“理由”，但是从本质上说，婚外情有悖爱情的排他性，可以说是对爱情的亵渎和背叛。婚外情从严格意义上讲，是婚姻的腐蚀剂，是妨碍家庭伦理道德建设的主要因素。

婚外情是对合法婚姻的直接侵犯和破坏，造成夫妻离异，家庭破裂，甚至诱发伤害和杀人，不仅给夫妻中受害的一方及其子女带来巨大的痛苦和创伤，也不利于良好社会风气和安定团结的社会环境的形成和保持。

婚外情已成为离婚的一个重要原因。

据“国民心态”课题组的调查结果，“第三者”插足列于离婚原因的第 4 位，约占离婚总数的 8—10％。随着时间的推移，一些大城市这个比例快速增长。据调查，由“第三者”插足引起的离婚案，1982 年占总数的 14％；1983 年占 30％；1988 年则高达 40％。上海离婚案例中由婚外情导致的占 59％；上海郊区某县，竟达 70％。据此，仅从我国每年约百万的离婚案件数来推算，这个数就意味着每年至少有10万个家庭多多少少崩溃于婚外情的攻势下。婚外情正在快速地蔓延，有正在酿成大祸之势，必须认真对待。

2. 影响青少年健康成长。

一方面，婚外情导致单亲家庭的增多，而且越来越多的人离婚不要孩子，于是孩子无人抚养、失学，甚至流浪街头，正像一个11岁孩子说的："爸爸妈妈离婚，我流浪。"这些没人管的孩子很容易变坏、失足，以至犯罪。根据统计，在青少年犯罪案件中，出自离异家庭的占40%。另一方面，有婚外情的成人事实上也在为青少年作出坏的榜样，使青少年道德意识薄弱。

3. 使当事人陷入心理危机。

多数当事人未从婚外情中建立起更为理想的婚姻关系，甚至也达不到原来所期望的精神上满足。一般地说，陷入婚外情的人都会产生内心冲突，有负疚感，结果是使他们陷入更严重的心理危机。

搞婚外情的一方意在婚外再得到一份快乐，将情人视为他在家庭之外的附属物。而情人，尤其是未婚的女性，却认真投入地去爱，将对方视为自己心中未来的一种寄托。由于双方感情基点和预期目的的不同，无法满足双方长远的需要，所以产生分歧是不可避免的。

调查表明，与情人结婚的仅为17%，而真正感到幸福的仅为5%，

该管还是不该管

严格意义上的婚外恋源于人们的感情依恋,但也不能排除封建意识和西方性开放影响。我国有两千多年的封建历史,一些封建糟粕一遇合适气候就会沉渣泛起。随着改革开放的不断扩大,西方的思想观念、生活方式也随之侵入,加之一些影视、报刊、杂志、广播等过度地渲染名人的私生活、西方的性观念,影响了人们。

应该说,婚外恋从确定婚姻制度以后便长期存在,并不是什么新东西,但对目前这种日渐公开化的现象,人们除了作为茶余饭后的谈资、笑料,也有各自的看法。

被访的一位大学生说,感情这东西人人都有,恋谁爱谁谁也管不着,这是我的权利。国家法律还保护隐私呢,你调查这干啥。

老实巴交的农民怒言:吃着碗里的,看着锅里的,电影、电视里有;俺们农村不兴这个!

机关干部感到,婚外恋主体都发生在成年男女身上,其行为后果事先都会有所认识和防范,这种恋情常常有利工作和生活。婚外恋在许多名人身上产生的巨大效应就是很好的验证。倘若长期压抑其感情,反而不利社会稳定和发展。

一些工人坦言,头头整天围着“小秘”转,厂子搞不好,咱们心里要有个花花肠子,家庭也安全不了。婚外恋任其发展,必然造成公害,影响社会风气。我们倡导精神文明，也应该对婚外恋作“度”的限制，就象一条道上不能同时跑两辆车，越“轨”者应当受到法律惩罚。

法学专家如是说：我国婚姻法只承认事实婚姻，婚外恋发展到重婚事实才能界定犯罪，限制婚外恋界线上不好把握，只能靠社会道德法庭和人们的良知来处理。同时，文明社会应是一个有高度法治的社会。我国现行《婚姻法》是 1980 年 9 月 10 日第三届全国人民代表大会第三次会议通过的，当时由于时间仓促，只是对几个主要方面进行了修订。从近几年的情况看，人们婚姻观念更新，离婚率逐年上升，家庭暴力也在增多。形势的发展需要对存在许多缺项的现行《婚姻法》作一次重大修改。

减少婚外情现象的根本在于提高婚姻的质量，同时，社会控制也是必须的，对婚外情社会需要法律控制，但更长远更根本的，是更需要道德控制、习俗控制。建立健康的社会舆论是十分必要的，对婚外情默认、姑息乃至欣赏、赞许的态度，是特别值得引起注意和必须加以改变的。

重要的在于教育。

众人杂说

柳林，女，妇联干部

我在前几年曾经统计过市婚姻案件，离婚率每年呈上升趋势，究其原因第三者插足引起的离婚案占到了整个婚姻案件的60%以上，这给人们的心理上带来了危机感，给社会带来了不安定因素。

从自身原因分析，首先夫妻感情不牢固，如果某一方不注意充实完善提高自己，往往会造成家庭的裂痕，使外人有可乘之机。其次，有些女性本身单纯幼稚，贪图享乐，一次舞会，一顿餐饮，一套温情脉脉的谎言，就陷入了铺满鲜花的陷阱，破坏了他人的家庭。

我们妇联作为妇女的娘家，面对现实，心情沉重，我们呼吁一些人，警惕走向生活的误区，呼吁全社会会弘扬正气树立正确的婚姻观。

石涛，男，报社编辑

第三者问题，俗话俗说，是个感情或者事实插足于别人家庭的问题。感情是情不自禁的，事实却是涉及道德观念的。感情他移，我认为情有可原。人的情感世界是千差万别，繁纷复杂的。现实社会中，唯有感情是可以自由自在驰骋的。人是不可能没有自己独特的感情世界的，感情的交往也是崇高洁净的。真挚的感情是一种友谊，是成年男女真诚交往的好方式，并不涉及插足及破坏别人的家庭安宁与幸福。人类有友谊就够了，何必要降低到低等动物的层次呢？关键是自己，自己要有健康的感情流向，健康的心理，要有自控能力，不要掉入破坏别人婚姻家庭的漩涡，漩涡是杀人的，既杀他人，也杀自身。不能贪图自己的一时痛快破坏别人的安宁幸福，人还是应当有一点利己利人的道德观念的。插足别人的婚姻，终究是一种罪恶。

管志强，男，社会学家

家庭中出现了第三者，是否就意味着婚姻要解体？我认为，这要以夫妻感情基础好差而确定。如果婚姻基础不好，夫妻关系一向紧张，就不如趁机作出选择。因为和一个与你感情不好的人生活在一起，双方都是痛苦的，只能是互相折磨，浪费年华。感情是不能勉强的，即使一时看好，也是隔着一层薄膜的，与其说是勉强和好，倒不如及早分手。这样双方都会解除痛苦。如果夫妻双方感情基础好没有隔阂，一方有了第三者，对这个问题要慎重考虑，不要急于解决，更不要到处张扬。无第三者一方，首先要从自己身上找问题，看是否冷漠了夫妻情感，是否对对方过分苛刻、指责、管得太严，数落太多；其次，要看对方的地位环境是否发生了变化。不管出自哪一方面的原因，只要夫妻感情基础好，就要努力争取帮助对方摆脱第三者。一方面检点自己行为的过失；另一方面要用真情感化（她），用爱心来温暖他（她），用理解来规劝他（她），使对方感受到夫妻的情，家庭的爱。否则只能促使破罐子破摔。

辛小丽，女，机关干部

不知从何时开始，第三者这个群体从弱到强，从暗到明，电视里也褒贬不一。

为了短暂的小聚，为了瞬间的快乐，为了情欲的满足，撑着厚厚的脸皮，揣着忐忑的心跳，画出了一个情欲大于公德，苦大于乐的不等式方程。

物欲的满足，临时的耳鬓厮磨，实在羞于见人，羞于启齿，羞于光明正大。他们像小偷一样无真心的体贴，无长远的打算，无固定的港湾。他们各种欲望的膨胀，都是在人的尊严、良知、公德萎缩的前提下建造的。试想，人为什么要在无边的苦海中撷取那可怜的昙花一现呢？为什么非要把一时的“幸福”建立在自己和别人的痛苦之上呢？所以，我奉劝陷入情网，简单行事的第三者们，在形形色色的大千世界里，要把握住人生坐标，不要做不等式的牺牲品、殉葬品。

赵启明，男，法庭审判员

大多数中国人对第三者话题有趋之若鹜的感觉，究其原因，无非是第三者插足与饱学孔孟诗书的“从一而终”、“贞节夫权”思想大逆不道。而我认为目前第三者插足，与中国现行的婚姻制度有关，中国婚姻法有待修改。

首先中国婚姻制度是以婚姻自由、一夫一妻、男女平等、保护妇儿童权益、计划生育等五项原则构成。婚姻法规定，夫妻离婚视夫妻感情是否破裂而定。即中国婚姻应以感情和道德双重为基础，无感情婚姻即不道德婚姻。我者认为：第三者插足的行为80%是感情原因，这是在民事审判一线处理离婚案件得出的结论。

其次，中国婚姻法在处理财产及子女问题时明文规定有婚姻过错原则，谁挑起感情破裂事端，如发脾气仅会招来人们劝慰，而与第三者有关系则要在法律上负少分割财产之责任，婚姻法对夫妻内部做出限制性规定，而对外对第三者无任何禁止性规定，这就可能导致第三者插而不止。

姚振中，男，外企白领

一个无爱情可言的婚姻，一个像死水般平静的婚姻，一个专制的婚姻，一个无可奈何的婚姻，这是多么可怕的事情，时至今日仍有发生。

封建道德理论观念束缚了我们千百年，使多少善男信女的婚姻像僵尸般挺着，去耗尽短暂的青春，难道不能改变吗？

我们提倡婚姻自主、恋爱自由，当你维系一个毫无生机的婚姻时，你是滞想创造一个新的充满生机的婚姻？一个伟大的哲人学过："一个不幸家庭的破裂孕育着两个新的家庭的诞生。"

第三者无明确概念的界定，是指美满婚姻呢，还是指行将破裂的婚姻，假定由于第三者插足使一个美满婚姻破裂，可见这个美满婚姻的基础是不牢固的。

假如使一个像死水一样平静的婚姻破裂，那么第三者将给新的婚姻注入生机和活力。

"第三者"能冲破封建礼教的束缚，用坦荡的胸怀去迎接逃战。我个人认为，只要在国家宪法和法律允许的范围之内去完成婚姻自主的竞争是无可非议的，不要墨守成规、因循守旧，大胆地去爱自己所爱的吧。目前什么都可以引入竞争机制，那么第三者同样可以去竞争。社会要变革，人的意识形态也在变革，要拿新眼光看待新事物，我们总爱拿旧的框架去衡量新的事物。况且我们对婚姻家庭的教育就存在着不全面的羞于启齿的问题，使不少人在婚后方能领略其真谛，出现第三者的问题是可以理解的。

总之，去接受大自然法则的抉择吧。

汪洋，女，律师

一提起第三者，大部分人都会“头皮发紧”。恐惧之余，更多的是痛恨与指责。或是为“弱者”鸣不平，对第三者打击有余而思考不足。人们很少公正地看待第三者。我们应设身处地地思考一番问题出在何处，为什么会有第三者。

分析其原因，第三者的出现，不外有以下几种：

其一，旧情复燃式。两人相恋，由于种种原因，没能结合，分别多年，偶尔相遇又点情火。

其二，弥补短缺式。恋爱时美好的爱情蜜语变成了油、盐、酱、醋的交响曲。爱情梦里理想的伴侣变得荡然无存，缺点暴露无遗，当事者有了缺点，正好有第三者弥补其不足。

其三，相互报复式。一方有了外遇，另一方出于报复，于是毫不犹豫地投入了第三者的怀抱。

其四，感情破裂式。夫妻已失去爱的梦幻，感情已不复存在，“第三者”便进入家庭的殿堂，心安理得地当上了座上宾。

纵观“第三者”出现的形式，我们不难看出。“第三者”固然可憎，但当事者也不能没有责任，也应很好地反思；是哪个部位出现了问题，该如何修正……

窦晖，女，幼儿园教师

当夫妻生活中出现第三者并证据确凿时，应先冷静下来考虑自己的不足或某一方面的疏忽、不周全的地方，对此事不要过多盘问对方，做到心中有数，泰然处之。

一面对对方更加炽热、关爱，万事做得“天衣无缝”，让他感到家的温暖和幸福，使其对你有种内疚负罪感，另一方面要掌握第三者的全部情况，必要时，要用自己特殊的身份以理智的方式，请 第三者一叙，让她设身处于你的境地，感受一下这一角色的难易，佩服你贤内助的形象，相信以后的事自然会处理好。

高岩，男，警察

我认为，在家庭生活中出现第三者，究其原因主要表现在以下两个方面：其一，从个人角度分析，一是在夫妇双方之间为了确保一方在事业上获得成功，采取了“二保一”的模式，不是夫妻双方手挽手共同进步，而往往是由女方承担起了教育子女、孝敬父母、料理家务的义务。而男方在事业上获得成功之后，感觉到与女方没有了共同语言，在思想素质和生活方式上加大了差距。因此，便重新选择与自己志趣、爱好相投的新伴侣。二是有个别女青年为了钱财和贪图享乐，不惜一切手段寻老板、傍大款、甘心充当第三者。其二，从社会角度分析，由于市场经济不断发展，在人们的思想和工作中，注重了经济建设，放松了思想道德建设。一些人经过奋斗手中有了钱，但精神空虚，社会和家庭责任淡漠，伦理道德水准下降。因此，不负责任地做出与伦理道德相悖的行为来。

崔丽茹，女，个体户

我的看法是，不要以为找到意中人婚后就可以完事大吉，躺在男人怀里坐享清福。由于第三者插足大多是以牺牲女性为代价的，因此，我奉劝已婚女性，要不断加强学习，奋发进取，和男士比翼齐飞，不断提高自身素质和修养。既要做事业上的强者，又要做善解夫意的好妻子，使女人温柔美丽的一面得到体现。要努力提高自己的品位，营造家庭生活的高雅情趣，不要在家庭中只充当一个保姆的角色。要努力在不同场合扮演不同角色。是女儿、是情人、是母亲，让每个今天的你都新于昨天的你。

彭晓惠，女，企业文员

有不少女性由于承袭了中国几千年传统文化的习俗，因而义不容辞理所当然地把自己圈在家庭里，丈夫的一切便是她的一切，导致淡化了丈夫对家庭的责任感，淡化了他对家庭的爱和对家人的关心。是她把自己变成标准的保姆，使丈夫不再对她产生敬重、欣赏、共鸣的感情，而最终去别求新欢。

由于单方的自我牺牲，爱得过分、爱得失去了自己，因而也失去了家庭。作为女人，我希望我们的女性一定要意识到自己同男人一样是个人，应该有充分的自信心，破除依附的心理，树立“四自”精神，无论在家庭和事业上都要与丈夫一道共持家政，比翼双飞，注重感情的培养和发展。

金玉琪，女，作家

爱往往也会从反面以悲剧的面孔呈现在我们面前，她感人至深，以至让人们泪满衣襟，因此在不朽的作品中往往将其演绎得更加淋漓尽致，动人心魄，流传千载。

可生活是现实的，摆在每个人面前的不仅是爱情，更有法律、道德、尊严、良心、舆论、羞耻；不仅仅是自己，更涉及到父母、子女、亲友、前途、事业、利害，尤其是还涉及到配偶（你的，或他的，或她的）、情敌（你的她或他，她的他，或他的她。也许你们不仅不是“敌”，还曾是朋友，或是根本不该伤害的陌生人），因此简单地以自己的爱为尺度来衡量一切，或不顾及自己以外的任何事情，都是不可能的。也正因此才出现了那么多比爱本身更感人、更让人心灵震撼的真情故事。他们或为了爱而远离，或为了爱而放弃，或为了爱而退却，或为了爱而把一切悲痛和苦难都留给自己，他们以一种崇高的境界和非凡的意志做出痛苦的抉择，从而以一种人格的光辉照亮了这个苦难与幸福、爱与恨交织的世界……当然，那些蝇营狗苟毫无人格的男女媾合，为一己之目的而对他人利用或勾引，生活放荡、朝云暮雨的感官刺激以及钱与色、权与欲的罪恶交易，可以说根本就不该在“情人”之列，他们之间无“情”可言，也根本不必在情人节来凑热闹玩深沉。

情是人间最美好的东西，而男女之情则更增加了情的浪漫与瑰丽。

殷章生，男，报社记者

男人贪多，女人求情。男人喜新不厌旧，说的是他们要求更多的占有。像俗话说的，他们是吃着碗里的，想着锅里的。如果占有知识，温故而知新，这种喜新厌旧对大多数女人据说是崇高的。然而，糟糕的往往是男人们喜新不厌旧的那种贪心不是对知识，而是对女人。于是就有了“第三者”，就有了情感的分崩离析，就有了“新时期”的“陈世美”等新概念、新现象，当然就少不了女性的同性相斥和“吃醋”的可能性。

大凡吃醋不嫌酸的女人，都是爱得执著，爱得迷惑。倘若男女双方都不在乎对方，恐后也就没有“喜新不厌旧，吃醋不嫌酸”的话题了。

贪心的男人和求情的女人之间总少不了怨恨，少不了婚姻之鞋是否合脚的矛盾，问题是数量与质量的关系如何处理得当，这不只是情感范畴，任何一种社会与自然现象都有待于适时调试与监控。

婚姻中只要双方努力从全方位来相互适应，让今天的你新于昨天的你，就会使喜新的他常喜不厌。事实上，夫妻双方在这个日新月异的变革时代要想不落伍，必须提高自已的素养，不断学习，充实自己。作为女人我们不能满足作一个贤妻良母，或者事业上的强人，更要学作善解夫意的好妻子，提高自已的品位，克服琐碎，塑造自信、开朗、活泼的形象。婚姻是两个人的事，只要夫妇双方都作出有效努力，婚姻之树可以常青。

离婚时，你都懂了吗？

家是一个美妙的字眼，人们习惯面对它举起祝福的酒杯。

然而，家又是人类情感世界中至为脆弱的部位，亲情和道义无论是谁抽身而退，都可导致家庭框架的倾斜甚至坍塌。

这细胞骤然裂变后生活之舟成了单桨船。

离异者实话实说

季茹，女，34 岁，教师

当年背着 16 个月的儿子离开婚姻时，便觉得从此一生都将不看重纸上的约定。多年来在儿子面前，我扮演着男人和女人的双重角色，我给儿子以父亲的力量和男人的精神，我甚至穿上男儿装端起水枪和儿子在“战场上拼杀”。而到了晚上，摸着儿子胖乎乎的脸蛋，端详他男子汉般的睡态，我的心里只有苦涩……

肖女士，40 岁，作家，再婚

带着女儿出嫁是我早年小说中的情节，我没想过这种事真的会在我生活中出现。女儿 14 岁那年，我嫁给了我现在的丈夫，他是一个杰出的剧作家。女儿很乖，善解人意，为我的再婚起了撮合作用……现在，她和继父相处融洽。我想说的是，单亲日子并不可怕，只要精神上自强经济上自立，再难的日子也能闯过去。

方毅，男，37 岁，制片人

我和妻子文明地解除婚约后我一直和女儿生活在一起。我时常观察我的女儿，有时她高兴起来往我怀里一扎，或当着我的面摆弄那些女人用的小玩艺儿，有时女儿挽着我的胳膊时常娇嗔地问我：爸爸，你看我像不像你的女朋友？天呐，我也弄糊涂了，怀疑女儿早熟真闹个什么“恋父情结”可坏了！

毕娴，女，32 岁，公务员

婚姻中的战争和骚扰直至伤害令我心力憔悴，当丈夫终于使用武力来解决问题时，我没有考虑离异后的艰难便领取了“解放证书”。接踵而至的经济上的困难实在叫人焦心。可我想，没有男人的日子我和儿子既便吃方便面，也照样活得心情不错……

静怡，女，34 岁，经理

我需要来自异性的同情和关怀，那种精神上的支持给我单亲生活的勇气，人生可以没有爱情，但不能没有友情。

毕淑勤，女，34 岁，教师

一个女人如果能经历一两次浪漫的爱情，然后再选择一桩比较实际的婚姻，是明智的。而婚姻一旦解体，能拥有一个孩子并细心地扶持他（她）长大，也是明智的。生而为人，便要完成上帝赋予人的使命，你的肩膀再脆弱，也该承受责任和义务。所以我能平静地接受单亲生活，并学会了面对生活重压而微笑，现在我的儿子是牵着我的衣襟往前走，一旦他松开衣襟自己走路，我会笑得更灿烂。

蔡玉，女，35岁，记者

我认为，单身带个孩子生活，是一个女人最佳生存状态(这个孩子最好是女儿)。男人是这个世界上最不可信任的动物。这世界上最脆弱的是爱情，最不堪一击的是婚姻。而所有情感中，子女带给人的愉悦是伴随人一生的。因此，我从未因失败的婚姻而绝望，因为我有女儿……

1990年全国人口普查资料显示，我国离异目前仍未再结婚者为483.7万人，如果把带着孩子不宜再婚的因素考虑进去，这近500万人中单亲家庭状态生活者至少在300万人左右。

在采访的50位单亲家庭的家长中，其中女性为80%，男性为20%，年龄以30至45岁为主，离异后占绝大多数。100%的人认为自己孤独，60%的人将孤独列为首选压力。

在采访中有30%的人认为经济拮据是单新家庭中最大的生活障碍，75%的人认为孩子是再婚困难的一个因素。

孩子眼中的单亲生活

丁丹，女，14 岁，初中二年级，和父亲生活

8 岁时妈妈离开了，爸爸一夜间头发全白了……(哽咽)爸爸是工程师，早出晚归，总是趴在桌上画图纸。我学会了使用煤气罐，打扫卫生，洗衣服做饭……我真希望爸爸再找一个女人，我乖，我不怕后妈，阿姨，能替我爸找个女朋友吗？

张晓，男，6 岁，和父亲生活

我是男子汉，男子汉不想妈妈。(眼含泪水）女人不是好东西，可我妈妈和姑姑是好人。

俊博，男，17 岁，高中二年级，

我最讨厌记者，什么都问！

郑康，男，15 岁，初中三年级，和妈妈生活

我和妈妈生活得很好，我的同学说我女人气，尽瞎说。我妈妈是演员，我也在一个电视剧里演出过，我特爱妈妈，将来长大了，我一定找一个像我妈妈一样的女朋友。

艾菲，女，12 岁，小学六年级，和爸爸生活

将来我长大了绝不成家。你看我和我爸两个人活得多好。我一个月去看我妈一次，在她那儿呆腻了就回我爸这边来。有人说什么痛苦啊，这叫文明，你懂吗？

李娜，女，11 岁，小学五年级，和母亲生活

我妈妈是世界上最好的人，还写一手好文章。可是最近家里总有陌生的叔叔打电话找妈妈，只要是我接电话，就说我妈不在。有一天我梦见我妈走了，是坐在那个叔叔开的小轿车里走的，我哭醒了（流泪）我真怕有一天，妈妈离开我……

赵舟，男，9岁，小学三年级，和母亲生活

我爸爸去了美国后就再也不回来了。我真想找他问问，既然不要我了还生我干嘛？我妈妈现在总爱流泪，我恨我爸，我恨美国。

单亲家庭的诞生虽然纾解了家庭中剑拔弩张的矛盾，可也直接影响了下一代的心理健康，他（她）们早熟、脆弱、敏感，他（她）们回避自己的家庭背景，对异性充满敌视。在采访中我惊诧：这些十几岁的在我看来如此单纯的孩子竟有着与其年龄极不相符的思想及语言。

拒绝男人

孟春秋，女，22岁，外贸公司文员

时间到了90年代末期，离婚在CD唱盘上在真维斯或者派的休闲屋中沁人肺腑洒脱热情。我们的周围，离婚的消息远比征婚广告还要落落大方喜上眉梢；离婚的程序简单到了没有程序，想离就分想分就散。离婚在阳光下闪着冲破牢笼般的灿烂。可离婚在穿外翻吊兜中山装的70年代却还算新闻中的头条，我的父亲竟穿着外翻吊兜中山装离开了我少年的记忆。我父母绝不是为抢那时的新闻头条离婚的，命中注定我父亲必然要离去，而婚姻破裂的结果是——一个后来瘫痪的女人领着4个未成年的女儿搭起一个长达15年的女性家庭。15年的女性家门风水独好，一面写满坚强向上守贞存德的大旗在高高飘扬。大旗下面，我们提前知道"喜新厌旧、抛妻弃子、寡妇门前"等一系列课本以外的词语，这些营养为我许多年后写的状态给予了高质量的补充平衡。无比坚强无比向上的思想使我们成为这座森严的单亲城堡里会流眼泪会收藏眼泪的守门的"小男人"。

这种搞不清楚是绝对的好还是绝对不好的真实状态许多年后直接影响了我们的婚嫁。状态的产生植根于单亲家庭荒凉的土质。佩服也好，蔑视也罢，在当时一个被男人蜇痛并支离的女性家庭，绝对拒绝来自男性间的任何亲善或帮助。许多年后，当我成为一个真实的女人，一面清理我原本作为女人的或轻或重的脚印时，回想起那种超出常态直到若干年后才敢确认的变态心理，就会泪流满面。

父亲走时我14岁。我基本是带着同情我母亲的心情来恨我父亲。夜晚跟着星星一同平静的日子，我和妹妹们对母亲说"听话、学习、干活"之类的话时统统加上了"一定"或"好好的"加强词以擦拭母亲带泪的心情。母亲的想法就是不能让父亲看笑话，这或许就是支撑母亲要活好的一个重点，围绕这个重点我们挂着眼泪推煤劈柴上房打扫烟筒雨天挖沟排水。那些年，我们没有干不动干不好的活。我们上进的作风和品行使一个寡妇门前的大旗格外鲜红耀眼，使那引起心怀不轨借帮助之举动企图摇撼大旗的男人们望而怯步。即使那个小母亲六岁死心塌地护理母亲的男人，在我们不知所措同时一口否认的态度下只得走开。我们问母亲还找男人干什么？母亲说干活，说你们是女孩子干早了活会累伤的。我们说不怕累。母亲摇头，但很无奈。多年以后，我成为人妻人母时才懂得母亲摇头的内容里还包含着情欲。那时母亲 36 岁。36 岁的女人正是七情六欲饱满盛开的时节，母亲这一摇头彻底将自己挪上了贞德的十字架。15 年的日出日落，我们 4 个女性“小男人”守扩着母亲的贞德寸土不让。

母亲的贞德和好强迫使我们的男性化行为日渐成熟，我们生龙活虎的干劲儿同时鼓舞着母亲死守贞德不放。女人们的意志和贞德一经连成铜墙铁壁，男人们即使色胆包天也会魂飞魄散。许多年后，我深深地为那些在当年勇敢地伸出手臂企图贴近我们生活施以帮助却没有成功的男人们表示歉疚。

这个几乎与原始母系部落同心同德的传统没有差别的女性家庭，一经宏的走近便裂开了新的伤口。宏的错误就是向 27 岁女大当嫁的我及这个拒绝男人的家充分表达了爱和情。许多年后我依旧不愿直接使用“爱情”来诋毁 15 年的女性家庭对我深层次的影响，尽管后来我发表了许多气氛良好的爱情诗。在母亲面前，我不敢冒然使用“爱情”。我和母亲及妹妹们面对一个体魄健壮英俊并且有着朗朗声音的宏完全是一副惊慌失措的样子。我作为这个家庭的掌门人坚定地站在贞德的旗帜下，由表面上的害怕到生理上的拒绝他的一切握手拥抱亲吻，发展到最后拒绝他整个人。用母亲的想法看宏大部分都像父亲。当宏穿着夏季的运动裤站到母亲床前，母亲则愤怒地请他出去，宏只得将所有的身体用西装领带勒紧裹严，母亲才肯睁开眼睛吃饭。

我的父亲或许想不出，他对家庭的瞬间背叛，整整颠覆了母亲与我们15个年头的性心理。

而贞德又使母亲的一切情俗与她的身体一同躺倒，候守日出日落。在我成为女人后的五年，我常想贞德是害了我们15年还是成全了我们15年？如果母亲当时提出情俗问题，如果我们干不动任何一件家务，贞德的大旗随时可能倒下，那样，我们就没有不幸之万幸的感触抑或感悟了。如此，我对年老却尚存风采的母亲那15年间的朵朵情欲哀悼并致敬。

15年后，当我拎着一只朱红皮箱茫然走近我的婚姻时，我不忍心责怪我的单亲家庭对我的影响。令我同时感叹的是单亲家庭的不幸挤压着我们超越同时期那些双亲关爱下的孩子迅速地成活，这种成熟对承受于社会独立于社会绝对是阳光明媚下的收获。人人赞许人人称颂，这之下不幸抑或贞德成上品。

在心里我疼爱所有的单亲家庭。

望一眼尚且温热的婚姻及活泼可人的女儿，我决定再买一只朱红皮箱送给女儿，让女儿和我婚姻成双。

第九章

投机者乐园和墓地

——股市与股民

真正的投机凭的是智慧、胆识和实力。通过投机赚钱，不一定最好，但也是一种方式和途径，未尝不可。

中国的股民都是些什么样的人所组成？有多少具备相应的知识与素质？

仅仅凭着想发财的愿望就盲目杀入股市，最终只能成为被宰割的羔羊。然而，一旦这种羔羊太多了，责任恐怕也就不仅仅在羔羊本身了。

心态不端正，出路及机会缺乏，该是真正的原因。

炒股心态调查

1998 年 8 月下旬的一天，“国民心态”课题组工作人员踏进北京一家证券交易所做实地采访，拥挤的人流，火爆的气氛迅速将我们溶入万千股民之中，体验着“炒股”的个中滋味……涨跌板前，心潮起起落落；K 线图下，驻足屏气凝神；中国有 3000 万股民就是这样奋战在红绿支点的变幻中……瞬息万变，弹指一挥间，所有的成功、失败、教训、经验都已成笑谈！

众人杂说

刘哲，男，34 岁，工人

最近这段日子，国有企业不景气，职工下岗的很多。我们本来收入就低，加上储蓄利率一再下调，总担心钱会贬值，后来听朋友说股票赚钱，就扎进来了。开始玩股时，不灵！总赔钱，搞不清各种股票的底细，摸着石头过河，盲目地乱投，那些“垃圾股”至今还没“解套”呢！后来，我逐步阅读了一些关于“炒股”技巧的书，增强了分析判断能力，向熟谙此道的高手多请教，慢慢就领会了其中奥妙，开始赚钱了。我“入市”时间不长，但感触很深，我觉得

“炒股”不仅仅是赚钱；还要关心国家大事，最近开了什么会，出台了什么新政策，尤其许多上市公司都是国有企业，股民从自身利益出发也要关心国企，了解国企的改革情况、经营范围、财务现状等。不久前，我们常谈论一个大企业被兼并、收购的事例，从中得到不少启发，完全可以为我们自己的企业开几个良方，对症下药，没准儿也能救活一个厂子，这也算是在“炒股”中学到的本事吧！

郑秀敏，女，40岁，中学教师

股市像个大课堂，要先学着看懂收益表，明白一些专有名词，会看K线图，还要去了解上市公司的状况，逐步细致分析，选择认准的“绩优股”买进，然后依照一些约定俗成的规律来运作。我觉得“炒股”也是一门学问。比如“低吸高走”。低的时候，别人不敢买，你买；高的时候，别人观望不卖，你卖，这样肯定能赚，就怕贪心不足！这点和做人一样，要心境平和，知足常乐才行。不论什么时候，都是人在支配钱，而不是钱来左右人，如果不用正常的心态“炒股”，那就很危险。常听人说股价暴跌时，一小时能跌一百多点，有些人见“大势已去”竟跳楼自杀，这都是心理承受力太差造成的。所以说，来股市投资要有一颗“淡泊功利”的平常心！

潘文武，男，42岁，私营企业主

“炒股”够刺激，跟打仗一样，玩的就是心跳，要“准、稳、狠”才能赚钱，“乍贫乍富”的事儿都是股市闹出来的。老一辈的人常训导我们，说炒股就是投机取巧发不义之财，我看不是。“炒股”真是凭本事赚钱，每次吸入、抛出，面对的都是无数的竞争对手，斗智斗勇，紧张极了！

不论别人怎么说，我一接触股票，就觉得它非常吸引我，可以说，我是全身心地投入“炒股”，把多年的积蓄都用作“股资”了，当然，我在其中也尝尽了酸甜苦辣，1996年底，股市动荡，我一次就套牢了近40万，全家人都快和我反目成仇了！我咬牙坚持，总算大势反弹，我也多了些眼力，渡过了难关，经过这番波折，我对“炒股”愈加爱不释手，甚至想干脆啥也别干了，专职炒股。在“股海”中学游泳，真是一种锻炼呀！

李婕，女，29岁，外企文秘

如果有人告诉你“炒股”特赚钱，千万不要轻信，我在外企工作，收入很高，本不想玩“股票”这东西，可架不住朋友那极诱人的怂恿。钱闲着也是闲着，尝试一回吧！入市后，由于我平时较忙，只能有空时才来看看，加上我对“炒股”懂的不多，赚得很少！朋友都说我关心不够，可据我所知，很多散户一样赔，股票这东西真的风险很大，投资可一定要当心，还有股市手续费比较高，20元买进，20元卖出，表面上没赔钱，实际上赔了手续费！总之，所有的风险都要在投资前考虑清楚才对！

何芸，女，60岁，退休干部

我们老夫妇俩退休后开始“炒股”，每天都跑交易所，股市风险很大，一般来说，我们最多也只有拿出积蓄的1/2来投入，另外一半留作急用。一旦股票赔了，手中还有余钱，不至于影响生活。“炒股”时要尽量多掌握信息，冷静分析行情，不要道听途说，即使是股评专家的意见也不能完全言听计从，因为股评也是一家之言，并且大都是为庄家说话。我们不要过多地受外界影响，做出鲁莽的决定！

一定要把握住自己的投资行为，尽量减少投资风险。业绩好的上市公司，短期内跌了，别急，相信它迟早会涨起来的，不妨做个长线！业绩差的股票暴涨，一定有人为炒作因素，要尽快出手，不可耽搁，否则一切都晚了。这是股市大忌！

夏雪，女，22 岁，大学生

我是学国际经济专业的学生，在专业课里学到了许多有关股票的理论知识，进而想付诸实践。我一方面要安于学业，同时也没有过多资金用于“炒股”，所以只选了几种股票作一番尝试，算是对课堂理论的一种补充。我发觉在“炒股”实践中极大地激发了我的智慧。一些平时觉得晦涩难懂、抽象不定的名词，突然间我就全明白了。“实践是检验真理的唯一标准。”看来这话不假！我想，大学生很快就要踏入社会，迎接挑战！那么能在求学期间多培养一些自己动手动脑的能力应当是一件好事！我“炒股”的目的就在此！

股海沉浮众生相

“专业炒家”郑大户

郑经伟，男，38岁

在股市里“翻云覆雨”的永远是那些大户们。

郑先生便是这样的大户。

采访郑先生是在W证券部装饰豪华的大户室里，当时刚收市不久，他正气定神闲地坐在电脑前分析技术图表指标，研判后市。

“今年行情这么好，你一定战果辉煌？”我们直奔主题地问道。

郑先生含而不露、沉稳有加地笑笑，稍后说道：“事实上，炒股票天天都有遗憾。”

郑先生的话使我不禁想到股民普遍具有一种心态：赚得再多，只要卖出的价格低于目前最高价，总认为自己亏了。作为大户的郑先生同样不能免“俗”。

有着一张方脸的郑先生，30多岁的年纪，看起来精明而沉稳。他现为某基金公司证券部负责人。

此君颇有能耐，自1990年开始涉足股市以来，战上海、深圳，五年股海浮沉，纵横捭阖，极少失手，现已成为超级大户，是个响当当的专业“炒家”。他最大的特点是在充分运用各技术图表指标做综合分析的基础上，配合基本面的情况，通过超常敏锐的直觉选择、判断，往往胜券在握。1995 年 10 月，尽管深市仍处于“熊关漫道”，郑先生通过技术图表分析及根据基金具有与股市反向趋动的特点，大胆选择了勃海银通作为自己的炒作对家，由于当时勃海银通的市价只有 1. 80 元，下跌空间十分有限，因此，郑先生一笔购进了 200 万股。不久，奇迹果然出现了，勃海银通很快涨到 2. 60 元，郑先生不失时机地抛盘，这一笔他稳稳赚回了 160 万元。

郑先生比较注重投资组合效益。他颇为自信地说：“只要根据市场节拍行事，哪怕是熊市也会有热点。事实上，一些庄家的自救行动，往往会成为你的机会生长点。”去年，在沪股整体走势滑坡的情况下，郑先生先后炒作过上海的四川板块、广东板块和一些收购概念股，均有不凡业绩。

当问及郑先生如何在股票炒作中回避风险时，他比划着手势说：“最好是采用‘渔翁撒网法’，同时选择四五只股票作为炒作对象，一旦发现哪只股票不行，就要坚决出货。对于那些绩优股，千万不要急躁，要抱得住，所谓持股要有信心，卖股要有决心。”

由于炒作业绩优良，郑先生几乎成了大户室里的风向标，许多人唯他马首是瞻，跟着买进卖出。粤宏远是地产板块，属绩优股，股性活跃，每有行情，都有辉煌表现。今年 5 月 30 日，郑先生看准势头，在 10 元的价位上买进 60 万股粤宏远，之后该股很快涨至 15 元，郑先生及时抛出，赚了 300 万元。那些跟着他买进卖出的大户们自然也获利不浅。

“炒股，最重要的是心态平稳。”郑先生加重语气说道，“心态不稳，便容易出现或盲目跟风，或优柔寡断，如此则会乱了阵脚，痛失良机。”7月16日下午，深股在持续上升两个多月后出现了一次较大幅度的“跳水”，在临近收市的15分钟内，成份股指数直线下跌了近60个点，市场上出现了恐慌情绪。有一些人拼命地抛空。郑先生则看好后市，他只抛了很少的一部分，且第二天一开市他又悄悄吸纳了进来。后来的事实表明，深股仍在继续走高。那些把手中股票悉数抛空的大户们，悔之晚矣。

最后，在三线股、新股和次新股的轮涨中，郑先生又着着实实地赚了个盆盈钵满。当成份股指数轻松地越过3000点大关，综合指数一路高歌猛进，过关斩将，以361点接近历史高位的时候，郑先生的保证金帐户也“风卷红旗过大关”了。

写字楼里的“业余炒家”

深股走势如火如荼，“业余炒家”方兴未艾。

有人说，在深圳的白领阶层中，拥有几十上百万元家财者已不在少数。他们是既有文化、思想又有实力的一群。或许这为数不少的一群就是深圳正在兴起的中产阶层？严先生和黄女士便可算这一阶层中的两员。

严先生和黄女士都是公司职员，每月工资不高，但他们对此并不介意。他们自身投在股市的资金已在近百万元，他们都有资格进入专户室炒作，但比起那些“专业炒家”来，他们更愿意做“业余炒家”。他们的学历较高，且学有专长，希望能够有一个地方很好地发挥自己，同时让自己的精神有所寄托，而不愿终日沉湎于赚钱或无所事事。

严方国，男，37岁

年近不惑的严先生，业余股龄已有四年，他每天一早醒来“雷打不动”的第一件事，便是拧开收音机收听中央台的新闻节目，从中了解国家宏观经济政策和经济运行的情况。

几年来，严先生的个股炒作可谓“从一个胜利走向另一个胜利”，先后购进的深招港、深赤湾和桂新力都有上佳表现。在多次的差价炒作中，获利几十万元。

问及严先生今年以来炒作最成功的是哪一笔，他不无得意地说：“那要算是深科技了。年初我在5元多的价位上买进了10万股，后又得了送配股。直到前不久，深科技的价位到20元时，我才把货全部出掉，这一笔时间虽然比较长，但却稳稳赚了160多万元。”

严先生在股海里“春风得意”，然而在国债的炒作上却“折戟沉沙”。那是去年5月，从国债的技术理论分析，第五波行情应是最疯狂的，而股市则恰好与此相反。由于严先生死套股市理论，以为大势已去，只好“壮士断臂”，可当真正的机会来临时，又因为过早斩仓而无法“收复失地”了。30万元进仓，10万元惨淡出仓。

问及严先生牛市里最忌什么，他不假思索地说：“最忌用熊市心态去炒牛市，见涨就追，见跌就斩，结果大势不断走好，而自己不但没有赚头，有时还亏。关键还是要精选好股，之后不妨耐心地等待，如此最终一定会有收获的。”

黄玉兰，女，32 岁

黄女士是江苏人，已有一个孩子，夫妻俩都从事进出口贸易工作。

黄女士现在平保、华厦、赛格三个证券部都建立了保证金帐户。通常，她的炒作只在交易大厅进行，她从不去专户室。

黄女士说她一向不看股评，对股市理论也不甚了解，在个股的选择上，她只买绩优股；而在个股的炒作上，她是个典型的“跟着感觉走”的人。1994 年 10 月底，深股已进入熊市，她在 11 元的价位上买进 1 万股金田股票，后来该股票价位跌到 8 元，她又买进 4000 股，先后投入了十几万元。由于当时运用的是牛市追高的炒作方法，致使在该股票上惨遭套牢，至今未能完全解套。与此同时，她在 28 元价位上买进了 4000 股大盘绩优股深发展，后该股价位跌至 9 元时又买了 3 万股，今年分红送股后已平本，7 月份，她在该股攀升到 15．5 元价位时抛出了一部分，获利 6 万元。深南物是地产板块的黑马，今年 4 月，黄女士在 3 块多买进了 1 万股，5 月底，该股升至 5 块多，她全部抛盘，获利回吐 2 万多元。

在证券部的交易大厅里，黄女士不无遗憾地说：“可惜后来我没有继续炒深南物，最近这只股票已升到近 11 元的价位了。最让我遗憾的，是前不久爆炒东北电时被套了进去。那天，东北电由 7 元多一下飚升了一倍多，我是在近 15 元追高进去的。第二天有关媒体就报道了中央管理层要调查此事的消息，结果股市一开，东北电价位就往下挫，现在只有 10 元多了。'价位越高风险越大'这个道理，往往在疯狂炒作中容易被疏忽掉。”

黄女士自 1992 年涉足股市，几年来凭感觉在股海里闯荡，有赔亦有赚，所幸赚多赔少。

散户室里的“职业”股民

叶忠诚，男，35 岁

叶先生原是司机，二年前在旅游公司开车。几年里，尽管他起早贪黑，日夜奔波，仍然收入甚微。后来经朋友介绍，到深圳一家运输公司当上了中巴司机，每月收入 1000 多元，扣除日常开销后也就所剩无几了。1995 年初，为了不再给人打工，他筹钱买了一部中巴，自己跑起单帮来。

1996 年 9 月，深股又一次“牛气冲天”。这时叶先生手里已有了一些余钱，他开始学着炒股。然而出师不利，由于缺乏短线作战技巧，又是跟的庄家，第一笔投入 15 万元，几经搏杀后，便被套牢。1997 年 5 月，深市开始反弹，叶先生看看已平本，正欲抽身，这时老婆对他说：“已经在里面套了这么久，干脆等赚点钱再出来吧。”结果令人遗憾，他们不但没有赚到钱，反而再一次饱受套牢之苦。

近年来，由于国家宏观调控和深圳城市功能转换，车多人少，行业竞争加剧。叶先生备感生活艰辛。1998 年 4

月，他决定卖掉两部车，开始专职炒股。吸取了1996年跟庄炒“黑马”被套牢的教训，这次他专买绩优股，如粤电力、皖美菱、新大洲等，几番搏杀，已净赚十几万元。

周俊，男，33岁

原在某报从事新闻工作的周先生，于1994年初辞职专业炒股。

前年7月，深市反弹，综合指数一路攀高到236点。由于当时对大气候、深股各项技术指标及总体走势缺乏研究，周先生在心情过于急切的情况下，追高在6块多买进2万股连大冷，不想深市第二天便大幅跳水，综指跌落了几十个点，无奈之际，他不得不在150多点斩仓，这一笔他亏了七八万元。

这次深股大市回暖，他看中了绩优成长股沙隆达和股性活跃、走势强于大盘的陕长岭，分别购进了8000股和5000股，由于大市一直向好，几次轮炒后，利润回报已超过二倍。

周先生的太太现在在一家企业做文员，工作比较稳定，但收入不高。眼下，他们正合计着如何在今年这一波大行情中再狠赚它一把，以便在明年初能如愿以偿地购置一套商品房呢。

吴满珍，女，36岁

吴女士来自湖南常德农村。来深前，曾在家乡承包过一个企业，情形尚可，后被别人用关系挤走。吴女士的丈夫是退伍军人，一直在村办小学当民办教师，业余时间替人修修电器。由于日子过得日渐拮据，95年8月，夫妻双双来到深圳。吴女士在一家证券部门口卖报纸，丈夫则在保安公司当保安。

此次股市强劲攀升后，证券部人气旺盛，吴女士每日的报纸可卖到50多元。与此同时，面对牛气冲天的股市，她也禁不住跃跃欲试起来，她向丈夫要了几千元，在一些行家的指点下，先后购进了深鸿基、深招港等表现较好的绩优股，虽只有区区几百股，但多次进出，现已赚了好几千元。三四个月下来就赚回她一年摆报摊的收入。

她兴奋地说："反正投资不大，能赚多少是多少，关键是尝试几下，现在行情多好呵。"

赵向东，男，41岁：

赵先生的股海浮沉经历可以说是"一部辛酸的失败史"。他于1983年来深圳，先后在工厂、商店、写字楼里干过，当过司机、做过贸易，十年拼搏，十年艰辛，积攒下几十万元的资产。1993年专职炒股以来，在深市和沪市间"追涨杀跌"，股本越炒越小，以致留下现在的几万元"火种"，稍有风吹草动，便惊慌逃窜。

1993年入市以后，赵先生凭着自己的勤学苦钻，很快成为颇有口碑的股评人士。那时，他总是意气风发地出入专户室，身边也总有不少人围着他问这问那的。有些股民经他指点，很快走进了"康庄大道"。然而赵先生自己却屡屡在股海败绩。这主要缘于他对自己判断的不自信。用他自己的话说是"当断不断"，没有"顺势而为"，于是他成了人们通常所说的"股评做得最好，股票炒得最臭"的那种人。

如今的赵先生，已从专户室退到散户室，他的周围也不再像过去那样"热闹"了。赵先生感慨地说："唉，亏钱亏怕了，越怕越胆小，越胆小越不自信。”比如这次，他在7元多买进发展股，旋即以为要调整，赶紧在8元卖出；后又在8元买进，因犯同样的错误，他又在10多元卖出，如此几次反复，人家已赚得“盆满钵满”了，他又一次套在18元的高位。这次股市牛气冲天，原来五天一调整的规律被打乱了，五六月竟出现了两个月未调整的情形。看来经验主义是要吃大亏的。股市里的行情每天都是新的，只有依据自己的分析，顺势而为才行。

揭开股市大户的面纱

股票交易市场中的大户，对于许多人来说，颇有一种“不识庐山真面目”的神秘感。与成千上万在各个股票交易大厅摩肩接踵、汗流浃背为着各种目的炒股票的散户相比，不少人以为大户们在环境良好的大户室里，翻手为云，覆手为雨，用大把大把的钱操纵着股市风云。这能不让人感到神秘吗？

我们带着同样的神秘感决定采访采访股市大户。

马达，男，45 岁：

看上去也就 40 出头的马先生来自洛阳某亏损企业。1992 年，他以 4000 元资金开始炒股票，如今帐下已有百万元之巨。

马先生开门见山地说，炒了几年的股票，最深的体会是：要以投资的眼光入市，让投机的心态出市。炒股票不是一种简单的博彩游戏，它是一种有风险的投资行为，这种投资获利多少，其实是对一位股民综合知识的检验。一些初入市的新股民，往往把手中的资金换成大把大把的股票，似乎拥有股数越多就越能赚钱，其实，这是一种非常盲目的投机行为。马先生说，作为一个股民无论什么时候都要记住：你买的是一个公司、一个企业的业绩，之后，才是股票。买入绩优公司的股票就可以充分享受整个国家最优秀企业高速增长的成果。马先生坚持只买自己熟悉并信得过的上市公司的股票，并坚定不疑地长期持有，这使他历经数年股市风云始终保持不俗的业绩。

马先生并不是没有被套住过，但他有他的一套策略。他说，该"割肉"时一定要"割肉"。在熊市时，要找准顶部，以最小损失出逃；在牛市时，要学会做波段，别在乎小涨小落，看准大的趋势，只要是上涨的，就要牢牢握住，在取得最大的赢利水平时抛出。另外，在牛市时，要学会找底部，在合适的时机进仓，以获得较好的收益。

马先生说他下过乡、当过兵、打过仗，转业后在工厂从工人做起，一直做到厂团委书记；后来，厂里效益不好，他又到海南做推销员，最后在股票市场，才发现了自己兴趣的真正所在。因为他认为他不善于与人打交道，在过去的经历中，只有别人骗他的时候，而他从不会去骗别人。而如今，做股票生意，凭的是智慧与知识积累，天天坐在电脑前，电脑不会骗他，他通过电脑看K线图，分析技术指标，挣与赔，都觉得心安理得。问及马先生什么时候收手不干，他回答得很干脆："股票市场对我的诱惑力太大，我永远都不会出去。"

周小兰，女，38岁

采访周女士时，我们在她身边足足等了40分钟。周女士聚精会神地注视着电脑上的各种曲线和指数，她抱歉地说，她正在下一个单，做好之后就接受采访。看着周女士娴熟地操纵着电脑，我们便在一旁细细地打量着她，据说周女士是一位画家，也因对股票产生了浓厚的兴趣，于是在5年前便业余玩起了股票。周女士初给人的印象是一种温良朴实的贤妻良母型，但当她对着电脑屏幕指点着不断变化的各种曲线滔滔不绝地对你讲起股票时，她的精明、她的果断、她的勇气、她的智慧便一览无余。

1992年，周女士拿着5万元资金入市，那时的股票种类很少，股票交易在我国也是刚刚兴起，几乎是买着什么股票都赚钱。周女士的资金迅速从5万元翻番到了将近30万元。那时，她对股市充满了必胜的信心。1995年5月18日对周女士是一个记忆犹新的日子。在那一天，国家出台了一个有关规范股票交易市场的政策，股市暴跌，周女士没来得及抛出，一下子被牢牢套住，损失很惨，吃一堑、长一智，打这以后周女士调整策略，又投入了一些资金，一步一步挽回了损失。她说，假如手里有30万元资金的话，应当这样分配：用1/3做长线，选购绩优股；用1/3做中线，选购有发展潜力的股票；用1/3做短线，选购那些有庄家操纵的垃圾股，赚一把就跑。这些年来，她坚持这一策略，获益非浅，如果是赔了，有中长线股在撑着，也不至于损失太惨。

周女士举例说明前一段在沪股指数达到610点时，她注意到基金股一直滞后，国家又颁布了股票交易要增收印花税的政策，而基金股交易不收印花税，她预计会有庄家炒做，就以3元的价格购进天骥基金。恰巧在大盘低落时，天骥第一天涨停板，第二天高开，她及时抛出，赚了一笔；随后，又以3.5元的价格再次购进，不料这次把握不准，天骥基金一路下跌至2元多。周女士认为这类基金股不可能有大的作为，反弹的可能性不大，就果断决定以赔钱的价格及时抛出，一下赔了三四万元，但她同时购进正在上涨的绩优股康佳股票。结果不到一个星期，康佳一路上扬，不仅把天骥基金损失弥补回来，而且又赚进两万元。

周女士指着电脑屏幕上发展股票的K线图说发展属于龙头股，是一个效益很稳定的绩优股，这样的股票抗跌，现在虽然呈下跌态势，但是下跌幅度不猛，成交量也很小，这说明它处于一种盘整阶段，它反弹的机会是相当大的，只要你握着，最终是会有大的收益的。但另一方面，也要注意股票价值应与其赢利水平相适应，如果一个股票的市盈率太高的话，其风险就很大，存在潜在的投机行为，这时你一定要见好就收。

周女士告诫散户最好做中长线股票，因为炒短线需要快进快出，而散户一是消息不灵，二是在拥挤的大厅里交易，想进仓时进不来，想出货时出不去，弄不好就赔个净光。

随后，周女士爽朗地说："你别看我此时给你说的一套一套的，其实玩了这几年股票，我也是'曾经沧海难为水'呀，大赚大赔都有过，现在炒股票，在炒做过程中体验到的那种玩的兴趣已超过当初那种一门心思为赚钱的唯一目的了。所以，在炒做过程中就比较放得开了。"

俞悦，女，29岁

据说俞女士是这个大户室里最为幸运的一位了。2月中旬深沪股价指数曾一度大跌，不少股票连着两天跌停板，不少人都在观望。就在这时，俞女士以一位新股民的身份经熟人介绍携20多万资金进入这个大户室，并以9元多的价位购进3万股中福实业股票。紧接着几天股票大涨，中福实业一下涨到13元多，俞女士及时抛出，净赚11万。当问及俞女士为什么在这个特殊的时期这么有勇气进入时，她说她是有备而来的。在这之前，她虽没去炒股，但一直在研究、关注股市。2月中旬，股票市场利空的消息。已经该出的都已出来，国家经济形势看好，近期股市的大跌只是暂时的，回升才是大势走向，因此，她就勇敢地在这个时候入市了。

俞女士说她炒股票时间不是太长，实际经验还非常不足，因此，最近又被套住了。短时间获得丰厚收益，短时间又赔得一干二净，由此俞女士充分体验了股市的甜蜜与无情。但股市实实在在对她产生了很大的吸引力。她已经入市，就不想退出来。因此，她又投入一些资金，意欲再创佳绩。她的指导思想是把炒股票看成是支持国家经济建设，也对自己有收益的一种精神生活。能赚着钱更好，但也不能太在意钱，贵在参与。

至此，飘荡在我们心头的那种对大户的神秘感已一缕一缕散去。所谓大户，有不少也是在股市的风风雨雨中磕磕绊绊，由资金拮据的小股民走过来的。他们和众多的股民一样品尝着股市起伏带来的苦与乐。他们之所以能从散户走进大户室，那就是，与众多股民相比，他们多一分理智，少一分浮躁；多一分机敏，少一分盲从。

我们由此想到：其实在社会上无论做什么事，机遇总是青睐那些有准备和善于思考的人。

大户们的心里话

中国股市经历了整整十来年的风雨之路，已被大多数人接受。由于股市日趋规范化，第一代大户的素质显然已经无法与之匹敌。但是，他们的经历、经验和教训，却是很值得后来者借鉴的。他们的话语，听来不无感慨——

众人杂说

蔡志林，男，51 岁

股市对人的考验真是太残酷了。面对瞬间的金钱得失，有的人挺着胸昂首阔步，有的人跪下膝凄凄惨惨，这一幕幕我都看过了。

在股市投资，应该从“人民公社”回到“单干”。因为，股市最能体现的是个人意志、个人爱好。在股市想稳操胜券，还得有相应的文化水平。当年，我们这些炒股大户，文化素质不是很高，没有远见；那个时期，如果有一批文化素质高的人加盟，我在上海股市的命运也许会改变……

黎发定，男，46 岁

过去的股市，齐涨共跌，好做得很，而如今的股市，却越来越让人看不懂，那些庄家的手法越来越诡秘，简直让人无所适从。我只读了一年初中就去上山下乡，回上海后又没能好好念书，如何从报纸上分析国家宏观经济形势，如何透过企业财务报表上的蛛丝马迹去判断另一个企业的业绩优劣，真是让人伤透了脑筋。

邬嘉声，男，48 岁：

炒股和打仗一样，是一门指挥艺术。艺术是要不断创新而且不进则退的东西。

没有经过大起大落的股票投资者，就很难成为一名成熟而意志坚定的投资者。

周世友，男，45 岁

证券交易是一门学问，是一种高级生意，靠的是知识和信息。一个真正的投资者，不会总在牌价上做文章，而是要眼观六路、耳听八方，先要摸清国家的“大行情”和企业的“小行情”，这样才能稳操胜券。

范希松，男，50 岁

中国股市是改革开放的产物，是从计划经济向市场经济转变的产物，它除了带有股市的一般规律外，更带有中国特色的社会主义这一特殊性，从这个意义上来说，中国的股市更复杂一些，认识中国股市比认识一般国家的股市，难度会更高一些。在股市中的多空搏杀，说到底是人性和人格的较量。要警惕和克服贪婪、恐惧和从众这人性中的三大弱点，在操纵股票的过程中加强自身修养和自我完善，才能在股市中有所作为。

第十章
无法扼制的疯狂
——贪污、受贿及其腐败

改革开放二十年，贪污腐败问题没 一天不被人所谈论，所痛恨，国家司法部门也从来没有停止过查处与打击。然而，随着历史的进程，这一问题非但没有得到制止，反而愈演愈烈，贪污、受贿数额越来越大，形势越来越严峻。

为什么？为什么？？为什么？？？

贪污腐败何时休

二十年前,《人妖之间》讲述了一个黑龙江老太太的故事,她叫王守信,是宾县燃料公司的经理。然而,就是这么样一个人,竟然贪污了 50 万元国家的财产。案件曝光,全国上下一片哗然,震惊不已。

那是改革开放伊始，也是全国最大的一桩贪污案。作者当时曾发出了尖锐的质问：贪污腐败谁之过？何时了？

二十年过去了，中国的改革开放已推进深入了许多。这其间，中国共产党和党的领导人从来就没有放松对这一问题的重视，甚至发出了“亡党亡国”的警告。贪污腐败问题也从来没有一天不被国人所谈论，所痛恨。那么如今情景又是怎样的呢？

到 1995 年出现陈希同、王宝森的案子,犯罪金额已达上百亿元。从 50 万到上百亿元,从一个县的燃料公司经理到中共中央政治局委员。这足以说明，贪污腐败现象随着历史的进程不但没有得到有效的制止。反而愈演愈烈，形势越来越严峻。

这是为什么？

答案显然是复杂的，但是最根本的原因却一目了然：随着经济的发展，社会的进步，我们一些官员的物欲急剧膨胀，糖衣炮弹一打就倒。再加上监督机制失灵，体制不健全，就更加导致了贪污腐败的猖獗和泛滥。

反腐倡廉，一直是老百姓最关心的头等国家大事。多少年来，党的纪检部门、国家的公检法部门，在与贪污腐败分子的生死较量中，一直紧崩着神经。反腐之剑始终高悬。

这是一个老问题，更是一个新问题。关于这个问题的谈论，我们已谈得太多太多，但我们别无选择，依然只有继续谈论下去，日复一日，月复一月，年复一年。

在此，我们将采取一种简洁而直接的方式，告诉读者国内一些重大的贪污腐败案例，让沉重的事实来作为警钟，震撼我们的心灵，引发我们的思考。

众人杂谈

王桂先，公司职员

腐败问题每朝每代都存在，不仅仅是现时代的问题。我觉得将腐败现象与社会制度绑在一起来看待，那是不科学的。因为再先进再完善的社会制度下，也必然会存在不同轻重的腐败现象。

但这不是说社会制度和执政党没有责任。如果制度健全，如果党风党纪严格而规范，那么，腐败现象是可以得到有效控制和约束的，至少不会那么普遍，那么广泛，那么金额巨大，那么有恃无恐。

不管怎么说，再无能的政府，也不会怂恿或允许手下的官员贪污腐败。打击贪污腐败，是人心所向的事，也是社会所希望的。

总之，我认为要理解，要区别，愤怒痛恨不解决问题，关键是人人要自觉地进行自我约束以及对他人实行监督，尽量使贪污腐败现象控制在最小的范围内。

周文武，机关干部

腐败现象肯定不好，但它所反映出的问题却又不是简单的，值得社会重视。

贪污腐败，一般只存在于有职有权的人之中。按说这些人都是在社会上挺风光的人，比普通人要强，却为什么偏偏还要犯错误呢？

我认为有几点：

一、收入不高。“风光”的背后得有钱才行，要吃、要喝、要玩，没钱全谈不上。国外有高薪养廉之说，这是有道理的。如今工资和普通老百姓一样，他不贪不沾，怎么办？

二、观念不对。很多人当官，目的不是从政为人民、为社会服务，并通过这种服务表现自己的才干，实现自己的人生价值。很多人当官，只是以“官”来作为一种形式，为当“官”奋斗，仅仅是为了出人头地。一但当上了“官”，形式有了之后，他当然就不思进取了。捞好处，过一天是一天，正是这种思想状态的表现。

三、风气不好。如今当官不是随便谁都行的，你得卖身投靠，得先请客送礼，既投资感情也投资金钱，甚至还得先垫上人格。一但“官”到手了，丑媳妇熬成婆，有职有权之后，那还不得扳回来？反正大家都一样，不贪白不贪，过了这个村没这个店。要倒霉，怎么样也不会从我开始。

陈春柱，下岗职工

社会上贪官这么多，就在于没人管。逮着一个杀一个，看谁还敢乱来？

贪来贪去都贪谁的？贪国家的、贪老百姓的。老百姓痛恨，可老百姓被贪官管着，有话也没地方说。国家为什么不管呢？怕什么？杀了贪官，我看谁也不会敢放屁，包括贪官家人也不好意思。

江山都能坐，为什么几个贪官却收拾不了？

李明，大学老师

腐败现象说到底是人性的劣根性，是人的一种本能行为。有条件、有机会、有利益，谁忍得住？如果有人不干，那是因为风险太大，或者还想往上爬，不想因小失大。

因此，打击贪污腐败最有效的方式，是要让他们感到风险太大，让他们觉得得不尝失。光说教、讲马列，毫无作用。

政界腐败名人录

陈希同　原中共中央政治局委员、北京市委书记

陈希同，祖籍四川安岳，1930年6月生，1948～1949年，他十八、九岁时，是北京大学中文系学生，参加了中国共产党地下外围组织“民清”。1952年初，刚过20岁的陈希同调入北京市委工作，任办公室干事。建国初期，国家需要大量干部，能说会写的陈希同于1953年（23岁）成了北京市委第二书记刘仁的秘书。后来机关干部下基层挂职锻炼，作为得到培养的年轻干部，他担任了北京第一机床厂7车间党支部书记。1963年陈希同任中共北京市昌平农村工作部副部长，不久升任县委书记。

“文革”期间，许多干部下放劳动，陈希同也未幸免于难，被下放劳动5年。1971年陈希同任昌平县十三陵公社革委会副主任、马池口公社党委书记，后升任昌平县委副书记，县革委会副主任，昌平县委书记、县革委会主任。

十一届三中全会后，1979年12月陈希同任北京市副市长，1981年9月任中共北京市委常务书记，次年当选中共中央委员。1988年4月任国务委员，1992年在党的十四大后当选为中共中央政治局委员，同时任北京市委书记。至此，陈希同走到了政治生涯的顶峰。

据说，陈希同在向中纪委交待问题时说，他在经济上没有参与犯罪，在生活作风上“失于检点”。但据有关方面掌握的情况，他不但对王宝森的贪污贿赂行为知情，而且也有经济问题的重大嫌疑。已经查明，他的家人曾借助陈希同的势力，非法获取了相当丰厚的收入。陈希同的儿子陈小同，与首钢的“周公子”(周北方)，自80年代中期就开始操办一个大型房地产项目，两次到夏威夷等地考查，花天酒地、挥金如土。这项工程位于北京西直门立交桥北角，占用大片黄金地段，耗费巨额资金，工程进度五、六年，但只完成几栋高层建筑结构及外装修，至今无人过问。而对于陈希同本人，据悉，在1984年就结识了一个比他小30岁的女人，从1989年至事发连续保持不正当关系达6年之久。他利用职权安排这个女人到某大饭店任中方副经理。陈希同被捕前，这个女人及其女儿去了香港，陈希同转达口信，让她“千万不要回来。”

现已查明，陈希同利用职务之便，收受、侵吞大量贵重物品，腐化堕落，大量挥霍公款；利用职权支持亲属和身边工作人员经商，谋取非法利益；严重失职，对王宝森违法犯罪活动负有重大责任。陈希同严重违反了党的纪律，给党和国家造成了极其恶劣的影响，完全丧失了作为一个共产党员的条件。

腐败，使陈希同从政治巅峰一头栽到谷底。如今，陈希同被审查已两年半。1997年初，他因心脏病入院；后被移交到京郊昌平县秦城监狱。

1997年8月29日，由纪委决定并经中央批准，开除陈希同党籍。

鉴于陈希同的有些问题已触犯刑法，中纪委建议司法机关依办理。检察机关已对其依法立案侦查。

1998年7月31日，北京市高级人民法院以贪污罪和玩忽职守罪判处陈希同有期徒刑16年，没收全部不法财产。

张辛泰　原铁道部副部长

张辛泰1937年生，革命军人的后代；1953年入团，1956年入党，1959年毕业于唐山铁道学院桥梁隧道系；1972年12月到1976年任铁道部大桥局桥梁技术研究所革委会副主任；1976年5月至1982年任大桥局革委会副主任；1982年12月至1990年8月任铁道部副部长、党组成员，1990年12月起任南（宁）一昆（明）铁路建设领导小组副组长（副部级）。1966年因抗美援越得到过越南政府颁发的勋章；1971年被评为坦赞铁路优秀援外战士；1982年当选为中共十二大中央候补委员；1988年被选为中共十三大代表……

1986年，张辛泰经其专车司机周茂深介绍结识了李春花，一位30岁的中尉女军官，某军矿副矿长。作为革命军人的后代，张辛泰对军人“有着一种特殊的感情”，加之李是同乡，自然可以信任。

听说李春花神通广大，可以买到“平价”电器，张辛泰不想放过这种“占便宜”的机会，马上让司机传过话：代买一台冰箱、一台彩电、一台录像机。李春花得此消息，喜不自禁。她是个精明人：用钱买权，再用买来的权去挣回更多的钱。这个逻辑关系是所有行贿人都非常清楚的。于是，马上用高价从无业人员手中买来部长所需的家电，亲自送上门，并按出国人员服务部发票上所标的美元价以国家汇率折合人民币收取张辛泰家电款。张辛泰哪里知道这三台电器的价格与当时北京市场零售价竟相差 4050 元，他沉浸在占便宜之后的喜悦之中，根本没有想自己将要为此付出多大的代价。

1987 年秋，张辛泰收受李春花一台夏普 800 瓦吸尘器。

1988 年春节前，李春花用高价又买来一台松下大容积电冰箱，亲自送到张家。

张辛泰的儿子结婚，李春花送上一台日立 21 英寸平面直角遥控彩电和一台夏普转盘式微波炉。作为回报，1989 年 6 月，张辛泰为李春花批示一列 50 节 2500 吨运煤计划表交到了李春花手中。

张辛泰先后收受电器 8 件，共计 20270 元，此外，还有两箱 40 瓶五粮液酒，价值 1840 元。张辛泰是铁道部派驻郑州铁路局的工作组长。在公开场合，他履行工作组组长之职，私下则收受贿赂。

1991 年 8 月，北京中级法院根据张辛泰在案发后投案自首，积极退赃，认罪态度较好，确有悔改表现等，依法对其减轻处罚，判处张辛泰有期徒刑 3 年，缓刑 5 年。

倪献策　原江西省省长

倪献策是山东高密县人，曾在江西大庚钢铁厂工作，最后当上了厂长。一位认识他的江西人说："这个人可鬼了，特别是巴结上级特别有一套"。80年代初，他被提拔为副省长，85年江西省委新旧交替酝酿人选时，又推荐他当省委书记。1985年6月当选省长。

1985年6月，他被提拔到江西省的高级领导岗位后，经常"往下跑"，但每次事先都由人打电话通知下面。下面的人心领神会，倪省长有一个健壮的胃袋，一个人一顿能喝一斤茅台。为了接待他，花四五百元人民币办一桌菜是经常性的，他还常向人炫耀："老子在上海、广州吃过上千元一桌的。"他口常不离"妈的"、"滚他妈"这类粗话；而且他还有一手绝活，能在大庭广众之下，面不改色地把稻草吹成黄金。从香港返回南昌，他报告中说这次谈判成交额就有人民币七亿元。其实，真正落实的不过三千万元人民币，而且有的是过去早已谈成功的。

倪献策问题的最后暴露，是和他庇护的情人郭晓红的弟弟郭勇有关。

开放改革之机，郭晓红的弟弟郭勇，与人合办了一个"洪海电子有限公司"，他任营业部副经理，他瞄准国内录相机是个热门货，便动脑筋想弄一批进来。经他老同学方晓维介绍，结识了福建省××工业进口公司技术引进部副经理李××，李××听说他们要进口二千台日产录相机，一口应允，回到福州就和香港某公司陈经理洽谈，商定总金额为六十万美元。李××接着赶到南昌，和郭勇、洪海公司总经理江克荣等人签订了委托书，规定他们应付给××工业公司8.4%手续费，他个人还向他们私下索取了六万元“好处费”。

隔了一个月，李××和郭勇到广州，会见陈经理，陈经理摸透了他们这些人，当场就给他们每人三千元港币，他们欣然接受了。

谈判十分成功，交易很快“拍板”，只可惜没料到的是，当二千台录相机运到深圳文锦渡海关时海关经过检查，认为这是一宗走私案件，发出处分通知，没收全部走私货物，并罚款人民币一百五十万元。

海关这一决定，使洪海公司和××工业公司惊得目瞪口呆，两家公司马上紧急商议。有人提议，非找倪献策帮忙不可了。他们请郭勇设法，郭勇是知道姐姐和倪献策的“特殊交情”的，当即去找郭晓红，郭晓红一边埋怨弟弟太冒失，一边就和倪献策挂电话。当时，倪献策正在开江西省人民代表大会，他接到郭晓红的电话，不顾正在开会，马上同意下午四点叫他们来江西宾馆汇报，便劝慰道：“这事不难，我挂个电话出去就行。”

倪献策果然利用职权，给江西省对外经济技术合作办公室韩主任挂了电话，要他们“照顾洪海利益，一致对外”。当晚，他还一连写了两封信，一给江西经贸厅驻深圳中转主任，要他出面找海关说情；二给江西省对外经济技术合作办副主任，要他们出面给文锦渡海关，请求“给予支持”。这两个下属都照办了，但文锦渡海关对于这些软硬兼施的要求不予置理。倪献策见一计不成，又生一计。要九江海关打电话找海关总署求情，“照顾照顾江西”，还托已离任的省对外经贸厅厅长在北京找经贸部说情。

半个多月过去，对方不为所动，倪献策沉不住气，便亲自以江西省省长名义，给北京海关总署打电话，口气咄咄逼人，要他们处理时“慎重考虑”。但海关总署经调查之后，坚决维持文锦渡海关处分决定。这使几个走私犯吓呆了，倪献策也傻了眼。他想了又想，最后批示省计委和中国银行南昌分行，以现金给香港那个公司付二千台录相机的外汇。本来是走私录相机，港商也负有责任，中国银行南昌分行拒付货款，但倪献策为了包庇郭勇等人，竟大胆利用职权批准以现钞方式付款，使国家和这个贫穷省份白白损失了五十三万美元（合 413 万港元）。

倪献策和郭晓红的所做所为，逃不过周围监察官员和群众的眼睛。中共中央纪律检查委员会经过四个多月的调查，终于查清了倪献策的主要问题。1986 年 7 月，郭晓红、郭勇等人被江西省公安厅收容审查。1986 年 10 月 26 日，倪献策被罢免了江西省省长职务；1987 年 1 月 10 日，他被逮捕了；1987 年 2 月 27 日，中纪委宣布开除他的党籍。他从当省长到罢免，只有一年多一点的时间。

1987 年 4 月 14 日，南昌市中级人民法院判决郭勇有期徒刑八年，李××有期徒刑十年，江克荣有期徒刑二年六个月，缓刑三年。判处倪献策有期徒刑二年。郭晓红在这之前已被判决劳教三年。1987 年 5 月 27 日，江西省高级人民法院驳回他们的上诉，维持原判，堂堂江西省长，于是成为了阶下囚。

托乎提·沙比尔　新疆维吾尔自治区政府副主席

51岁的托乎提·沙比尔，1952年参加工作，1953年入党，在党的培养下，先后当过工人、车间党支部书记、厂党委宣传部长、厂党委副书记、新疆维吾尔自治区政府副主席。1987年11月沙比尔认识了一个退职经商的中年女人程某。

过后，程某主动找沙比尔套近乎。这两个都是有邪念的人，很快就达成一笔交易：沙比尔应程某的要求，给乌鲁木齐副市长写批条，使程某轻而易举地租到了建筑面积259平方米的四套住房。有了非法活动的场所，程某自然也满足了沙比尔的要求，从此他们开始了长达一年多的不正当男女关系。程某为了进一步拉拢沙比尔，不择手段地将一名女青年庄某引荐给沙比尔。庄某向沙比尔提出："只要你帮我解决工作，你愿意干什么都行。"不就是安排工作吗？好办。于是庄某和沙比尔达成了交易。沙比尔同庄某发生关系后，大笔一挥，先后给乌鲁木齐市民航局和自治区劳动人事厅的领导写批条，要他们给庄某安排工作。沙比尔昏昏然了，他忘记了自己是个党的高级干部，什么党纪、本职工作，统统抛在一边，经常和程某、庄某混在一起吃饭、跳舞……以至春节除夕乌鲁木齐发生部分地区停电事故，沙比尔竟忘记了值班，还在程某家里鬼混……

1988年3月，正值化肥紧张时期，沙比尔应程某的要求批条子给乌鲁木齐石油化工总厂领导，使程某购得100吨尿素。程某以每吨加价120元转手倒卖，经营额6.4万元，非法获利1万元。

6月，程某以新疆农垦进出口公司广州分公司做哈蜜瓜生意为名，向乌鲁木齐铁路局申请机械保温车皮。此时正值铁路货运紧张，铁路局表示无法安排后，程某找沙比尔，沙比尔批请乌鲁木齐铁路局领导解决。为此，程某得到了8月份车皮计划，8月，铁路部门考虑到兵团农三师的瓜在车站停多日，已开始霉烂，要程某在拨给她的8个车皮中先让出4个车皮，随后补发。贪婪的程某不干，她当即打电话给沙比尔。沙比尔随即电话告诉铁路部门的同志："程某的瓜快烂了，她要的8个车皮你们给她。"话虽不多，却说得很严肃。铁路部门只好给程某发了8个机械保温车皮。程某接到车皮后，连车皮指标带哈蜜瓜一起转手倒卖了。程某的这笔生意，经营额达38．7万元，非法获利18万元。

沙比尔滥用党和人民赋予的权力，不仅仅表现在程某、庄某身上。1988年4、5月间，沙比尔还应北京某剧院停薪留职的女化妆师王某的要求，两次批条子给新疆铝厂，让其给王某解决200吨铝锭，并且价格上优惠。王某得到200吨铝锭，并转手倒卖，总经营额113万元。非法获利8．2万元。

沙比尔经不起女色的引诱，在金钱面前，也同样经不起诱惑。1988年3月，沙比尔接受程某送的一块纯毛地毯，价值1000余元。同年8月，程某做哈蜜瓜生意获利18万元，为感谢沙比尔帮助解决车皮，程某送给沙比尔海尔电冰箱一台，价值3442元。同年11月，程某托沙比尔买十几枚金戒指，将其中一枚重约4克价值400元的戒指送给了沙比尔。同年11月和1989年4月，沙比尔两次去外地出差，行前接受程某的现金一次500元，一次1000元。此外，沙比尔还接受程某的电动剃须刀、旅行箱等物品。1988年6月，倒卖铝锭发了财的王某，为了报答沙比尔，以信息费的名义，送给沙比尔1万元。沙比尔虽一再推辞，但在王某的坚持下，沙比尔还是接受了。沙比尔在任新疆维吾尔自治区政府副主席10年后，被撤销职务，开除党籍。

欧阳德　原广东省人大副主任兼东莞市委书记

欧阳德共有五个子女，三女二男，现有二男二女和大儿媳、孙子、外孙女等8人定居香港。这些去港定居的子女和亲属，多是经欧阳德同意，通过各种渠道出去的。

“大公子”在去港前担任欧阳德领导下的东莞市某区区长，1992年他拉来了一个外商合作经营住宅小区。并以区政府名义担保贷款5000万元用于住宅小区建设。1993年1月，“大公子”去了香港。时隔两月“大公子”回到东莞，摇身一变成了港商，区政府将住宅小区50%的股份转让给“大公子”——“港商”，“大公子”从这个项目上捞钱数千万元。同时，“大公子”又与区政府合资开办了一家夜总会，一人占有70%的股份，投入的资金全部从开发住宅小区时由政府担保贷到的5000万元之中支付。不仅如此，他还在夜总会的“理疗中心”办起了首家异性按摩服务的场所，雇用大量“三陪”小姐，以色情引诱、接待来客。

“二公子”去港回东莞后，也变成了港商。这位港商借用东莞市万江区第二建筑公司工程队的牌子，把凤岗海关的2000万元推土工程强夺到手。仅此一项他就获利约700万元。

陈柱豪是欧阳德的二女婿。他从市政府车队的司机调到市公安局任车管科的副科长后，独揽汽车牌照发放大权。几年时间，他竟收贿赂28.5万元港币；通过炒卖地皮获取非法收入150多万元。

1990年，欧阳德因以权谋房和以低价多占地皮等问题受到省委、省纪委的严肃查处。1993年，身为市委书记的他居然在一次干部大会上公然宣布要把纪委的牌子从市委大院门口摘下来。

1993年，欧阳德收受一个叫陈晓敏的女人10万元贿赂。

1993年底陈晓敏想在厚街镇建加油站、商住楼。一天晚上，陈拿着一份工业用地70～100亩的申请，去找欧阳德批一下，欧阳德批办后，陈晓敏因故又决定不要这块地了。

时隔不久，陈晓敏又在欧阳德的帮助下，为她的情夫、个体户栾少斌办了一张多次往返港澳的通行证。1993年底的一天，陈晓敏在香港花近万元港币买了鱼翅、高丽参、洋酒等物品，又拿了1万元人民币，用塑料袋装着送给欧阳德。1994年3月，陈晓敏又花4万元买了一部37英寸的彩电和一套健伍音响，送到欧阳德家。

欧阳德还多次收受陈晓敏的烟酒等物，其中一次就收了一个金钱龟和5000元港币。1993年10月，欧阳德修建的百象楼房主体工程完工后，欧阳德亲自打电话给古某，让古某亲自负责装修。

欧阳德共计收受贿赂 53 万多元。1996 元 1 月，东莞市人大常委会通过决议，依法罢免了欧阳德的东莞市委书记、广东省人大代表职务；4 月 19 日，中央纪委召开新闻发布会，公布了开除其党籍的决定；司法机关将依法追究其刑事责任。

1996 年 6 月 24 日，广州市中院以受贿罪判处欧阳德有期徒刑 15 年，剥夺政治权利 5 年。

企业界腐败名人录

管志诚　原首钢北京钢铁公司党委书记

1951年，管志诚不满20岁，便在当时的北京石景山钢铁制作所白灰石矿当搬运工。小伙子聪颖好学，人缘亦佳。3年后，他光荣入党。以后，他又当上了技术员、矿长助理。“文革”期间，他也挨整，但为人处事的坚定信念没有改变，后来成为首钢经销处的处长。1980年8月，不满50岁的管志诚，被任命为首都钢铁公司总经理助理。以后，他在首钢所属的初轧厂、民产公司和矿山公司担任过党委书记。从1989年4月始，他荣升首钢北京钢铁公司党委书记。这是首钢所属的6大公司的一大“龙头”企业。

管志诚在任矿山公司党委书记兼宏城工贸实业部董事长期间，非法收取8万余元“计划外运杂费”。

从1989年11月份开始，管志诚又以“华诚公司”(董事长也是管志诚)的名义，在北京房山区崇各庄信用社偷偷立了一个帐户。在以后不到6个月的时间里，广东、山东、山西、河北以及北京等地的一些单位，相继汇入该帐户24笔款项，总金额达59万余元之巨。

管志诚在批给华城公司钢材时，以需支付铁路部门“计划外车皮费”为名，从每吨钢材中索取现金60元。华城公司在经销2000吨钢材时，向客户收取了票外款(现金）15 万余元。随后，这笔巨款又落到管志诚的手中。

1986 年底至 1987 年，管志诚分 3 次批给河北丰润第二轧钢厂 150 吨平价支农盘条，价格相当于当时市价的一半。但每吨盘条在货款外另加 400 至 450 元的“钢材补差费”。这样，总价不过 12 万元的盘条出手后，管志诚从中搜利了 6. 5 万余元，并全部据为已有。

从 1986 年至 1990 年 4 年间，管志诚利用职务之便，索贿、受贿人民币 151. 9 万余元（审判机关最后认定管志诚受贿额 141. 83 万元，贪污公款 8. 21 万余元）及港币两万元。

管志诚除了大肆贪污受贿之外，另外还有两名“干女儿”。

于惠荣，今年 34 岁，是首钢北京钢铁公司联合经销处调运科运输计划专业员，系管志诚一手提拔“重用”的。1981 年她拜管志诚为“干爹”，随后开始了他们的父女并居生活。

杨娣，25 岁，原是北京石景山区一家幼儿园的保育员。几年前，她拜管志诚为“干爹”后，索性把名字改为“管小娣”。她辞去了保育员工作不久，即被那家“宏城实业部”聘为董事长秘书，以后她出任厦门九洲华城公司董事长秘书兼业务经理（这两家公司的“董事长”均为管志诚）。

管志诚分别于 1988 年 11 月、1989 年 12 月、1990 年 3 月分三次购得三套住户，和他的两个“干女儿”姘居之用。

1991 年 9 月 5 日，管志诚被依法处决。

王守信　原黑龙江宾县燃料公司经理

黑龙江省松花江地区中级人民法院，遵照法律规定，于1979年10月18～20日，对王守信贪污一案进行了公开审判。松花江地区中级法院院长耿树森任审判长，与陪审员孙士德、金奉元组成合议庭；王凤林任书记员；黑龙江省人民检察院松花江分院副检察长高政、检察员王真、李凤等出庭支持公诉。哈尔滨市法律顾问处律师孙朴为被告王守信的辩护人。同本案有关的其他被告均有辩护人出庭为其辩护。宾县中国人民建设银行刘万春、财政科于庆恩、松花江地区公安局技术科云玉霞担任鉴定人。

18日开庭，审判长向被告人交代了有申请回避、辩护和最后陈述的权利，被告王守信没有申请回避。接着公诉人宣读了起诉书，随即法庭开始了公开调查。王守信对被指控为犯贪污罪，一再进行辩解。法庭出示了大量证据（赃款、赃物）；与王守信案件有关的三名证人、三名关系人出庭作证；会计鉴定人和字迹鉴定人分别宣读了鉴定书。在人证、物证面前，王守信才无言可答。

19、20两日上午进行辩论。王守信的辩护律师孙朴，为她进行了辩护，最后要求审判合议庭从宽处理。其他辩护人也为同案被告进行了辨护。20日下午继续开庭，审判长宣布王守信等八名被告人所犯的罪行，事实清楚，证据确凿。依法判决如下：王守信，女，59岁，乘文化大革命混乱之机，靠投机钻营，打击干部和群众。“造反”上台，当上黑龙江宾县燃料公司经理。上台后，一手抓权，一手抓钱，大量鲸吞国家财富，从1971年10

月起，到1978年6月止，贪污和侵吞物资折价共500，70. 02元。其罪行败露后，多次与被告马占清等人订立攻守同盟，指使马占清转移脏物，负隅顽抗。破案后缴获赃款413，325. 43元。缴获赃物折价70，014. 38元。上述事实证明，王守信是一个典型的新剥削分子，严重破坏了社会主义建设，实属罪大恶极。根据《中华人民共和国惩治贪污条例》第三条规定精神，判处贪污犯王守信死刑。

被告马占清自1971年以来，利用营业部主任职务，监守自盗，贪污现款16，554. 25元，并先后从“小金库”中为王守信提取现款432,000余元，被王守信贪污。并按照王守信的旨意，转移和匿藏“小金库”剩余款29，100余元。马被依法处有期徒刑15年。判处窝藏犯姜淑芝（王守信长媳）有期徒刑7年；窝藏犯刘志忠（王守信次子）有期徒刑5年；窝藏、贪污犯刘志民（王守信长子）有期徒刑4年；窝藏犯王守富（王守信弟）有期徒刑3年；窝藏犯王守琴（王守信妹）管制2年。此外，省燃料公司副经理高玉斌接受王守信贿赂款1,800元，及大量副食品，犯有受贿罪。但认罪态度较好，全部退赃，法庭决定从宽处理，依法判处有期徒刑2年，缓刑3年。

王守信被宣判死刑后，没有上诉。松花江地区中级人民法院将这一死刑案件报黑龙江省高级人民法院复核，最后经最高人民法院核准。1980年2月28日，在哈尔滨市工人体育馆召开群众大会，松花江地区中级人民法院院长、本案审判长耿树森向罪犯王守信宣布执行死刑的命令。随后，王守信被押赴刑场枪决。

褚时健　原云南省红塔山集团董事长

1995年2月，一封来自河南省三门峡市的匿名举报信寄到中央纪委信访室:三门峡市烟草分公司某人勾结洛阳水泥厂驻洛办事处临时工林政志，用行贿手段，先后给云南玉溪卷烟厂厂长褚时健送去大量礼金，其中包括金龟1个、金佛爷1个、金表1块及美元、金条等。从1991年11月至1993年9月，林政志等人共从玉溪卷烟厂5次购进卷烟8167件，获利818万元。

举报信不长，但反映的问题具体、详实。

3月24日，中纪委有关部门派员到洛阳，从外围展开调查。洛阳市司法部门同时对林政志采取措施。

1995年7月至1996年3月，司法部门根据掌握的涉案人的大量犯罪嫌疑问题，先后在云南、广东、海南等地收审了犯罪嫌疑人马静芳、马静芬、马建华及褚时健的女儿褚映群、外甥喻斌、昆明市公安局交警刘云、汕头市个体烟贩赖喜荣等人。

经查，1991年至1995年，褚时健利用职权和职务便利为他人批烟倒烟，其亲属从中收取了大量钱物，为林政志、赖喜荣、刘云等人批供卷烟，其妻马静芬及其他亲属收受140万元人民币、8万美元、3万港币和大量贵重物品。

同时，司法部门对有关涉案人员的住宅进行搜查，取得大量赃证，先后收缴赃款500多万元人民币（含存单、国库券、债券）4万多美元，近百万元港元，收缴价值100多万元的赃物和价值400多万元的8处房产，总价值超过1100万元，其中1000多万元的钱物为褚时健夫妇所共有。仅从床底起获的密码箱内的赃物中，就有金表、金条、金佛、金项链、金耳坠、金手链及各种玉器等。其中的2尊金佛和带“佛”字的金戒指等还是林政志送的。

从举报的案件线索中，办案人员还发现王溪卷烟厂在厂外、境外设有10多亿元人民币和2500多万美元的帐外资金。这笔钱是1991年至1995年玉溪卷烟厂销售“浮价烟”时，褚时健等人私设的“小金库”。“小金库”必须褚时健签署授权委托书才能支取，分别存放在香港、珠海的下属公司和广东的几家烟草公司。工厂没有这笔帐，只有总会计师罗以军等少数人知道。

褚时健设这笔帐外资金用来做什么？

1996年11月，办案人员兵分三路，到广东揭阳、普宁、广州和海南调查，掌握了褚时健利用职权和职务便利为广东揭阳、普宁烟草公司批烟，女儿褚映群索要和接收3600多万元人民币、100万港币、30万美元的事实；同时还掌握褚时健贪污、挪用巨额公款和收受贿赂等重大犯罪嫌疑。

正当调查深入进行之时，褚时健坐不住了。1996年12月2日，他企图从云南边陲河口潜逃，被边防检查站截获。

1997年1月6日，云南省人民检察院决定对褚时健立案侦查，2月8日监视居住，7月10日拘捕。

随后，案件有了重大突破。8月初，在押的犯罪嫌疑人检举褚时健有严重贪污问题。在预审人员的攻势下，褚时健的心里防线崩溃了，首先供认自己伙同烟厂副厂长乔发科、总会计师罗以军共同贪污帐外资金300多万美元的问题。他从中贪污的100多万美元，存在其儿子褚一斌的境外帐户上。

调查表明，褚时健利用职权和职务便利，主谋贪污私分公款300多万美元，其中他个人贪污170多万美元；为他人批烟谋利，其女儿索要和接受3630万元人民币、100万港元、30万美元，妻子及其他亲属共收受40多万元人民币、8万美元、3万元港币和大量贵重物品。

褚时健从一个党和人民培养起来的优秀企业家，走上严重经济违纪犯法道路，教训深刻而惨痛。

翻开褚时健的履历，他1928年出生，1949年参加云南武装游击队，1952年加入中国共产党，担任过勤务员、指导员、区长、区委书记、玉溪行署人事科长，1963年起从事工厂管理工作，先后任地方农场副场长、矿厂厂长，1979年出任玉溪卷烟厂厂长。

但是，褚时健在自己的晚年，却没能经受住荣誉和金钱的考验，逐步蜕化变质。

褚时健后来这样讲述他违法时的心态："1995年7月份，罗以军、乔发科、盛大勇、刘端麟我们私分300多万美元那次，当时新的总裁要来接任我。我想，新的总裁来接任我之后，我就得把签字权交出去了，我也苦了一辈子，不能就这样交签字权。我得为自己的将来想想，不能白苦。所以我决定私分了300多万美元，还对罗以军说'够了，这辈子都吃不完了'。"

然而，党纪不许，国法不容。他本可荣耀的一生，却因晚节不保而涂上了抹不掉的污迹。

张斌昌　原兰州钢铁集团公司总经理

1965年毕业于北京钢铁学院后被分配到酒钢公司。他是从基层一步一步干上来的。他从技术员到矿长，长期在酒钢某矿海拔2500米～3000米的高海拔地区工作。1986年6月任酒钢公司副总经理。早些年，他在工作中也还算兢兢业业，曾根据自己在矿山工作的需要和多年处理设备问题的技术经验，编写了近40万字的机械基础稿，并在青年工人和技术人员中讲授了近5年的课程。到酒钢后，张斌昌提出的一些管理办法和决策思路，也解决了一些实际问题，对企业的减亏有一定的贡献。

1995年8月，张斌昌由酒泉钢铁公司常务副总经理调任兰钢总经理，兰钢的前任领导曾与澳商合作成立陇明钢铁公司。这个合资项目，是经中央和省里批准的，而且也运行多年，但张斌昌对这个项目坚决不承认。1995年11月，澳商老板亲自找张斌昌谈判。张斌昌向老板索要5万元贿赂。

仅1991年至1995年，张斌昌就先后多次收受宏光公司经理吕锡赞的现金、港币折合人民币40万元，收受向酒钢公司下属厂矿承揽工程的三个包工头贿赂的现金、国库卷共计17万元；向合资企业索要15万元；收受某退休职工送的现金10万元；收受某房地产开发公司经理送的2万元。

张斌昌到兰钢后时间不长，有关他在酒钢时贪污受贿、生活淫乱的情况，就在职工中风言风语地传开了。有人去过张斌昌在酒钢的私宅，说里面的装饰极尽奢华，推断张肯定有经济上的问题，但当时兰钢绝大多数干部职工绝不相信这是事实。因为人们总是看到他忘我工作，稍有空闲，就戴上安全帽，穿起工作服到车间生产一线调查生产情况，俨然一位“勤政无私”的领导干部。

狡猾的狐狸逃不出猎人的眼睛，再精明的腐败分子最终躲不过国法的制裁。检查机关在张斌昌的住宅、办公室内共查获现金、外币、存单及国库券合计人民币294万余元及部分贵重物品，现已查获属贪污受贿的金额高达125万元人民币。同时还发现，自1996年以来，他长期与数名情妇鬼混，并摄制收存他与情妇淫乱的录象带、录音带、照片及其它黄色淫秽书刊等物品。

张斌昌与情妇约会，总是让司机把他送到某个路口，然后又一定要看着汽车消失在转弯处。身为兰钢最高决策者的他独来独往多日不上班，不在岗，从不打招呼。人到哪里去了，也没人知道。但他一到岗，立刻变得非常专横，公司里的多种事情，都需要他的签字，否则一律不算。

1997年8月7日，张斌昌被停职检查，几天之后被正式逮捕。

张斌昌将受法律的严厉制裁。

杜春芳　原上海安字异型铆钉集团董事长

1979年，杜春芳到上海一家生产门窗插销的小厂任职。这家“鸡毛小厂”在杜春芳主持下，于80年代中期大胆地改产抽芯铆钉。短短几年，在改革开放的大好形势下，企业飞速发展。成为世界上生产铆钉规模品种最多的企业之一，40%的产品出口到国外。企业资产从180万元，增长到3000多万元，翻了几番。杜春芳在决策方面为此作出了突出贡献。一顶顶美丽的桂冠便不断地戴到他的头上，全国劳模、连续多年的市劳模、优秀厂长、优秀企业家等等。

杜春芳后来任上海异型铆钉厂厂长，上海安字异型铆钉集团的董事长。在杜春芳任职的15年里，经历了艰苦创业、开拓创新、腐化堕落这三个阶段。

杜春芳干出格的事之前，都要策划一番，或者找一些法律顾问咨询一下。他用公款消费使用的是让公款办的5张信用卡，别人短时间里也搞不清他是怎么花的。一次，他给孙子过生日在酒楼大摆宴席，一下子就花费上万元。一个与其关系密切的女人，依靠他的关照，做生意赚了一笔钱后要出国定居，杜竟用公款送给她白金戒指一枚，现金数万元。

杜将不知从哪儿弄来的一些发票统统拿到依托铆钉厂加工产品的乡镇企业去报销。1993年初，在一次酒宴上，杜春芳对青浦插销联营厂李厂长说：“我在青浦办了这么多厂，放了这么多产品，你们给过我什么好处吗？”对方只得送他一套三室一厅的住房。杜春芳盘算后，又向对方乡政府要了一个奖励其住房的证明，以掩人耳目。杜每年还要对方送红包。作为交换，李厂长的妻子不用上班，就可以从铆钉厂和安字铆钉集团领两份工资。1995年，杜春芳又带李厂长到欧洲“考察”一番。1990年底，杜春芳将本公司开发的一个盈利产品，放到外地去生产，私下要对方分给他一半利润。对方定期送利上门，还外带农副产品。

杜的女儿开办春风贸易公司注册验资是由与铆钉厂有业务往来的某乡镇企业垫资30万元。杜的儿子办公司更是由杜当董事长的安宇集团公司所属宏发公司出面，将一商店包来交其经营。从此，厂里的原材料进货、部分产品销售都要由这两家公司过手，成本增加不少。该厂原从上钢二厂进原料，后改由他的儿子、女儿开办的公司代办。厂里先将支票借给他们，然后再派车从上钢二厂直接到厂里拉，10天半个月后再结帐。这样，杜的子女不费吹灰之力就赚到了钱。他儿子的公司缺空调，就直接叫厂里某人从铆钉厂“借”一台过来。他的公司要装修，也叫厂里派2个人来“搞搞”，顺便连家里也装修一番，费用当然由铆钉厂负责。厂里产品要提价，杜子女开的公司便事先大量吃进。

杜春芳将以铆钉厂为主创建的安宇公司股权在几个股东中倒来倒去使铆钉厂的持股比例不断缩小，使他能控制的一些非国有单位持股比例不断增大。安宇公司等到了很大发展有些盈利较多的产品都被杜拿出去搞“联营”了。杜是安宇公司董事长，他盘算退休后继续在安宇公司干。

1996年12月26日，杜春芳被一审判决有期徒刑7年。

金融界腐败名人录

张德元　原湖南省国际信托投资公司董事长

张德元 1951 年 4 月参加工作，24 岁就任副处长，43 岁任副厅长，1991 年当上了湖南省“国信”党委书记、董事长兼总经理。正如他自己所说，他是一名在厅级位子上干了 19 年的“老革命”了。

张德元在“国信”集党政大权于一身，他曾说：“我不负责谁负责，我是法人”，“既然我负责，一切就得听我的。”公司人事、业务、奖金发放均由他一人说了算。

1994 年，张德元否定公司承办公会的决定，私自免掉一合资企业承包方的违约罚款 141 万元。事后他收受对方贿赂港币 1 万元。

张德元从 1991 年至 1994 年 9 月，利用职务之便，为他人谋取便利，单独或与其养子张晓丹、妻子邹建萍合伙 17 次收客观存在贿赂折款人民币 220. 69 万元，构成受贿罪，数额特别大，给国家造成巨大经济损失。

张德元通过妻子邹建萍、养子张晓丹收受港商张某贿赂 44 万元港币。

通过张晓丹收取港商吴某现金 30 万港币。

能过张晓丹收取下属某分公司卢某别墅一套，价格 13. 73 万元港币，通过妻子邹建萍收取贿赂 10 万元人民币。

4 次收取港商黄某共计 8 万元港币，摩托车一辆价值 1. 6 万元港币。

收取深圳罗湖区某公司总经理邓某 5 万元人民币。

收取马来西亚商人 12 万马币。

1995 年 7 月，检察机关开始查处张德元案件，张德元系列案件从初查、立案到侦查、结案的 1 年多时间里，检查机关还立案侦查与此案有关的案件 167 件 16 人，其中处级干部 8 人，行程 20 余万公里，跨越新加坡、马来西亚等国家和香港，形成 40 余本厚厚的卷宗。

1997 年 10 月上午，在古城长江、倾盆大雨挡不住人们的匆匆步履。因为，建国以来，由湖南省检察院直接查办的级别最高、犯罪金额最大、涉案人员最多、斗争场面最恢宏的原湖南省国际信托投资公司总经理张德元经济犯罪系列案，经过两次共 5 天开庭后，于当日作出判决。

等法院宣判张德元的死刑时，他用柱着的拐杖在地上顿了顿，说不清是懊恼还是沮丧。

同时被判刑的还有张德元的养子和妻子，二人分别被判处无期徒刑和有期徒刑 6 年。张德元一家收受的贿赂折合人民币 220 余万元和赃款赃物 90. 8 万元人民币均予以没收，上缴国库；违法所得折合人民币 23. 4 万元予以追缴，上缴国库。

向明序　原贵州省国际信托投资公司董事长

向明序是一个农民的儿子，后成为财经方面的研究生。1994 年 1 月从省财政厅厅长提拔为贵州省国际信托投资公司总经理。

94 年春节后，向明序参加私人老板林家雄的家庭聚会。林家雄是伟林现代装饰工程公司总经理，上过大学，当过记者，在商界，也算是一位后起之秀。林家雄的家是一幢小巧玲珑、装饰豪华的私人别墅，灯红酒绿、欢歌笑语，气氛热烈而祥和，向明序一踏进这地方，就被宾主众星捧月似地围在当中，尽兴地享受着那丰盛的酒宴、迷朦的歌舞、男人的奉承、女人的媚笑。向明序左顾右盼，如痴如醉，拍着林家雄的肩膀，一个劲地夸赞："看不出你还有几下子，好、好呵。"

只要有时间，向明序对于林家雄几乎有请必到，吃香喝辣，唱歌跳舞。所有费用当然都算在林家雄帐上，少则数百元，多则上千元。

一个周末晚上，酒足饭饱的向明序跳了阵舞，然后去洗桑拿浴。向明序动心了，他还是头一次走进桑拿浴室。半小时后，他带着淋浴液的残香仰卧在床上闭目养神时，身上的毛骨被突然揭开了。他不觉眼前一亮，一位穿着半透明低领短衫的妙龄女郎站在他面前，秋波暗送，脉脉传情。在昏暗的灯光下，那白晰的肤色、高挺的胸部、丰盈的身躯，显得更加具有诱惑力。

向明序心头一阵狂跳，尤其在那双柔软的手指的按摩下，骨头都酥了，什么党纪国法，什么伦理道德，统统被他抛在九霄云外。向明序完全沦落了。

1994 年 9 月 3 日，向明序坐进林家雄的皇冠轿车，被那两个妖艳的娼妓紧紧夹在中间相互挑逗。林家雄在风景如画的清镇市红枫湖畔一家宾馆订好房间，物色了两个娼妓，款待向明序。

那一晚，向明序搂着姓吴的娼妓寻欢作乐时，竟恬不知耻地对娼妓炫耀道："你知道他们为什么这样巴结讨好我吗？因为他们有事求我，只有我才能解决。"

向明序还两次收受贿赂1．5万元。

向明序批给林家雄200万元巨额贷款，案发后仅收回3．3万元。人民的血汗就这样轻而易举地被糟蹋了。

96年3月22日，贵州省纪委报请省委会批准，开除了向明序党籍。随后，又撤销了他的贵州国际信托投资公司董事长、总经理职务。省检察院依法对其实行了刑事拘留。

等待向明序的将是严厉的法律制裁。

阎健宏　原贵州省国际信托投资公司董事长

阎健宏，61岁，河南人，个子不高，却常常显出一副不可一世的样子，说话咄咄逼人。阎健宏解放初期参加革命工作，五十年代初期入党，1989年到贵州工作，曾任贵州省计委副主任，政协委员，后任省国际信托投资公司董事长。她是原贵州省委书记的夫人，因此，她的案件被中纪委视为高层反贪的一个大案件。

阎健宏在贵州短短4年，多次利用手中的职权和其特殊身份地位贪污、挪用公款、受贿、投机倒把，数额巨大令人触目惊心。

1989年至1992年间，阎健宏利用省计委掌管的权力，为她儿子批指标，倒卖后捞取好处，又多次将省计委掌握的进口化肥、农药、平价外汇指标及计划内的铝锭、煤炭指标批给她儿子或其联系单位，从中谋取好处费 75 万元。

1992 年 6 月，阎利用省国际信托投资公司与贵州侨谊实业公司联合经营钢材之机，说她要买宝马车，一张口就向侨谊公司索要 40 万元，用这笔钱充抵了她儿子在国外买房子的借款。1993 年 4 月，阎出具假借据从公司提出 10 万元现金，流进了自己的腰包。5 月，阎借贵州侨谊实业公司向建行贵州分行贷款，要省国际信托投资公司出具担保，向侨谊公司索要 1 万 8 千美元；几天后，阎便借口用作“归还境外开户借款”，把 1 万 4 千余美元搞到自己手里。

1992 年 12 月，阎所在省国际信托投资公司为海南一家公司贷款 2000 万元，阎同公司的另两个人，把公司应得的利润数次转帐，开具假借据，涂改日期，瞒天过海，把 150 万元公款悉数侵吞。1993 年 6 月，阎又找借口从公司投资贸易部小金库中领出 5 万美元，借给他人使用。

1992 年 7 月，阎在昆明认识了一港商，两人认为搞烟最赚钱。阎于是向云南省有关领导要批条，港商拿了批条搞到 1000 件香烟，转手赚 80 万元，将其中 40 万元交给阎健宏。

1992 年 10 月，阎认识了深圳某酒店副董事长金某。从 1992 年 11 月至 1993 年 2 月间，阎为金贷款计 7000 万元。金则在 93 年 1 月邀阎去香港考察，一切费用由金支付，金并付给阎港币 1 万元，另外送阎影碟机一台，影碟8张，羊绒大衣等价值1.7万人民币的物品。

1989年，一个港商要阎帮助向贵州推销25吨化肥，阎让儿子做这笔生意。阎硬让某地区接受化肥，给农资部门造成巨大的经济损失。港商赚走几百万元，阎的儿子得了几十万元。

1992年，阎为其儿子与外商在贵阳建娱乐城，其子从中获利46万元。

哪里有钱，阎健宏就把手伸到哪里。

阎健宏利用职务之便，采取用公款充抵私人债务、转移、隐匿等手段，分5次侵吞公款65万，美元43万元；另外伙同他人共同贪污150万元，挪用公款200万元，美元5万元；伙同他人倒卖香烟供应指标谋利40万元；收受贿赂1万港币及折合人民币1.7万元的物品，情节严重，罪不可赦。

1995年1月3日，贵州省高级人民法院二审维持原判，判处阎死刑，剥夺政治权利终身。

高森祥　原中信深圳实业银行行长

他出生在粤东山区一个贫困的农民家庭，清贫的家庭造就了他的勤奋，他吃着咸菜读完小学、中学，并以优异的成绩考进国家重点大学。

高森祥1993年从北京调到深圳，曾担任过深圳市中国银行办公室主任，农业银行党组副书记、副行长。

然而，当他身居中信深圳实业银行行长要职后，却开始堕落了，一步步走向深渊。

某渡村为贷到巨款，费尽心思想“良策”，最后选中杨小姐去“攻关”。杨小姐，年方25岁，眉清目秀、天生丽质、楚楚动人，曾在深圳特区举办的国际交谊舞中获得“舞后”美称。果不出所料，杨小姐居然马到成功，轻易地贷到了巨款。

那天，杨小姐到中信深圳实业银行办贷款手续。高森祥便请杨小姐进入深圳特区第一流的餐厅，高送给杨一条金项链，杨某献出了女人最珍贵的东西，为单位贷到了款。

高森祥有一个比他年轻20多岁的妻子，还有杨小姐，但仍不能满足他那贪婪的欲望。

高常去香港一流的夜总会，与夜总会小姐一起过夜。有一次，高在夜总会选中在舞台演唱的台湾小姐，一曲唱完，歌星被领过来。高把她带到半岛酒店，请吃请喝，高送给小姐3000元港币。

高森祥喜新厌旧，得情妇孙某抛弃时，赔偿孙某“青春损失费”23万元人民币。

高森祥过着纸醉金迷的生活，所需钱财来源于贪污腐化。

1988年6月至1990年7月，高森祥自己交待就先后收受10名贷款户的贿赂计港币191万元，人民币55万元。

案发后，检查机关从高森祥的窝赃人李某处查获人民币现金4500元，港币现金7200元，港币存折452068.29元，人民币存折651709.07元。

1991年7月3日，高森祥被判处死刑，剥夺政治权利终身。

刘佳丽　原南阳市工商银行工业路办事处副主任

刘佳丽现年42年，1994年担任南阳市工商银行工业路办事处副主任。

刘佳丽共贪污公款410万元。

刘佳丽天性风流，她曾有过两次婚姻。都因她放荡成性使这两次婚姻没维持多久就失败了。离婚以后，刘佳丽除继续与两个前夫保持暧昧关系外，又在外面勾搭上了不少情人，究竟有多少个，她也谈不清楚。这几年，她逐渐想到自己人老珠黄，许多要好的情人都不辞而别。但她不甘心寂寞，于是就走向了极端，只要她看中的男人，只要陪她上床，她就给钱。同时，她又勾搭上了同单位比她小18岁的小青年李永红，两个人一个图对方的青春，一个图对方的金钱，一拍即合，打得火热。刘佳丽要想以金钱换"春色"，凭她那点收入无疑是杯水车薪，于是她就和李永红一次次铤而走险，把手伸向金库。

袁健伟和刘佳丽在二十多年前曾在一起插过队，产生恋情。回城后袁健伟分到了劳改农场，二人各有夫妻，没什么联系。

1993年的一天，刘佳丽在一个朋友有个亲戚在劳改农场，朋友问刘劳改农场里是否有熟人，想让其亲戚早点儿出来。刘想到袁健伟。结果刘佳丽的朋友的亲戚提前从劳改队释放出来。刘佳丽给袁健伟买了富康轿车、大哥大，二人重温旧梦。

这时，金库发生了短缺300万的事件。刘佳丽给李永红一笔钱让他永远离开南阳，或者将来出事了往李永红身上推，或者造成李畏罪潜逃的假象，谁知李怎么也不愿意离开南阳。

1996 年 7 月 21 日，她找到袁健伟，说了要杀李永红的打算。袁健伟一听吓了一跳，他是干政法的，知道杀人可不是闹着玩的。刘佳丽于是对袁健伟威胁道："你不杀他，咱俩都得完。我给你买的车和大哥大，钱都是我从金库里拿里，若李永红不死，哪一天将我咬出来，你也不一样得完。

两人经过周密计划，先在刘佳丽的父母家给李永红挖掘了坟墓。第二天，刘佳丽用计将父母哄了出去，喊上李永红和袁健伟这老少情人来家中喝酒，在李永红喝的酒中下了迷药，李永红毫不在意，认为依然是刘佳丽在招待自己的新老情人，不一会儿，李不胜酒力，药力烂醉如泥昏昏欲睡。刘佳丽向袁健伟使了个眼色，先离开了家。

下午 5 时，刘回来一看，袁根本没动手，袁说一个不行，于是两人开车到建西市场找到刘佳丽以前的情人王天玉，王天玉表示愿为刘效犬马之劳。

晚上 10 时许，几人回到刘家，袁首先用管子条钳向还在熟睡的李永红头部击去，王天玉也用管钳向李头打去……几个人把现场冲洗了一下，把李埋好，分别离去，事后，刘给了王天玉 6 万元。

1997 年，此案告破，1997 年 7 月，刘被逮捕，刘将受到严惩。

司法界腐败名人录

贺明保　原甘肃省公安厅长

贺明保严重违反国家出入境管理规定，以“境外调研”为借口，批给不法港商谢建华赴港、澳定居的单程证7张。谢将7张单程证倒卖后，获利330多万元。贺明保还违反规定指示借给谢建华武警专用汽车牌照3副。

经贺明保同意，省公安厅接受谢建华送的现金46万元，其中6万元用于购买手持电话4部，贺明保使用1部。接受谢建华送的“公爵王”小轿车1辆，由贺明保使用。接受谢建华送的传真机一台，价值1.4万多元，案发后订立攻守同盟，将赃物转移。

贺明保接受谢建华送的日本产摄像机一架，影碟机1台，价值1．4万多元；案发后订立攻守同盟，将赃物转移。

贺明保接受边防局局长王九盛因借武警牌照而得的贿赂款1万元，并在王九盛的问题暴露后，与其妻曹阿兰订立攻守同盟。

经贺明保同意，公安厅接受北京天外天公司王岩送的“奔驰”500型轿车1辆，后又换成40万元，购“凌志”400型轿车1辆，由贺明保乘坐。

与北京天外天公司西北分公司经理王某乱搞两性关系，并一直保持到案发。在此期间，贺明保为王写了大量低级下流的淫秽诗词，将她的新疆户口迁至兰州，并为其发一套警服，借给她两副公安牌照。甚至允许她把寻呼台建在省公安厅的办公室楼上，她的上司来了，贺明保亲自接待，为他们非法贩运、改装的100多辆走私汽车提供武装押运，派出武警战士担任警卫。替他们在西南藏族自治州非法收购虎豹狮子皮是“公安部的业务需要”。王某的上司相中了一名武警战士的精干，贺明保竟将那位现役军人派往北京为一个刑满释放人员服务一年时间。作为回报，一套高档西服披在了贺明保身上，一根硕大的象牙摆到了贺明保的书房桌上……

贺明保将《贺明保诗词集》的印刷费1.49万余元，在武警甘肃总队的经费中列支。

贺明保自担任武警总队政委、公安厅厅长以来，大肆收受下属及有求于他的其他人员的物品，除个人消费外，还通过武警总队招待所和一些个体人员出售，其中有“中华”、“红塔山”等高档香烟，“茅台”、“五粮液”等名酒，还有牛、羊肉等，收款项达8.7万元。据了解，贺明保家“工资根本不动。”

1996年4月15日，甘肃省天水市人大常委会第三届委员会第二次会议做出决议，罢免贺明保的省人大代表职务，4月17日下午3时零6分，甘肃省人民检察院对贺明保刑事拘留，一副铮亮的铐锁铐住了这位公安厅长的双手。此刻，贺明保呆滞的双眼凝着冰凉的手铐，第一次滚出了泪珠。

兰州市中级人民法院于1997年3月作出判决，认定贺明保收贿2．3万元，判处其有期徒刑3年。

郭政民　原贵州省公安厅厅长

1994年3月，最高人民检察院检察长张思卿向第八届全国人大二中全会报告工作披露:贵州省公安厅厅长郭政民，利用职权非法批准他人办理出境通行证等，从中收受贿赂10多万元，受到了严肃查办。

郭政民位高爵显,什么事情让他走上了犯罪的道路呢?

要解此谜，让我们先来到细雨蒙蒙的贵阳。

市郊一座戒备森严的收容所里,昔日趾高气扬的外商金某在执法如山的公安人员出示的铁证面前,就像一个泄了气的皮球，怎么也抖不起昔日的威风了。

他目光呆滞地冥思苦想着……曾几何时,他不也是一个公安人员吗?而且还是一位“处级警官”呢。而今,怎么沦为阶下囚了呢?

靠在审讯室冰冷的墙上，金某眯缝着小眼睛，回想起一年间的沧桑之变,嘴角上不时还漾出一丝得意的微笑……

1992年9月,金某带着发财的梦想,从南美某国回到了他的父母之乡。不过，他的目的不是省亲，发财才是目的。他打定主意要发大财，发不义之财。目的的卑鄙决定了手段的无耻。

他自诩为颇知人情世故,有一套“发财经”,靠手中的钱，买当官的权，捞更多的钱。回国不久，他就迈出了第一步。结果，旗开得胜，一炮打响。

他进攻的第一个目标，是贵阳市公安局副局长F。他要求F给其妻刘某和深圳某大酒店总经理李某办理来往港澳的通行证。

大把的钞票让F心旌摇荡。然而他的官阶不够格。无法满足金某的请求。F一摸脑门，计上心来。他把这找上门来的“款爷”引荐给了自己的上司——省公安厅厅长郭政民。

省厅厅长郭政民，对这位“款爷”，把头摇得像拨浪鼓：“不行，不行，你在贵州没有投资，省里凭啥给你办往来港澳通行证，这违反政策的事儿，咱可不能乱来！”

金某的脑瓜自然灵光。此人原本就颇精通人情世故、处世哲学。郭厅长的话还没说他心里早打好了算盘，回去后，他急急忙忙就收购了贵州省丽金游乐服务有限公司的外方股份，几天后，他再步郭政民的家门。

郭厅长见金某再次到来，心里便有了底儿。听完了金某的“汇报”，郭大厅长并不触及正题。郭厅长带着金某去参观什么贵阳饭店。参观中，金某得知原来这是省公安厅的招待所。郭厅长言外之意很明白，他要让金某花钱改造这个饭店。这可是耗资巨大的项目！金某心里直感到晃悠悠的：拿着金钱打水漂儿么？我才不干呢！

可是，舍不出孩子套不住狼。一毛不拔就想拿到两张通行证，那才是痴人说梦。金某一咬牙一跺脚，说了句痛快话：“郭厅长，你有困难咱不能看笑话，这么着，我捐100万给省厅。不过，那两张通行证还是开个绿灯才是呀！”

郭政民脸上露出了一丝微笑，点了点头。

1992 年 11 月，金某把 110 万汇票交给了郭政民。郭政民将汇票交省公安厅招待所入帐。金某见机忙说："厅长，这 110 万元里有 10 万元是麻烦您转给我们丽金游乐服务有限公司的。"'好说，好说"。郭政民皮笑肉不笑地答应道。

12 月 2 日，郭政民在刘某、李某二人通行证申请表上签署了"同意"二字。随后，出入境管理处很快就将两张新通行证交给了郭政民。

金某把省公安厅招待所转到丽金公司的 10 万元全部提出。12 月 4 日，金某对丽金公司董事长丁某面授机宜：找个牛皮纸袋，把 3 万元装进去……

在丽金公司丰盛的晚宴上、郭厅长掏出两张通行证。金某连声称谢，丁某又将 3 万元交给郭政民，郭政民收下了。

1993 年春节过后，金某再次找到贵阳市公安局的 F 副局长，请他想法把自己"变"成公安干部。F 不仅亲自为金某填好虚假的《干部履历表》和《干部任免呈报表》，还积极给郭厅长推荐。

看完市局的报表，郭政民大笔一挥：同意！

3 月 15 日，丽金公司的宴会上，金某催郭政民尽快把他的工作证办下来。

第二天，金某乘飞机到上海，他挂电话给郭政民，希望能尽快拿到"工作证"。

郭政民派儿子专程乘飞机到上海为金某送证，并说：此证没做好，以后重新搞一个更好的。

在金某上海别墅卧室里,郭政民的儿子替其父再次接过了金某的10万元人民币,并于当天飞回贵阳,把这笔钱交给了郭政民。

等金某拿到新工作证明,他已从副处级"荣升"为正处级了。

为巩固位子,巴结主子,金某走起了"夫人路线"。机会来了,1993年5月12日,郭政民的夫人要到北京治病。金某闻知后,马上做好了安排:派人携了万元现金陪厅长夫人进京,派另一名亲信携3万元提前到京恭候。

金某又亲自赴京护驾。

5月15日,金某到了北京,17日凌晨,郭政民从国外考察回来也到了北京。金某此次不但主动支付了陪护人员的开支1万元,还于17日晚赶到郭政民下榻的宾馆,把4万元交给了郭政民的次子,郭的次子也如数把这笔钱交给了郭政民。

1993年11月,省纪委、省监察厅根据群众举报对郭政民的问题进行了调查。这下,郭政民慌了手脚,他像热锅上的蚂蚁一样,又是指使人搞假证、串供,又是转移赃物、销毁证据,自以为可以把这一切掩盖得天衣无缝。

执法执纪人员克服重重困难,终于取得了郭政民违法违纪的大量确凿证据。

贵州省委决定开除郭政民党籍,省人大根据省府提议撤销了其公安厅长的职务,司法机关已依法将其逮捕。至于那个梦幻破灭的金某及其他机关的违法违纪人员，等待他们的也将是国法党纪的严惩。

王治文　原达川市人民法院院长

王治文在审理刘福贵案件中，收受贿赂2000元。让刘福贵在达川市一医院搞一张假的“风温性心脏病”的证明，决定对刘福贵“暂予监外执行”。

48岁的王治文是一个既贪色又贪财的恶棍。早在1992年，王治文走上领导岗位不久，便开始权钱交易，达川市国土局汽车驾驶员桑春雷因盗窃罪被达川市检察院起诉后，判处有期徒刑5年，收监执行。桑犯之母谢某通过某机关办公室主任代某找到达川市某公司总经理况某帮忙，况某安排请王治文吃饭，并在一包厢内让谢某与王治文交谈，谢某提出能不能给搞个监外执行，王治文说：“要搞监外执行就必须到医院去搞个肝炎病的证明来，我们才好办。”之后，王治文又要桑父写了其子有病要求宽大处理的请求书。同年11月25日，王治文又以市法院的名义给市国土局写个函，要国土局接受安置桑犯，达川市看守所收到市法院关于桑犯的执行通知书后，于1992年12月1日将罪犯桑春雷释放。事后，王治文收受贿空调一台。

1994年4月，铁道部二七局川东办事处诉达川电业局电力技术开发公司房屋联建侵权纠纷一案，被达川市法院西城法庭受理后，经多次调解均未达成协议，电力技术开发公司请王治文和几名法院干部一起开座谈会，并准备会后吃顿饭，到会的法院干部都说不吃饭。这时，王治文提出要上卫生间，电力技术开发公司一位干部立即陪同前往，并在厕所里将5000元招待费给王治文。王治文收钱后，不动声色地回到会场。

会后，王治文提出到建房现场看看，他对陪同的电力技术开发公司领导说："以前只是听说，现在看了现场，对情况更清楚了，房子应该属于你们。"王治文就是如此霸道，面对金钱，又是如此卑鄙。事隔1月，电力技术开发公司又给王治文送支票3000元，王治文又一声不吭地收下了。

王治文像这样贪赃枉法的事例还有很多。他除了爱钱如命，不择手段外，还特别好色，作风腐化，道德败坏。王治文有情人，早就是公开的秘密。有一次，法院准备外出搞活动，车上坐着几位老干部。王治文上去后，竟把老干部们赶下车，然后请他的情人上车，目睹此情者无不愤慨。

1995年5月24日，经地、市两级人大同意，王治文被依法刑事拘留。6月3日，决定对王治文依法逮捕。与此同时，检察机关依法对王治文的住所和办公地点进行了搜查。从其家中搜出赃款赃物价值30多万元。此案惊动了整个达川地区，人们奔走相告。

岳守胜　原吉林省国家安全局副局长

岳守胜不满四十岁，经过二十年的努力奋斗，以当年一名知识青年成长为一名副局(副处)级领导干部，这是他自己拼博进取和党组织辛勤培养的结果。岳守胜的这段人生旅程虽然说不上显赫辉煌，但也可谓是平步青云了。

地位变了，本该是岳守胜更加努力为党工作的新起点，但是，不知是因为改革开放搞活经济过程中新事物层出不穷使得岳守胜眼花缭乱，还是从事政法工作二十多年太“清贫”的缘故，他一朝权在手，“抠钱的欲望就急剧膨胀。就在他走上领导岗位还不到二十个月的时候，面对金钱的诱惑，岳守胜就去掉原来的信念、改变人生的追求，陷进违法犯罪的深渊。

1994 年 7 月，岳守胜主管的市安全局所属的实业公司准备将公司在市站前小区的办公用房出售。铁道部直属机关工会所属吉林农场（以下简称吉林农场）准备购买此房。实业公司经理王某把情况向岳守胜作了汇报。7 月初，市安全局党组会议研究决定：以 20～22 万元的价格出售该房。事后，吉林农场场长于某找到岳守胜说：房价 20～22 万元太高了，如果在 18～20 万元之间，吉林农场可以考虑买下。岳守胜问于某：房价你们最多能出多少？于某表示能给 20 万元，同时，于某表示希望岳守胜帮忙，事成之后给他个人点钱。岳守胜一本正经地说：“这事我定不下来，我向党组汇报一下，给你们研究研究”。表示尽量压低房价。

7 月中旬，市安全局党组会议再次研究实业公司民政部办公用房出售价格时，岳守胜说：房价 20～22 万元，买主（指吉林农场）认为太贵，现在他们同意给 18 万元，大家看怎么样？经研究，党组会议最后决定，实业公司的房价定在 18～20 万元之间。会后，岳守胜通知实业公司经理毛某，局党组会议研究，同意以 18 万元的价格把房子出售给吉林农场。

7月17日，吉林农场把18万元的房款一次性交给实业公司。7月下旬，吉林农场场长于某在丰满安全局招待所招待客人时，邀岳守胜参加。岳守胜借机对于某说，房子是按你们上报的价格通过的，你得说话算数。于某表示说话一定算数。

一天晚上，于某往岳守胜家打电话，让岳守胜下楼到安全局楼门前等他，于某乘出租车到安全局，下车后将2万元钱交给岳守胜。

1995年7月5日，中共吉林市纪委常委会议讨论决定，并报请中共吉林市委批准，开除岳守胜的党籍和公职。

1995年6月21日上午9时，吉林市中级人民法院第二审判厅里。座无虚席，连过道里也站满了人，审判因受贿罪判处岳守胜有期徒刑五年。面对判决，岳守胜脸色苍白，两行悔恨的泪水从他那忧郁的眼中流出。

陆世长　原广西南宁市降安县公安局局长

早在1959，陆世长20岁时，就因贪污公款被停职检察，在停职检查中，他又玩弄侮辱孕妇，受到留团察看一年，行政开除留用的处分。

一天晚饭后，陆世长逛街。在路口，他遇一个刚上完晚自习的女学生。这个女中学生的父亲前些时候还为女儿的“农转非”事找过他。陆便以取消女中学生户口相威胁把这个女中学生抱到偏僻处……

一个干部为其女儿“农转非”找到陆世长，陆世长把这名干部支开，让干部的女儿晚上8点到车站。晚8

点，陆世长把那位姑娘带到一个阴暗的角落奸淫了。此后，陆世长又把姑娘叫出来三次，在烈士墓地奸淫了三次。

在这段时间里，陆世长以“农转非”为诱饵，用同样的手法，先后在烈士墓地、县政府招待所背后、县医院附近、干警宿舍、化工厂山坡等地，奸淫一妇女三次、一少妇三次、一少妇五次、一少妇10次……

一个少妇为解决丈夫“农转非”问题找到陆世长，被陆世长奸淫10多次。

一天，一个57岁的妇女来找他，为被公安局拘留的女儿求情，陆世长却趁机把这个妇女强奸了。

一位少女与一名战士谈话，被陆世长发现，陆以少女行为不轨为由把这少女找到“招待所”背后，强奸奸污。过后，陆世长又以“帮助找工作”为诱饵，先后奸污少女16次，少女只得远走他乡。

一名10多岁的中学生因要办“农转非”，被陆世长叫到小河边强奸，后有一次又被叫到一条小路上强奸了。

从1987年10月到1991年10月，陆与劳改释放犯劳荣进相互勾结，以帮办“农转非”为由，由劳进出面牵线搭桥，陆世长负责审批，先后索取22户要求“农转非”户主的贿赂3.94万元，其中陆一人分得1.3万元。

1996年参加工作的县氮肥厂工人隆巨仁，因为交通事故半身不遂，每月只有48元的劳保工资，隆巨仁的妻子离他而走，留下三个孩子和他艰难渡日。隆巨仁写报告给县公安局，恳切要求将三个小孩子户口“农转非”。但是，这事一直未被陆解决。

国家每年分给隆安县的“农转非”指标是45人，实际上隆安县1989年度“农转非”409人，1990年236人，均由陆个人说了算。

1977年至1991年，这伙人利用审批“农转非”户口为手段，共索贿7万元，其中陆收3万元。

1977年，陆奸淫妇女一人，1979年，陆奸淫一人。1981年，陆奸淫妇女一人，受贿160元，1986年，陆受贿500元。1987年，陆奸淫妇女三人，受贿1000元，1989年，陆奸淫妇女二人共8次，受贿7320元，1990年，陆强奸妇女二人，侮辱妇女一人，与他人共同受贿34930元。1991年，陆强奸幼女1人，强奸妇女1人，侮辱妇女5人，受贿25600元。

调查认定，陆先后奸淫妇女9人49次，调戏、侮辱、猥亵妇女10人13次，而据有线索的数字，陆起码奸妇女100多人。

1993年5月21日，陆世长被依法处决。